Collection « Outaouais »

L'Outaouais est cette grande région de l'ouest du Québec, à la frontière de l'Ontario, qui se caractérise pas ses multiples rivières et vallées, ses miliers de lacs, sa vaste forêt mixte, ses montagnes de la vieille chaîne des Laurentides, ses nombreuses municipalités ainsi que par le présence de la troisième agglomération urbaine en importance au Québec.

La collection « Outaouais » regroupe des textes divers qui ont trait à des particularités, à des activités, à des événements et à des projets de tous genres ainsi qu'à des auteurs ou à des personnages, du seul fait qu'ils sont reliés à la vie dans l'Outaouais.

Je t'aime, Abigail !

suivi de

Le Journal d'*Abigail*

Du même auteur

Blisse – Le cycle des conteurs, Écrits des Hautes-Terres, Ripon, 1999.

Blisse – Le cycle des mères, Les Éditions de Lorraine, Hull, 1995.

Contes et nouvelles de l'Outaouais québécois, direction, Les Éditions du Vermillon, Ottawa, 1991.

Barrueco, Les Éditions de Lorraine, Hull, 1990.

Le cinéma vécu de l'intérieur, mon expérience avec Pierre Perrault, suivi de *Autocritique*, Les Éditions de Lorraine, Hull, 1988.

Tournage avec Pierre Perrault, Les Éditions du Vermillon, Ottawa, 1986.

Je ne connaissais pas l'eau avant de goûter vos larmes, poème-affiche, gravure de Vincent Théberge, Les Éditions du Vermillon, Ottawa, 1986.

Huit poèmes infiniment, collectif, sous la direction de Jean-Guy Paquin, Sept plus un, Hull, 1983.

Outaouais-mars 82, direction, Association des auteur-es de l'Outaouais québécois, Hull, 1982.

L'écriture, ce vaste lieu, direction, Association des auteur-es de l'Outaouais québécois, Hull, 1981.

Lettres qui n'en sont pas, Asticou, Hull, 1980.

ÉCRITS DES HAUTES-TERRES

Je t'aime, Abigail !

s u i v i   d e

Le journal d'*Abigail*

STÉPHANE-ALBERT BOULAIS

COLLECTION «OUTAOUAIS»

Écrits des Hautes-Terres
Lac Cœur, Montagnes noires
R.R. 2
Ripon (Québec)
Canada J0V 1V0
Téléphone : (819) 986-9303
Télécopieur : (819) 986-8826
Adresse électronique : info@hautes-terres.qc.ca
Site Internet : http ://www.hautes-terres.qc.ca

La maison d'édition Écrits des Hautes-Terres bénéficie du soutien
des institutions suivantes : Conseil des Arts du Canada ; Société
de développement des entreprises culturelles du Québec.

Diffuseur
PROLOGUE INC.
1650, boulevard Lionel-Bertrand
Boisbriand (Québec)
Canada J7H 1N7
Téléphone : (450) 434-0306
Télécopieur : (450) 434-2627

ISBN : 2-922404-12-9

© Écrits des Hautes-Terres (1999) ; Stéphane-Albert Boulais.

Dépôt légal :
Bibliothèque nationale du Québec, 1999.
Bibliothèque nationale du Canada, 1999.

à Lorraine Lemieux
ma douce
mon Héloïse
mon Abigail

Préface

C'est avec beaucoup d'admiration que j'accueille l'œuvre de Stéphane-Albert Boulais, au nom de toutes les Hulloises et de tous les Hullois qui s'apprêtent à célébrer avec nous le bicentenaire de la ville de Hull.

Le succès de Blisse nous avait ravis et voilà que quelques mois plus tard, Stéphane-Albert Boulais nous donne généreusement Je t'aime, Abigail ! pour célébrer les deux cents ans de sa ville d'adoption. C'est un geste qu'on n'est pas prêt d'oublier.

Comme de nombreux étudiants au cours des ans, je dois à mon professeur du Cégep de Hull, une part importante de mon amour du cinéma et de mon affection pour les lettres.

Je t'aime, Abigail ! sera porté sur scène dans un spectacle grandiose au cœur de nos célébrations de la fierté, du courage, de l'ardeur et de la volonté de ceux et celles qui ont bâti notre histoire. C'est un bijou de respect et d'amour de Stéphane-Albert. Non seulement c'est un hymne à sa profession d'éducateur et d'enseignant à laquelle il a consacré tant d'énergie, mais c'est un hommage à l'ouverture d'esprit et au grand cœur des gens d'ici.

Je t'aime, Abigail ! est empreint de délicatesse, de doigté, de poésie et de fantaisie. Peu d'auteurs réussissent avec autant d'efficacité à assembler une mosaïque interculturelle aussi colorée que pénétrante. Et par surcroît, c'est une histoire d'amour où l'on reconnaît les bâtisseurs de Hull, d'âge en âge.

Bravo et merci Stéphane-Albert, mon professeur, mon ami !

Yves Ducharme
Maire de Hull

PREMIÈRE PARTIE

Les Chaudières

1

Vincent Rossignol s'était réveillé tôt, ce matin-là, dans sa chambre de l'appartement familial cossu du dernier étage de la tour Port-de-Plaisance. Les grandes fenêtres d'angle de sa chambre trônaient sur l'Outaouais. En bas, à l'est, sous le soleil éclatant de ce 26 juin 2000, le couvent des Servantes de Jésus-Marie semblait plus silencieux que de coutume, on l'aurait dit en prière devant les chutes Rideau. Le parc Jacques-Cartier, lui, se réveillait mollement et semblait répondre, dans la fraîcheur de son éveil, à la paisible sensualité architecturale du Musée canadien des civilisations.

Vincent n'était pas de bonne humeur malgré le beau temps qu'il faisait. Il devait se rendre à un endroit qu'il aurait bien aimé éviter.

— Vincent, lève-toi, tu vas être en retard ! lui cria soudain sa mère, de la cuisine.

— Je me lève, maman, répondit-il.

Il fit sa toilette, puis il entra dans la salle à manger où, la mine renfrognée, il avala en vitesse un sandwich aux œufs sous l'œil bienveillant de sa mère qui lui dit :

— Bonne fête, mon chéri !

Comme ce souhait n'arrachait même pas un sourire à son fils, elle ajouta :

— Tu verras, ça se passera bien. C'est juste un cours d'été, après tout.

Il ne lui répondit pas. Il attrapa sa planche à roulettes et disparut dans le corridor.

Vincent Rossignol détestait l'histoire, mais sa mère l'avait inscrit à un cours d'été au cégep. Comble de malchance, le cours commençait le 26 juin, la journée même de son anniversaire de naissance.

2

Il entra dans la classe en retard. François Desjardins, l'énergique professeur d'histoire dans la jeune quarantaine, terminait l'appel des noms. Il se tourna vers Vincent, qui tenait sa planche à roulettes sous son bras :

— Veuillez bien, monsieur, rouler vers mademoiselle Meers, dit-il avec humour.

Il n'y avait plus qu'une place libre dans la première rangée, aux côtés d'une sculpturale jeune fille aux larges épaules. Dès le premier coup d'œil, Vincent fut troublé par la beauté de la jeune fille. Elle avait une belle tête aux cheveux enflammés et des yeux verts.

Il s'installa à ses côtés en balbutiant des excuses pour son retard. Il fut gêné quand le professeur lui demanda :

— Au fait, le nom de Meers, vous dit-il quelque chose ?

Cette question prenait Vincent au dépourvu. Abigail, elle, avait redressé fièrement la tête.

Au fond de la salle, il y avait un immense écran de cinéma. Les treize étudiants et étudiantes lui faisaient dos. Devant le bureau du professeur, il y avait deux projecteurs. L'un à diapositives et l'autre à vidéos. François Desjardins activa alors la manette du projecteur à diapositives. Une image de chutes superbement félines tombant dans des chaudières de calcaire glacé apparut. Les têtes s'étaient retournées avec vivacité. Ce paysage hivernal était à couper le souffle.

— Est-ce que le nom de Meers vous dit quelque chose ? demanda-t-il cette fois à toute la classe d'une voix énigmatique.

Il ajouta : « Bien sûr, je ne le vous demande pas encore, mademoiselle. »

Toutes les têtes s'étaient de nouveau retournées et regardaient intensément le professeur. Sa question inattendue avait plongé la classe dans une sorte de silence électrique, comme il en existe souvent lors de la première rencontre entre un professeur et ses élèves. Dans cette petite salle de classe, qui servait aussi de salle de projection, on aurait pu entendre tout à ce moment-là, le bruit des ongles, le battement des paupières, même celui des cils. On aurait pu également tout sentir. Les parfums, surtout. Vincent Rossignol fleurait l'odeur d'Abigail. Il pensa aux hémérocalles de sa mère.

Ces treize jeunes gens étaient en cours d'été. Les uns pour s'avancer dans leur programme, les autres pour le rattraper. François Desjardins, habitué à cette clientèle, avait inventé deux mots pour la décrire : les « avanceurs » et les « rattrapeurs ». Vincent faisait partie de ces derniers. Il avait échoué son cours d'histoire à la session d'hiver. Une matière qu'il n'aimait pas, même si sa riche mère l'y avait initié tôt en le faisant voyager à plusieurs reprises en Europe.

Le professeur François Desjardins posa de nouveau son œil espiègle sur lui et lui dit avec humour :

— Meers, ça vous dit quelque chose, monsieur ?

Vincent était de nature timide et peu bavarde. Il détestait répondre aux questions en classe. Le nom de Meers ne lui disait rien.

— Nous sommes suspendus à vos lèvres, jeune homme, dit gaiement François Desjardins.

— C'est anglais, arriva à bredouiller Vincent.

Cela déclencha le rire d'une bonne partie de la classe.

Abigail se tourna alors vers lui et, d'un œil fier, le toisa. Le regard pénétrant de la jeune fille traversa Vincent Rossignol.

L'image hivernale des Chaudières remplissait toujours l'écran.

— Que voyez-vous dans cette image, mademoiselle Meers ? dit le professeur.

François Desjardins était fier de sa technique. Il avait pour son dire qu'il n'y avait rien de mieux que de marier l'intime et le général. Il aimait déstabiliser ses étudiants ainsi. Les forcer à prendre part au cours. Il entendait donner un cours « tridimensionnel ». La plupart du temps, il déjouait les calculs de ses étudiants. Cette fois, il fut surpris d'entendre la réponse d'Abigail. D'autant plus qu'il succomba lui aussi au charme de cette voix merveilleusement timbrée au léger accent anglophone.

— J'y suis, dit-elle.

— Vous y êtes ? fit-il surpris.

— Ma famille s'y est installée en 1800.

Les « avanceurs » éclatèrent de rire. Les « rattrapeurs » cessèrent d'être dans la lune. Ce qui se passait les intéressait.

— Ils ont marché pendant plusieurs jours sur la Grande Rivière, continua la surprenante Abigail.

— La Grande Rivière, qu'est-ce que c'est que ça ? demanda le grand Albert Guertin, un gaillard, joueur de football. Il faisait partie des rattrapeurs.

— Maudit innocent, tu sais pas ce qu'est la Grande Rivière, tu peux bien suivre des cours d'été, Albert Guertin ! dit Bob Vaillant, un autre athlète du groupe des rattrapeurs.

— J'suppose que tu le sais, toi ?

— Pas plus que toi... Pourquoi penses-tu que je suis ici ? fit-il en riant.

Tout le monde se marra. Bob Vaillant était célèbre au collège autant pour ses talents de sprinter au sein de l'équipe d'athlétisme que pour ses frasques et ses bouffonneries. François Desjardins en profita pour récupérer la classe. Il lança un mot mystérieux qui eut l'heur de galvaniser l'assemblée.

— *Kitchisipi*, cria-t-il, sur le même ton qu'il aurait pris pour dire : « Taisez-vous ! »

— Grande Rivière, enchaîna Abigail Meers de sa voix sensuelle. Il y avait trois pieds de neige sur la rivière ce mois de mars-là. Et ils arrivèrent aux Chaudières avec quatorze chevaux, huit bœufs et cinq traîneaux chargés de lard, de fer, de houes et de faux. Cinq familles plus vingt-cinq engagés. Vingt et un enfants. Elle était enceinte.

— Qui ça, elle ? demanda Albert Guertin.

Abigail ne lui répondit pas. Elle poursuivit, inspirée.

— Treize jours de glace. Elle allait bientôt accoucher. C'était la tempête. Un blizzard terrible. Elle avait mal. Cette marche incessante. Leur chef, Philemon Wright, leur avait promis un royaume. Elle avait hâte d'y déposer son œuf.

— Quel œuf ? reprit Albert Guertin, qui semblait comprendre de moins en moins.

— Oui, quel œuf ? surenchérit Bob Vaillant.

— Quel beau couple d'innocents vous faites, toi et le grand Guertin, dit Rachelle Ouimet, une superbe jeune fille dont les vêtements serrés faisaient jaillir une poitrine ronde comme un planisphère. Un feutre coquet donnait à sa physionomie afro-québécoise un petit air canaille.

— Le bébé, bande d'idiots ! ajouta-t-elle.

— Le bébé, tu parles d'une poule, reprit Albert Guertin.

— Que veux-tu qu'il sorte d'autre de la bouche d'un coq, dit alors Aurélie Concalvez, qui pouvait se vanter d'avoir dans ses veines du sang portugais et algonquin. Avec toute autre qu'elle, le grand Guertin aurait pris un ton railleur, mais il en bavait pour Aurélie Concalvez depuis qu'il avait suivi un cours de socio avec elle.

Les rattrapeurs commençaient à trouver cela de plus en plus stimulant. Certes, « l'histoire » était toujours une matière plate, mais là, ce n'était plus pareil. C'était l'été et il y avait des belles filles qui donnaient au cours un autre relief. Une allure plus stimulante.

Le professeur affichait maintenant un sourire calme. C'était bien parti. Cette classe avait du potentiel. Il laissa la dynamique suivre son cours.

— Heureusement, la troupe de Philemon avait eu la chance de rencontrer, chemin faisant, un couple d'Amérindiens,

continua Abigail Meers. L'homme s'offrit comme guide et, grâce
à lui, la future petite colonie d'une soixantaine de personnes
arriva à bon port.

Abigail regarda fièrement le professeur et ajouta :

— Voilà ce que je voulais dire, monsieur, quand j'ai dit que
j'y étais. Mon ancêtre Paula Meers était du groupe des cinq
familles américaines, parties du Massachusetts en février 1800
pour venir s'installer non loin des Chaudières. Les livres
d'histoire ne révèlent toujours le nom que de quatre familles :
celles de Philemon Wright, de Thomas Wright, de John Allen et
de Samuel Choat. La cinquième, c'était celle de Paula Meers,
veuve enceinte, accompagnée d'Oxford London, un ami.

— C'est excellent, Abigail. Vous m'en apprenez. Pour la
plupart des gens, l'histoire de leur nom ne commence qu'avec
leurs grands-parents. Quant à celle de leur ville, ils ne savent
généralement d'elle que ce qui s'est produit après leur propre
naissance. Voilà pourquoi j'ai mis cette image des Chaudières.
Elle symbolise l'origine de Hull. Quand vous traverserez le
pont des Chaudières, j'espère que vous regarderez les chutes.
Elles sont toujours là, même si elles sont quelque peu
harnachées.

Le professeur regarda alors Vincent et lui dit, en cochant la
seule case non encore remplie de sa liste d'élèves :

— Rossignol, je suppose.

— Oui, Rossignol, monsieur.

— Comme l'oiseau, ironisa le grand Guertin.

— Chante-nous une petite chanson, suggéra loufoquement
Bob Vaillant.

—Toi, le coq, la ferme, lança Rachelle Ouimet.

3

François Desjardins actionna de nouveau la télécommande.
À l'image des chutes succéda celle d'immenses falaises comme on

en trouve en amont des Chaudières, dans les escarpements d'Eardley, entre Hull et Luskville.

— Est-ce que vous trouvez ça haut et vertigineux ? demanda le professeur.

— Tu parles, fit Albert Guertin.

— Eh bien ! le travail que vous aurez à faire vous donnera encore plus le vertige.

— Ah, non, fit Pedro Da Silva, un jeune Portugais mélomane qui portait toujours les écouteurs de son *Walkman*.

— Content d'enfin voir tes oreilles, Pedro, fit François Desjardins en riant.

Pedro avait enlevé ses écouteurs. Mais il n'avait pas l'air heureux d'être obligé de travailler si fort. Il ne pensait qu'à une chose, au spectacle que son orchestre devait donner le soir même dans une boîte d'Ottawa. Ses parents l'avaient obligé à s'inscrire aux cours d'été compte tenu qu'il avait beaucoup de rattrapage à faire. Mais, rusé, il avait négocié avec sa famille son inscription à un cours d'histoire contre la possibilité de se produire en spectacle les soirs, pendant l'été. Certes, le cours était intensif. Trois semaines, à raison de six heures par jour, trois jours par semaine : les lundis, mercredis et vendredis.

— Quels sont ceux qui sont droitiers ? demanda soudain François Desjardins.

Cinq garçons et trois filles levèrent la main.

— Je présume que les autres sont gauchers. Mais qu'ils lèvent la main quand même.

Cette fois, ce fut au tour d'une autre fille et de trois autres garçons de le faire.

— Si je sais bien compter, ça fait huit droitiers et quatre gauchers, ce qui fait douze. Or, vous êtes treize, n'est-ce pas Bob Vaillant ?

— Lui, c'est pas pareil, il est ambidextre, dit Albert Guertin.

On rit. Et Bob Vaillant encore plus que les autres. Il affichait le sourire de celui qui vient d'assombrir l'idée que François Desjardins avait dans la tête quand il avait posé sa question.

— Écoutez bien maintenant. Tous les gauchers, mettez votre crayon dans la main droite et les droitiers, dans la main gauche, dit soudain le professeur.

— Et Vaillant, lui, quelle main prendra-t-il ? fit Rachelle Ouimet.

— J'ai un crayon spécial pour lui.

— Hein ? firent les élèves.

Le sourire de Bob Vaillant s'évanouit progressivement. Il scrutait maintenant les gestes du professeur. Ce dernier se pencha sur un gros porte-documents en cuir usé, y plongea sa main et en ressortit une sorte de bandeau métallique sur le devant duquel pendait une longue tige terminée par un petit capuchon de feutre.

— Qu'est-ce que c'est ça ? demanda Guertin.

— Un révélateur de conscience.

— C'est en plein ce qu'il lui faut, dit Rachelle Ouimet.

— Tiens, l'ambidextre, pose ça sur ta tête, fit François Desjardins.

Bob Vaillant ne bougeait pas. Toutes les têtes étaient tournées vers lui. Tous riaient, même le timide Vincent Rossignol.

— Vous pensez que je le ferai pas, hein, bande de cons ? dit l'athlète. Eh bien ! oui, je vais le faire.

Bob Vaillant tâta cérémonieusement le curieux bandeau métallique, puis il l'ajusta tant bien que mal autour de sa tête, après quoi il s'étira, fanfaron, bien appuyé sur le dossier de sa chaise.

— Mais, c'est pas un crayon ça ? fit remarquer le grand Albert Guertin au professeur.

— Tu n'as pas tout à fait tort, mais tu n'as pas non plus tout à fait raison. Attendez.

François Desjardins se dirigea cette fois vers une mallette. Il l'ouvrit et en sortit, à la grande surprise des élèves, un super-ordinateur portable de marque Macintosh. Il le posa devant Bob

Vaillant, puis il le mit en marche. Des couleurs vives automnales envahirent l'écran. François cliqua sur le dossier intitulé « Grande Rivière », puis sur le document « Chaudières ». Immédiatement, un court texte apparut avec de fougueuses chutes en toile de fond.

Aujourd'hui, 26 juin 2000, nous commencerons l'histoire des Chaudières.

François plaça le curseur à la fin du dernier point, puis dit gaiement à Bob.

— Tu vois le clavier. Eh bien ! pendant que les droitiers écriront de la main gauche et les gauchers de la main droite, toi, tu écriras avec ton charmant front de « bœu », lettre par lettre. On est d'accord ?

— Oui, maître, ne put s'empêcher de lancer comiquement Bob.

François Desjardins revint en avant de la classe, se tourna vers ses élèves et dicta sur un rythme légèrement rapide la phrase qui suit :

Aujourd'hui, c'est une fête, une fête spéciale, une fête unique, une fête étonnante, une fête extravagante, une...

— Une fête extravagante... avez-vous dit ? demanda Rachelle Ouimet.

— Extravagante toi-même, dit Bob Vaillant en serrant les dents et en cherchant péniblement chaque touche du clavier avec le crayon spécial qui lui pendait au milieu du front.

— Monsieur, vous allez trop vite ! fit Aurélie.

— C'est vrai ça ! ajouta Albert Guertin. T'es rendu où, Bob ?

— J'cherche encore l'apostrophe du mot « aujourd'hui ». Puis toi, le grand ?

— Moi, j'suis rendu à la fête « tétonnante ».

— Fais pas le tôton, Albert Guertin, railla Rachelle Ouimet.

— Vous disiez « une... », enchaîna Abigail.

— « Une grande fête, la fête des Chaudières, qu'est-ce à dire ? »

— J'lâche, c'est trop dur, fit Pedro.

— Continue mon Pedro, t'es capable, répondit François Desjardins.

Le professeur reprit la même phrase, cette fois plus lentement.

Abigail Meers, Rachelle Ouimet et un garçon du nom de Mathieu Couture furent les premiers à terminer. Les autres finirent tous à peu près en même temps, à l'exception de Vincent Rossignol et de Bob Vaillant. On les attendit. Vincent suait. Cela l'humiliait de terminer presque en même temps que Bob. Il souhaitait de tout son cœur qu'Abigail ne tourne pas vers lui sa tête hautaine et, pourtant, si attirante.

— Vous avez trouvé ça difficile, hein ?

— Difficile, c'est pas le bon mot, le martyre ! dit Bob, dont le crayon spécial pendait toujours au milieu du front.

— Eh bien, ce que vous aurez à faire dans mon cours le sera encore plus... (plusieurs voix protestèrent)... mais je sais que vous pouvez tous y arriver. C'est là le sens de la pédagogie. Un philosophe français que j'aime beaucoup, Michel Serres pour ne pas le nommer, disait : « Il faut que le gaucher s'expose vers la droite et le droitier vers la gauche pour se réveiller de leur quiétude animale ou de leur sommeil mortel. » Qu'en penses-tu, Bob ? « Aujourd'hui, c'est la fête des Chaudières ! » Voilà le travail que vous aurez à faire en équipe.

— Ça a l'air pas mal dur, ça ! dit d'une voix forte un grand garçon qui n'avait pas encore parlé. Il s'appelait Bruno Langevin. Il venait de Maniwaki. Une taille de bûcheron.

— Il a raison, s'empressèrent d'ajouter en chœur Bob et Albert.

— Voyons, ne me dites pas que des gaillards comme vous avez peur de l'ouvrage.

— C'est pas ce qu'on dit, mais à la vitesse qu'on a pris pour seulement écrire une phrase, imaginez-vous ce que ça sera pour le reste.

— T'es bien simple, Albert Guertin. L'affaire des droitiers et des gauchers, ce n'était qu'une métaphore, dit Rachelle Ouimet.

— Métaphore, métaphore, ça mange quoi en hiver ? demanda Bob.

— Une figure de style, grand niaiseux ! dit Rachelle en regardant Bob avec une sorte de mépris au travers duquel, toutefois, quelqu'un d'avisé aurait pu lire un sentiment qui n'est pas étranger au désir.

— Je suis certain que vous pourrez tous y arriver, dit François Desjardins, en s'approchant de Bob.

— Tu peux maintenant me remettre ton crayon.

— Ce sera un grand plaisir, fit moqueusement l'athlète.

Le professeur prit le curieux instrument dans ses mains et s'adressa à toute la classe.

— Ce crayon spécial a une histoire et elle mérite que vous la connaissiez. Il m'a été donné par un élève, il y a longtemps... C'était au début de ma troisième année d'enseignement. Cette année-là, j'avais commencé mon cours en faisant une blague sur les retardataires.

— Dans le genre « Veuillez bien rouler jusqu'à mademoiselle Meers, monsieur Rossignol », dit Bob Vaillant en éclatant de rire.

Vincent rougit.

— Les étudiants avaient ri, comme vous l'avez fait, reprit le professeur, mais, à cette occasion précise, un rire chevalin, comme le hennissement d'un cheval sauvage, avait couvert la classe. Tout le monde s'était retourné pour voir de quelle bouche provenait un si prodigieux rire. Eh bien ! il sortait de la bouche d'un garçon qui n'était pas assis sur une chaise normale. Ce garçon s'appelait Mario. Or, Mario était recroquevillé sur lui-même dans un fauteuil roulant. Il était littéralement sanglé dans son fauteuil. Seuls ses bras émergeaient. Il les tenait contre lui et ses doigts ressemblaient à des serres tant ils étaient repliés. Mario pouvait à peine parler. Quelques mots complètement déformés sortaient de sa bouche. On aurait dit qu'ils avaient passé préalablement dans un broyeur. Son nom, par exemple. Je ne sais plus combien de temps il avait mis pour le dire : « Mmmm... Mmmm... Mmma... Mmmar... Mmmario », avait-il dit en lançant un super rire qui me fit mal. Cette fois, personne n'avait ri. Le jeune homme faisait des efforts surhumains pour se faire comprendre. Seuls ses yeux semblaient enjoués dans sa figure torturée. Je mis beaucoup de temps à donner un sens à ses paroles. Je me demandais bien comment je m'y prendrais pour lui faire atteindre les objectifs du cours. Il aurait un travail de recherche à faire sur le terrain, en plus d'une dissertation et de quelques examens écrits. Ses mains tordues n'auraient pu réussir à tenir quoi que ce fut, encore moins un crayon. Les semaines passèrent et Mario me faisait toujours sursauter lorsqu'il riait. Le jour du premier examen arriva. Mario était là, avec un curieux appareil qui lui ceignait le front. Devant lui, il y avait une machine à écrire électrique. Je passai le questionnaire. Les étudiants avaient le choix entre plusieurs questions qui portaient sur des aspects de l'histoire de notre grande région. Cela allait de l'histoire de la formation géologique au pléistocène à celle de l'économie du centre-ville de Hull dans les années quatre-vingt. Mario avait utilisé son « crayon spécial » avec une habileté exceptionnelle. Je n'ai pas eu à attendre sa copie. Même que...

François Desjardins s'arrêta quelques instants. À ce moment-ci, on aurait pu entendre une mouche voler dans la classe tant les élèves étaient à l'écoute.

— Même que quoi ? dirent les avanceurs et les rattrapeurs, vivement intéressés.

— Écoutez bien ce que je vais vous dire, fit le professeur, le regard intense. Mario avait choisi la question la plus difficile. Celle des glaciations du pléistocène sur le territoire hullois. Il répondit à cette question d'une façon magistrale. J'avais même montré sa copie à un collègue géologue qui avait été impressionné par la rigueur du propos de Mario et par sa surprenante mémoire, car cet étudiant au rire chevalin, au visage tordu, au corps emprisonné, coupé de presque tout moyen d'action, avait terminé sa dissertation par ces mots troublants :

J'adore le nord, monsieur Desjardins, je n'ai aucun mérite. Il est en moi comme, du reste, ce poème du grand ethnologue québécois Jacques Rousseau. Vous me feriez un immense plaisir, professeur, si vous appreniez vous aussi ces quelques vers.

— Quels vers ? demanda Abigail Meers.
— Oui quels vers, François ? surenchérirent Rachelle et Aurélie.
— Seriez-vous prêts à les apprendre vous aussi.
— Oui ! firent les filles en chœur.
— J'vous avertis, ça m'a pris beaucoup de temps.

Plaine infinie qui ondule, sédiments figés en feldspath et en quartz, bouclier canadien, première nef à voguer sur les flots archéens.

Houles de gneiss moutonnées par l'océan glaciaire, magma strié sous le mordant cristal, blocs erratiques semés par le glacier en fuite, eskers qui serpentent, drumlins et monadnocks, témoins anciens des inhumaines froidures.

— On a bien fait de se fermer la boîte, dit Bob Vaillant. « Monadnocks », tu parles d'un nom à coucher dehors, toué !
François Desjardins ne passa aucune remarque. Il se contenta d'ajouter :
— Je n'ai pas dit à mon collègue que cette copie avait été écrite par un quadraplégique.

4

Les figures des étudiants étaient maintenant recueillies. On aurait dit que ce que venait de leur raconter leur professeur les avait rassérénés. Profitant de cette accalmie, François Desjardins leur lança :

— Maintenant, posez vos crayons et levez-vous tous. Laissez là toutes vos affaires et suivez-moi.

— Hein ? firent-ils, à la fois sceptiques et curieux.

Le professeur les emmena dehors près du bloc sportif. Un autobus scolaire les y attendait.

— Montez, leur dit-il.

— Où est-ce que l'on va ? demanda Rachelle Ouimet.

— Vous le saurez bien assez vite, répondit le professeur.

L'autobus descendit le boulevard Mont-Bleu, s'engagea sur l'autoroute 5 en direction sud jusqu'au boulevard Maisonneuve, tourna à gauche sur Saint-Laurent, encore à gauche sur Laurier, puis, finalement, à droite.

— Mais c'est le quai de Hull ! dit Rachelle Ouimet.

— Tout juste, ma jeune amie, répondit François Desjardins. Quand vous sortirez de l'autobus, un préposé de la marina vous remettra une veste de sauvetage. Vous la revêtirez, puis vous vous rendrez à l'embarcadère où un bateau vous attend.

— Tu parles d'un cours le *fun*, firent en chœur les rattrapeurs. Ils étaient fous de joie.

— Je l'ai trouvé un peu bizarre, tantôt, dans la classe, avec sa façon de parler et de poser des questions. Mais, mon Bob, ce prof-là commence à m'être sympathique, dit le grand Albert Guertin.

Les filles semblaient aussi enthousiastes que les garçons à l'idée de faire un tour sur la rivière. Abigail affichait un sourire qui en disait long.

— Mais c'est pas un bateau, ça ! dit Aurélie en arrivant devant un immense canot d'une quarantaine de pieds qui

Les Chaudières

Devant eux, les forces magiques de la Grande Rivière
cascadaient en d'impétueuses chutes.

[Lithographie de Sarony, Major et Knapp. 1857. Archives nationales du Canada C-2812.]

pouvait facilement contenir une quinzaine de personnes, avec des bagages en sus.

— Où veux-tu nous emmener, François ? demanda Rachelle Ouimet.

— À la fête, c't'affaire.

— Quelle fête ?

— La fête tétonnante, Rachelle, fit Bob Vaillant.

— Tu te penses drôle, Bob.

— Embarque mon petit colibri, fit-il, moqueur.

— Monsieur Desjardins, est-ce que je peux être devant ? demanda Bob.

— Pourquoi pas ?

— Merci, M'ssieu.

— Et moi derrière ? demanda le grand Albert.

— Non, derrière ce sera moi. En tout cas, pour tout de suite. Au retour, peut-être, je te laisserai « gouverner ».

— Bob, t'as pas choisi le bon aviron. Toi, tu prends le plus large, tandis que pour moi, ce sera le plus long, dit François Desjardins.

— Qu'est-ce qu'il y a dans ce gros sac ? demanda Aurélie Concalvez.

— Du lard et des biscuits, Aurélie.

— Pour l'amour du ciel, pas du lard !

— C'est ce qu'ils mangeaient.

— Qui ça ?

François Desjardins ne répondit pas tout de suite mais, lorsque tout le monde fut bien installé dans le canot, il dit :

— Vous êtes présentement dans ce qu'on appelle un canot de maître. C'est ce type d'embarcation qui servait aux voyageurs pendant le XVIIe et le XVIIIe siècle. Ils partaient de Montréal et se rendaient jusqu'au lac Supérieur pour chercher les fourrures. Ils passaient par ici. Certains les appelaient les « mangeurs de lard », d'autres, « les galériens chantants ». C'est qu'ils chantaient pour oublier la fatigue. Ils avironnaient de douze à quinze heures par jour, parfois même plus. Tantôt, lorsque nous serons arrivés à destination, je vous apprendrai une chanson de voyageurs.

— Mais pour l'amour du ciel, veux-tu bien nous dire où est-ce que tu nous amènes ? dit Aurélie.

— Mais à la fête, voyons.

— Quelle fête ?

— La grande fête des Chaudières.

François Desjardins sortit une blague à tabac, l'ouvrit, prit une pincée et la lança dans l'eau.

— Qu'est-ce que tu fais ? demanda Rachelle.

— Un rite propitiatoire.

— Propiti quoi ? lança gaiement Bob.

— Notre professeur veut rendre propice la navigation, argua un maigre jeune homme qui n'avait pas encore pris la parole. Il était petit, portait de fines lunettes Gucci et avait une façon pénétrante de faire comprendre les choses.

— Vous êtes Mathieu Couture, je crois, dit François Desjardins. Vous semblez en connaître beaucoup.

— Vous avez raison, répondit l'étudiant, sans complexes. D'ailleurs, les voyageurs pratiquaient aussi un autre rite. Ils frappaient l'eau avec leurs avirons comme ceci.

Mathieu Couture allongea son aviron et frappa l'eau.

— Ils criaient en même temps : « Souffle, souffle, la vieille ! »

— Eh bien ! souffle, souffle, la vieille ! reprirent en chœur les rattrapeurs et les avanceurs en frappant l'eau eux aussi de leurs avirons.

5

Le canot de maître s'élança vers l'amont de la Grande Rivière. L'équipage passa d'abord sous le pont Alexandra, une merveille de pont cantilever. Les avanceurs comme les rattrapeurs, à deux par banc, avironnaient avec enthousiasme. Bob encore plus que les autres. Il « nageait » avec ardeur, comme on disait à l'époque des voyageurs. Rachelle Ouimet, qui s'était placée sur le banc derrière lui en compagnie de la petite Constance Larocque, risquait, malgré elle, quelques coups d'œil sur les muscles de l'athlète. Quant à Aurélie Concalvez, elle s'était assise, mine de rien, sur le même banc que le grand Albert Guertin. Abigail Meers, elle, avait pris place au milieu du canot en compagnie de Jeff Verner, nom que le professeur avait prononcé « Vernère », ce qui lui avait attiré les foudres anglo-saxonnes de Jeff. Vincent avironnait dans le banc juste derrière Abigail. À ses côtés, il y avait Bruno Langevin, le fier Maniwakien. Derrière, il y avait Mathieu Couture et Benoît Lapointe. L'avant-dernier banc était occupé par l'Irlandais Jim McConnery et par Pedro Da Silva, le Portuguais.

— À gauche, mes jeunes amis, se trouve le siège épiscopal d'Ottawa, dit François Desjardins.

— Vous voulez dire à bâbord, mon capitaine, lança guillerettement Bob Vaillant.

Rachelle Ouimet sourit. La remarque de Bob Vaillant lui rendait le joyeux luron moins antipathique.

— Tu as raison, Bob. Nous sommes sur l'eau et l'eau a son vocabulaire, répondit le professeur. À bâbord donc, vous voyez le siège épiscopal. Un peu plus loin, c'est le siège fédéral, et plus loin encore...

— ... c'est le siège magistral, je suppose, suggéra Mathieu Couture avec humour.

— En effet, voilà bien nommée la Cour suprême.

Abigail Meers se retourna vers Mathieu Couture et lui fit un beau sourire. Vincent Rossignol ne put s'empêcher de regarder la tête superbe de l'Anglaise. Il aurait aimé que ce regard fût pour lui. Il s'en voulut de n'être pas plus féru d'histoire. Il envia la parole facile de ce Mathieu Couture. Tout de même, son envie fut de courte durée, car il se produisit quelque chose qui le réconcilia avec ses chances de se faire remarquer, lui aussi, par la sémillante jeune fille.

— Quelqu'un d'entre vous peut-il me dire quand notre Parlement a été construit ?

— Quoi « notre » Parlement ? Parlez pour vous, monsieur le professeur, dit Mathieu Couture. Avez-vous la prétention de nous dire que cette architecture médiocrement gothique est « notre » Parlement ? ajouta-t-il.

— Médiocrement toi-même, dit Abigail Meers, en dardant cette fois un regard glacial dans les yeux de Mathieu.

— Mathieu a raison, dit Benoît Lapointe, le compagnon de banc de Couture. Il ne faut pas parler de « notre » Parlement.

— Ma foi, reprit le professeur, sont-ce exprimées là des velléités souverainistes ?

— En plein ça, monsieur le professeur, surenchérit Bruno Langevin, le Maniwakien.

— Le *fun* est dans la cabane, dit Bob Vaillant en donnant un grand coup d'aviron.

La pédagogique embarcation doubla les trois sièges, l'épiscopal, le fédéral, le magistral, frôla l'île Victoria, puis celle des Wright et déboucha devant les Chaudières.

— Wow ! lancèrent-ils tous en chœur.

6

Devant eux, les forces magiques de la Grande Rivière cascadaient en d'impétueuses chutes qui donnaient au calcaire une formidable voix. De nombreuses chaudières recevaient l'ardeur de ses eaux parties du lointain Témiscamingue, à plusieurs centaines de milles au nord-ouest. On aurait dit ces eaux pressées de se rendre au fleuve Saint-Laurent, le fameux « Chemin qui marche » des Indiens.

François Desjardins plaça son grand aviron à bâbord et imprima un mouvement qui conduisit le joyeux équipage sur la rive nord.

Bob Vaillant sauta dans l'eau et tira le canot sur la rive. Il offrit son bras aux premiers « milieux ». Et c'est la main toute nerveuse de Rachelle Ouimet qu'il accueillit. La jeune fille serra au passage ce bras bienveillant. Bob ne fut pas insensible à ce geste.

Quand tout l'équipage fut sur la grève, François Desjardins ouvrit son sac et distribua lard et biscuits à la mélasse.

Rachelle Ouimet et Aurélie Concalvez mangèrent tout de suite les biscuits. Les garçons, en particulier Bob, mordirent dans le lard avec appétit, du moins le laissèrent-ils voir.

— C'est ici, dans un certain sens, que commence l'histoire de Hull, dit François Desjardins. En plein hiver, à part ça. L'extraordinaire fougue des chutes et l'incommensurable volonté des hommes. Philemon Wright, le bien nommé, avait du cœur au ventre.

Abigail Meers, Jeff Verner et Jim McConnery, l'Irlandais, ne purent endiguer un sourire de satisfaction. Mathieu Couture, Bruno Langevin et Benoît Lapointe gardèrent leur sourire pour une autre occasion. Toutefois, ils ne durent pas attendre long-temps, car la gaieté remonta dans leur cœur comme un ascenseur de gratte-ciel quand le professeur ajouta :

— Samuel de Champlain a bivouaqué non loin d'ici, en 1613. D'ailleurs, il a décrit les lieux d'une manière fort judi-cieuse : « L'eau tombe à un endroit de telle impétuosité sur un rocher, qu'il s'y est cavé par succession de temps un large et profond bassin : si bien que l'eau courant là dedans circulai-rement, et au milieu y faisant de gros bouillons, a fait que les Sauvages l'appellent Asticou, qui veut dire chaudière. »

— Le grand Champlain a passé par ici, dit Rachelle Ouimet, rêveuse.

— Le grand Champlain, lui-même, et Étienne Brûlé avant lui, ajouta Mathieu Couture.

— C'est vrai, reprit le professeur. Étienne Brûlé, le mal aimé.

— Comment ça, le mal aimé ? demanda Albert Guertin.

— Il avait « sauté la clôture ».

— Sauter la clôture, sauter la clôture, parlez plus claire-
ment ! dit Aurélie Concalvez, la Portugo-Algonquine.

— Disons qu'il aimait les mélanges.

— Qu'est-ce que vous avez contre les mélanges, reprit la
métisse.

— Moi, je n'ai rien contre. Certains livres d'histoire, oui.

Voyant que la discussion prenait une allure de confronta-
tion, François Desjardins opéra une digression. Il fouilla dans le
fond de son sac et en sortit une liasse de feuilles qu'il distribua à
ses élèves.

— Qu'est-ce que c'est ça ? demanda le grand Albert.

— Ça, c'est « La belle Françoise », une chanson des vieux
pays. C'était la chanson préférée des galériens chantants.

— T'es pas pour nous faire chanter ça, dit Rachelle Ouimet.

— Certainement, répondit le professeur.

— Demande au Rossignol de nous donner la note, dit Albert
Guertin sur un ton railleur.

Vincent rougit. Il ne voulait vraiment pas se donner en
spectacle.

— Envoie Vincent, dit Bob Vaillant avec un rire franc.

Vincent ressemblait maintenant à une tomate.

Il se produisit alors quelque chose de singulier. Pedro Da Silva,
qui jusque là avait été réservé, entonna la chanson à pleine voix.

C'est la belle Françoise, élongué !
C'est la belle Françoise
Qui veut s'y marier, Maluron, lurette,
Qui veut s'y marier, Maluron, luré.

Abigail regarda admirativement Pedro. Vincent, qui la suivait des yeux, en prit à nouveau ombrage. Et encore plus quand
Da Silva enchaîna les huit autres couplets sans même daigner
regarder sur les feuilles que le professeur avait données. Aussi,

quand le Portugais arriva au dernier couplet, Vincent Rossignol était atterré.

— Voilà l'une des plus belles chansons qui soit, dit François Desjardins. Moderne à part ça.

— Comment ça, moderne ? demanda Albert Guertin.

— Tu aimes le cinéma, toi, mon grand ?

— Bien sûr !

— Eh bien ! cette chanson est comme un film.

— Pourquoi dis-tu ça, François ? demanda Rachelle.

— Parce que c'est une histoire et le cinéma aime les histoires.

— Vous avez raison, professeur, fit Mathieu Couture. « La belle Françoise », c'est l'histoire tragique d'un homme qui vient voir sa fiancée qui a appris qu'il partait pour la guerre. Il la trouve « épleurée ». Il lui dit la vérité, lui demande même de venir le reconduire jusqu'au pied du rocher où, dans un grand moment de partage, il lui avoue qu'il l'épousera si la guerre le respecte.

— Maudit que tu parles bien, toi, Mathieu Couture, dit la petite Constance Larocque, à qui n'importe quel gardien de bar aurait demandé de présenter sa carte d'identité tellement elle avait l'air jeune.

— Mes amis, dit solennellement François Desjardins, nous arriverons bientôt au terme de cette première journée de cours. Dans quelques instants, nous reprendrons la Grande Rivière jusqu'au quai de Hull. À compter du prochain cours, vous devrez former des équipes. Mission : chercher la « substantifique mœlle de Hull ». Balises : vous êtes libres de vous associer. Objectif : « Fêter les Chaudières ! » ou, si vous préférez, « Fêter les deux cents ans de Hull ! »

— Parle-moi de ça ! fit Bob.

7

La troupe du cours d'histoire remonta dans le canot de maître, mais, cette fois, il n'y eut plus de questions à répondre ni d'échanges acrimonieux, mais une seule voix musicale qui projeta sur le *Kitchisipi*, la Grande Rivière, la gaieté cérémonielle de ces nouveaux mangeurs de lard et galériens chantants. « La belle Françoise » fut à l'honneur, légèrement tronquée dans son titre, car le bout-avant Bob Vaillant substitua au joli prénom de Françoise celui de Rachelle. Celle-ci convint même, avant d'arriver à destination, que non seulement la voix de Bob Vaillant était agréable mais, encore et surtout, que ses épaules devaient être bien confortables.

François Desjardins ramena ses « voyageurs » au collège où tous, unanimement, saluèrent bien bas cette première journée de classe.

DEUXIÈME PARTIE

Les Indiens

8

« Je t'aime, Abigail Meers ! » répétait le jeune Vincent Rossignol devant son miroir. Il prenait alors toutes les pauses possibles dans sa chambre du dernier étage de la tour Port-de-Plaisance. L'Outaouais ne lui était jamais apparue plus belle. Cette fois, en bas, le couvent des Servantes de Jésus-Marie lui sembla en fête. Tout lui paraissait génial, ce matin-là : la Grande Rivière, les chutes Rideau, le parc Jacques-Cartier, le musée des civilisations, même l'austère Parlement du Canada. Hull avait la figure d'Abigail, elle était pour Vincent l'ascendant silence du monastère des religieuses, la sensuelle correspondance du parc et du musée, le souverain abandon de l'Outaouais au pied des chutes des Chaudières, un rouli-roulant céleste, une marche impromptue dans les nuages, la blanche audace des cirrus qui folâtraient dans le ciel comme une queue de jument. Il adorait ce vertige.

« Je t'aime, Abigail Meers ! », répétait-il devant son miroir. Il était tellement heureux qu'il avait oublié de regarder l'heure. Au reste, depuis qu'il avait vu Abigail pour la première fois, le lundi précédent, il connaissait un moment de grâce. Non seulement avait-il passé sa journée du mardi à rêvasser à elle, mais encore, dans la nuit du mardi au mercredi, il avait rêvé à elle. La jeune fille marchait seule sur la grande rivière glacée, épuisée, au bout de ses forces, et voilà qu'au moment où elle allait tomber pour l'éternité dans la neige, il la recevait dans ses bras, la ravissait aux vicissitudes de la vie et l'emportait dans sa forêt boréale. Il était subitement devenu algonquin. C'était la première fois de sa vie qu'il rêvait qu'il était indien. Et qui plus est, guerrier, fier de cueillir cette rouge fleur de la civilisation anglo-saxonne.

« Je t'aime, Abigail Meers ! » disait Vincent, tout rouge. Ce n'était qu'une pratique, mais il n'en rougissait pas moins. Et il devint écarlate quand sa mère, qui observait son manège depuis quelques instants dans l'entrebâillement de la porte, lui dit avec un sourire magnifiquement tendre.

— Qui est cette Abigail Meers, mon chéri ?

Vincent avait sursauté. Il se retourna vers sa mère et, froissé d'avoir été ainsi surpris dans ce moment d'intimité, il balbutia : « C'est une fille de ma classe. »

Comme sa mère voulait en savoir plus, il se précipita vers la porte : « Je serai encore en retard à mon cours », lui dit-il sans se retourner.

C'était le mercredi : la journée de la formation des équipes. Il voulait faire partie de l'équipe d'Abigail. Pour cela, il était même prêt à louanger la part anglaise de l'histoire de Hull.

9

Toutefois, lorsqu'il arriva au cégep, ce matin-là, il fut cloué au sol. D'abord, les places aux côtés d'Abigail était occupées par Jeff Verner et Jim McConnery. Les équipes étaient déjà formées. Rachelle Ouimet et Aurélie Concalvez avaient accueilli Bob Vaillant et le grand Albert Guertin. Pedro Da Silva avait rejoint le groupe des Anglais. Bruno Langevin, Benoît Lapointe et Constance Larocque s'étaient regroupés autour de Mathieu Couture. Vincent restait seul.

— Le retard a ses conséquences, dit François Desjardins pour saluer l'arrivée tardive de Vincent Rossignol.

Le jeune homme était déçu, mais il avait son orgueil.

— D'ici la fin de la semaine, vous m'indiquerez votre sujet, dit le professeur. Chacun choisit un sujet en rapport avec celui de ses coéquipiers. Je veux votre proposition thématique de même qu'un plan schématique de votre projet.

Comme Abigail et Mathieu voulaient déjà donner leur choix, François Desjardins étendit ses mains devant lui et les bougea de haut en bas en demandant à ses élèves de conserver leur calme. Il ajouta :

— N'oubliez pas qu'en plus d'un examen que vous ferez à l'avant-dernier cours, vous aurez à me faire une présentation de votre projet au dernier cours. À cette occasion, des points seront accordés pour l'originalité.

— Combien ? demanda Mathieu Couture, l'œil clair.

— Je vais te surprendre, mon jeune ami : cinquante pour cent.

— Cinquante pour cent ! dit le grand Albert Guertin, c'est pas juste.

— Cinquante pour cent, c'est mon dernier mot. Je vous ai dit que je ferais des droitiers des gauchers...

— ... et des gauchers des droitiers, on le sait, reprit le grand Guertin.

D'autres protestations s'élevèrent çà et là dans la classe, mais François Desjardins ramena ses élèves à la réalité de la matière qu'ils devaient voir cette journée-là. L'ensemble du cours devait porter sur l'Outaouais dans l'histoire du Québec. Il se devait de couvrir plusieurs périodes. Or, comme son objectif principal était de faire en sorte que les élèves, arrivés au terme du cours, comprennent mieux les lieux où ils vivaient, il l'avait conçu à partir des noms que l'on pouvait trouver dans la ville de Hull : noms de parcs, de rues, d'édifices et de places.

— Qu'avez-vous retenu de notre première journée de cours ? demanda-t-il pour démarrer. Le professeur était un adepte de la récapitulation.

— La « fête tétonnante », cria Bob, au grand plaisir d'Albert Guertin et de Bruno Langevin.

Rachelle Ouimet se tourna vers lui et lui fit une grimace. Bob Vaillant roula ses grands yeux pétillants. Décidément, Rachelle avait l'art de se vêtir. Ce jour-là, elle portait un chemisier blanc sans manches, négligemment déboutonné, dont les extrémités inférieures étaient nouées au-dessus d'un joli nombril délicatement souligné par une minuscule perle. Un short bleu ciel mettait en évidence de longues jambes musclées, aux mollets admirablement galbés et aux pieds respirant d'aise dans de classiques sandales grecques.

— Trêve de plaisanteries, qu'avez-vous retenu ?

— Les biscuits à la mélasse, répondit naïvement Aurélie Concalvez.

— Le gros lard, enchaîna Albert Guertin.

— Gros lard, toi-même, lui lança Aurélie.

— Moi, monsieur, c'est le « sautage » de clôture d'Étienne Brûlé, dit Bruno Langevin.

— Bâtard, serais-tu un obsédé ? dit la petite Constance Larocque.

Les étudiants et le professeur furent si surpris d'entendre ainsi parler la jeune fille aux allures fragiles, celle-là même à laquelle, pour blaguer, François Desjardins avait encore demandé sa carte d'identité pour entrer dans la classe, qu'ils en furent estomaqués. Mais, bientôt, un sourire général s'empara de la classe. Les yeux de Constance, de fougueux qu'ils étaient, devinrent pétillants, puis un rire rafraîchissant anima sa bouche.

— Moi, monsieur, c'est la marche dans la neige des ancêtres de mademoiselle Meers que j'ai retenue, dit Jeff Verner en tournant sa tête vers Abigail.

— Téteux, dit le grand Guertin.

— Moi, c'est le courage de Philemon Wright, ajouta Jim McConnery.

— Téteux et demi, lança Mathieu Couture.

— Moi, c'est l'Indien, balbutia Vincent Rossignol.

Abigail Meers, qui était encore sous le charme des compliments de ses coéquipiers, jeta un regard intrigué vers Vincent.

— Quel Indien ? demanda-t-elle.

Vincent ne répondit pas d'emblée, visiblement troublé par cette voix qui s'adressait à lui pour la première fois, et surtout par la tenue d'Abigail. Cette journée-là, elle portait un T-shirt blanc qui avait la particularité d'afficher une toute petite feuille d'érable rouge. On aurait dit un signe de ponctuation. D'autant plus démarcatif qu'il ornait le bout du sein droit et semblait dialoguer avec la longue tresse rouge de la jeune fille qui, elle, tombait sur son sein gauche. Un botaniste aurait vu là une belle illustration de *La flore laurentienne* ; un linguiste, une nouvelle variété de point d'exclamation ; un souverainiste, une zone d'ombre. Mathieu Couture, lui, une provocation. Et comme s'il avait prévu le coup, lui aussi portait un T-shirt, mais le sien affichait sur le devant une immense fleur de lys.

François Desjardins, qui voyait tout, n'avait pas passé de remarque. Il n'en avait pas moins aimé ces traits de caractère.

— Quel Indien ? reprit le professeur à l'intention de Vincent.

— L'Indien d'Abigail Meers, répondit, gêné, Vincent Rossignol. Vous savez, celui qui a conduit la troupe de Philemon Wright jusqu'aux Chaudières.

François Desjardins sauta sur l'occasion pour enchaîner.

— Tu as raison Vincent. L'Indien de l'histoire de mademoiselle Meers, selon toute vraisemblance un Algonquin, avait guidé pendant plusieurs jours la petite troupe jusqu'aux Chaudières. On oublie trop facilement que les Indiens étaient au Québec bien avant les drapeaux de mademoiselle Meers et de monsieur Couture, et, dans l'Outaouais, bien avant le groupe d'Américains du Massachusetts dirigé par Philemon Wright, à l'hiver 1800.

François Desjardins se dirigea vers une grande armoire métallique, qu'il ouvrit en disant :

— Venez tous ici.

— Hein ?

— Toi aussi, Albert Guertin, ajouta-t-il à l'attention du gros footballeur, le seul à ne s'être pas levé en même temps que les autres.

10

Il y avait là une trentaine de *Petit Robert* et une vingtaine de gros livres reliés à couverture mauve.

— Ceci est pour vous, dit le professeur, en brandissant un des mystérieux gros livres mauves.

Les étudiants prirent des mains de leur professeur l'énigmatique ouvrage.

— C'est une histoire de l'Outaouais ! clama Bruno Langevin. On n'aura pas besoin de se casser la tête pour faire notre travail, ajouta-t-il, content.

— Écrit, à part ça, sous la direction de Chad Gaffield, un bon Anglais, ajouta fièrement Jeff Verner.

— T'as vu les autres noms d'auteurs sur la couverture, reprit Jim McConnery avec enthousiasme. Il y a en tout neuf auteurs et, si je sais bien compter, cinq anglophones.

— Tu sais pas compter ! rétorqua le grand Albert.

— Dis plutôt qu'il sait pas lire, ajouta Mathieu Couture. À part Chad Gaffield et Caroline Andrew, j'vois pas où est-ce que tu les prends, tes anglophones. Je suppose que Beaucage, Fortier, Soucy, c'est anglais ?

— Non mais Cellerd, Domey puis Harvey, c'est quoi ça, si c'est pas des noms anglais ?

— Niaiseux. C'est pas « Cellerd » mais Cellard, pas Domey mais Vincent-Domey. Quant à Harvey, y en a une tonne au Québec qui seraient pas même capables de dire « yes » puis « no ». Ça fait que ton calcul, tu peux te le mettre où je pense.

Bob Vaillant était enchanté. Son regard enjoué se braquait tour à tour sur les deux jouteurs.

— En tout cas, le livre est écrit en français, et il est magnifique ! dit François Desjardins avec une chaleur toute paternelle. Je vous confie l'exemplaire jusqu'à la fin du cours. Seule restriction, vous n'écrivez pas dedans. C'est compris ?

— C'est compris, monsieur le professeur, répondirent-ils en chœur.

— Très bien. Vous allez maintenant l'ouvrir à la page quarante-huit.

Les avanceurs comme les rattrapeurs s'exécutèrent avec célérité.

— Lequel d'entre vous aurait l'amabilité de lire le premier paragraphe ? demanda le professeur.

— Moi ! Moi ! Moi ! firent Aurélie Concalvez, Rachelle Ouimet et Benoît Lapointe.

Le professeur pointa tour à tour du doigt ceux qui avaient levé la main, puis sa main droite, comme si elle avait été un hélicoptère, se leva d'une manière inattendue, décrivit une longue trajectoire pour aller finalement se poser sur Bob Vaillant.

— Ah, non, pas moi, professeur !

— Il est dyslexique, monsieur, dit le grand Albert Guertin.

— C'est vrai, renchérit Bob, la figure crispée, affichant, pour la circonstance, une grande sobriété. Mais ses muscles trahissaient un rire de fond qui ne tarda pas exploser comme un volcan.

— Envoie, grand « tannant », lis !

L'athlète fit de grandes simagrées qui provoquèrent le rire de tout le monde, même celui d'Abigail Meers, puis plongea dans la lecture comme s'il se fut agi d'un cent mètres. Car, jamais de mémoire de professeur, François Desjardins n'avait entendu lecture plus rapide.

> *Les premiers habitants de l'Outaouais sont des Archaïques laurentiens. La période archaïque dans la chronologie archéologique du Nord-Est américain s'inscrit entre le moment de la disparition de la technologie propre à la période paléoindienne précédente et l'apparition de la poterie vers l'an 1000 avant notre ère qui ouvre la période suivante dite sylvicole.*

— Neuf secondes soixante-dix-neuf, mon Bob, t'es aussi vite que Ben Jonhson ! dit le grand Albert, qui avait chronométré son ami avec sa montre Festina.

— Garde tes forces pour le sprint final, Bob, lança le professeur, que la démonstration de lecture rapide de son turbulent élève avait plutôt amusé. Il ajouta :

— Je suppose que notre ami Bob se fera un plaisir de nous résumer ce qu'il vient de lire.

— Certainement, monsieur le professeur. Je peux même vous résumer toute la page.

— Hein ? fit Rachelle Ouimet, impressionnée.

— C'est simple. Il s'agit des artisans du cuivre de quatre mille à deux mille ans avant Jésus-Christ.

— C'est le tire du paragraphe, niaiseux ! dit Rachelle Ouimet.

— Un titre, c'est pas là pour rien, mon colibri.

— Oh toi ! fit sèchement Rachelle en se retournant vers le professeur. N'empêche que son cœur battait plus fort dans sa jeune poitrine. Elle n'aimait pas toutes les folies du grand Bob, mais elle ne détestait pas qu'il l'appelle son « colibri ».

— Je le savais.

— Qu'est-ce que tu savais, Albert ? demanda François Desjardins.

— Je le savais que Hull avait pas commencé avec les Anglais.

Jeff, Jim et Abigail plissèrent les yeux. Aurélie Concalvez, la métisse, elle, ne put s'empêcher de jeter un rapide coup d'œil au grand Guertin. Une belle rougeur pigmentait sa figure. Elle avait pris l'affirmation de son camarade comme un compliment personnel.

Et elle n'avait pas complètement tort. Albert Guertin en pinçait pour elle. Il la trouvait diablesse, particulièrement aujourd'hui avec son petit « top » rose nanane, sa mini-jupe en cuir noir et ses mules qui la grandissaient de vingt centimètres. Il toucha l'épaule de Bob en lui disant : « Ça va marcher, mon Bob ! ».

Le professeur, fort de cette mise en situation, se lança dans une magistrale leçon d'histoire amérindienne, empruntant l'essentiel de sa prestation au chapitre de *L'histoire de l'Outaouais* du chercheur Gérald Pelletier, de l'équipe de Gaffield. Ainsi, à la fin de l'avant-midi, les rattrapeurs comme les avanceurs savaient que les « Archaïques », les premiers habitants à avoir circulé sur le territoire de ce qui allait devenir Hull au XIXe siècle, l'avaient fait plusieurs millénaires avant notre ère, que ces gens étaient, selon toute vraisemblance, « les ancêtres de six groupes algonquins », et que « l'occupation du territoire s'inscrivait par conséquent dans une problématique de continuité fondamentale ».

11

Comme il faisait très beau cette journée-là, la classe mangea sur les tables de pique-nique de la pergola aménagée dans la cour nord du cégep. En toile de fond : les magnifiques collines de la Gatineau.

Cette fois, les garçons brisèrent le cercle qu'ils avaient formé sur les bords des Chaudières, la veille, et s'assirent avec les filles. Au reste, Rachelle Ouimet et Aurélie Concalvez ne se firent pas prier pour dire un « O.K. » faussement désintéressé lorsque Bob Vaillant et Albert Guertin demandèrent la permission de s'asseoir à leur table.

Certains avaient apporté leur lunch, le groupe de Mathieu Couture, entre autres, et celui des Anglais. Vincent Rossignol, lui, s'était rendu chez Mike's en planche à roulettes. Il en revint en même temps que s'assoyait le professeur.

— Viens te joindre à moi, Vincent, lui dit François Desjardins.

Vincent Rossignol s'approcha de la table et s'assit en face du professeur. Ainsi placé, il voyait Abigail installée à l'autre table. Celle-ci était en conversation avec Jim McConnery, Jeff Verner et Pedro Da Silva. Ce dernier avait enlevé ses écouteurs et semblait lui aussi suspendu aux lèvres de la sculpturale Anglaise. Vincent aurait aimé que la jeune fille prit note qu'il était là, mais peine perdue, elle ne daigna même pas poser un regard sur lui.

— Tu m'en veux, Vincent, de te faire faire le travail tout seul ? demanda le professeur.

— Je ne vous en veux pas, monsieur. Ça m'apprendra à arriver à l'heure.

— Bonne attitude ! dit François Desjardins en mordant dans son sandwich au poulet.

— Hé, Aurélie, c'est vrai que t'as du sang algonquin ? lança Bruno Langevin, le Maniwakien.

— Oui, et j'en suis fière ! répondit-elle. J'étais ici bien avant tous vous autres.

— Je suppose que Concalvez, c'est un nom de nomade, dit moqueusement le grand Albert.

— C'est portugais, et j'en suis orgueilleuse aussi.

— Beau mélange, ajouta Bruno.

Le compliment du colosse de Maniwaki ne déplut pas à la jeune fille. En revanche, il déplut au grand Albert, qui s'empressa de dire.

— T'es belle comme la vierge de Fatima !

Albert Guertin était content de sa trouvaille. Aurélie ne sembla pas partager la même fierté. Le sportif essaya de se racheter, mais plus il en mettait plus il s'embourbait.

— Les Portugais occupent une place importante dans l'histoire de Hull, reprit le professeur pour faire digression. C'est une communauté dynamique. Des gens travaillants et talentueux. Il se tourna vers Aurélie :

— Tu as aussi raison d'être fière de tes origines algonquines, dit-il. Savais-tu que les Algonquins sont une ethnie dominante au moment où les Blancs arrivent au Québec ?

— Au CANADA, monsieur le professeur ! protesta Jeff Verner.

— Vous avez raison monsieur « Vernère ».

— Mon nom se prononce « Veurneux », pas « Vernère ».

— Ethnie dominante, vous exagérez, professeur, dit Mathieu Couture. Et que faites-vous des Iroquois ?

— Les hommes des palissades, veux-tu dire ?

— Des sédentaires. Ils étaient plus de cinq mille au moment où Jacques Cartier est arrivé.

— Jacques Cartier, c'est pas le nom du parc où on est allés hier, ça ? demanda Jeff Verner.

— Tout juste, monsieur « Vernère ».

— « Veurneux », monsieur.

— Tu peux être sûr que ça doit être « Veurneux » et pas « Vernère » qu'on prononce si tu sais même pas qui c'est, Jacques Cartier, lança ironiquement Mathieu Couture. Tu sais même pas, je te gage, que c'est lui qui a découvert le Canada.

— Toi non plus, Mathieu Couture, reprit sèchement Abigail Meers. Car c'est pas Jacques Cartier, mais John Cabot.

— Toi, l'Anglaise, tu me feras pas une leçon d'histoire. Si tu le prends sur ce ton, je peux remonter encore bien plus haut. Cabot, c'est rien qu'un maillon ou, si tu préfères, rien qu'une « trail ». Qu'est-ce que tu fais des Basques ?

— Des Basques, interrogea Jeff Verner, qui, décidément, comprenait de moins en moins.

— Oui, des Basques. Jacques Cartier en parle dans son premier récit de voyage de 1534. Car, quand il arrive dans la Baie des Châteaux, il se fait déjà une grande pêche dans le golfe.

Mathieu Couture se tourna vers Abigail et, inspiré, ajouta sans reprendre son souffle :

— Jacques Cartier, notre père fondateur, non seulement était un grand navigateur, mais aussi un grand poète. Votre John Cabot ne l'était pas, lui. C'est Jacques Cartier qui a nommé les lieux du pays en premier. Avec intelligence et inspiration. Par exemple, la « Baie des Chaleurs », « l'Île aux Oiseaux », « l'Île aux Coudres »...

— La Baie des Chaleurs, tu parles d'une trouvaille, lança ironiquement le grand Albert Guertin.

— J'ai déjà couru le cent mètres à Campbelton, mais y faisait frette en sapristi ! ajouta Bob Vaillant.

Rachelle et Aurélie éclatèrent de rire. Mathieu Couture ignora les remarques et continua :

— C'est qu'il y est arrivé en pleine canicule : « Leur terre est d'une chaleur plus tempérée que la terre d'Espagne, et la plus belle qu'il soit possible de voir, et aussi unie qu'un étang. » Ses descriptions géographiques sont belles et nombreuses, continua Mathieu. Nous sommes au cœur d'un souffle émerveillé. Au début d'une nouvelle ère. Le monde surgit. Tout y est prodigieux.

Le jeune Couture s'était levé. Ses coéquipiers, Benoît Lapointe, Bruno Langevin et Constance Larocque le regardaient, admiratifs. Leurs têtes illuminées encourageaient l'élan oratoire de leur leader. Celle d'Abigail affichait un regard défiant. Jim McConnery et Pedro Da Silva en faisaient autant. Jeff Verner semblait surpris que sa simple question sur un parc de Hull nommé « Jacques-Cartier » ait déclenché autant de passion. Le groupe formé de Rachelle Ouimet, Aurélie Concalvez, Albert Guertin et Bob Vaillant s'amusait de la tournure des événements. Vincent Rossignol, lui, admirait Mathieu. Il lui enviait son éloquence. François Desjardins mangeait calmement son sandwich.

— Jacques Cartier a fait trois voyages au Québec, continua Mathieu Couture. Ce n'est toutefois qu'au deuxième qu'il pénétrera dans le fleuve Saint-Laurent. Quand il passe à côté de la rivière Saguenay, il a des mots superbes pour la décrire.

— Je sais, dit Abigail Meers, qui arracha les mots de la bouche de Couture. Il vante cette rivière qui coule entre des montagnes de pierres nues. Il vante aussi l'immensité des arbres dont un entre autres aurait été suffisant pour mâter un navire de trente tonneaux. Cet arbre, dit Cartier, « était sur un roc sans aucune saveur de terre ».

— Bravo Abigail ! crièrent Jeff, Jim et Pedro, tout heureux de voir que leur consœur pouvait tenir la dragée haute à ce souverainiste prétentieux.

— Tu sauras, Mathieu Couture, dit Jeff Verner, qu'Abigail Meers a remporté le prix du Gouverneur général à la fin de son secondaire.

— Jacques Cartier a signalé le Saguenay le 5 septembre 1535, enchaîna Abigail. Le 6 septembre, il décrit des bélugas pas loin de l'Île au Coudres, ajouta-t-elle en plantant ses beaux grands yeux verts dans ceux de Mathieu.

— Très bien, si t'es si fine que ça, peux-tu me dire ce qu'il faisait le 27 septembre suivant ?

— Oui, surenchérit Benoît Lapointe, fier de la répartie de son camarade. Que faisait Jacques Cartier le 27 septembre suivant ?

Il ajouta :

— Tu sauras, Jeff Verner, que Mathieu Couture a eu le prix du Ministre.

— D'abord, Mathieu Couture, je te dirai que le 27 septembre 1535 était un mercredi, reprit Abigail.

— Et clac ! dans les dents, mon adjudant ! dit Jeff Verner. Mets ça dans ta pipe, mon Couture !

— Mercredi, comme tu voudras, mais que fait-il cette journée-là ?

— Il se dirige en barques en compagnie de quelques-uns de ses hommes, dont Claude de Pontbriand, Charles de la Pommeraye, Jean Gouyon, Jean Poullet et j'en passe.

— Jean qui ? s'interrogea comiquement Bob Vaillant.

Abigail lui décocha une subtile grimace à laquelle le facétieux athlète opposa son sourire désarmant.

— Il se dirige vers où ? insista Mathieu.

— Vers Hochelaga.

— Hochelaga ? questionna Jim McConnery.

— C'est l'ancien nom de la ville de Montréal, dit Abigail Meers, qui se leva à son tour et s'approcha de la figure de Mathieu Couture, comme l'eut fait un entraîneur de base-ball pour engueuler l'arbitre.

— Lâche pas, Abigail, dirent Jeff et Jim.

— Laisse-toi pas faire, Mathieu, firent Constance, Benoît et Bruno.

Vincent Rossignol ne mangeait plus son sous-marin. Il était bouche bée devant l'érudition de la belle Anglaise.

Mathieu aussi était surpris d'entendre Abigail relater avec autant d'aplomb les faits et gestes du capitaine malouin. Il redoubla d'ardeur, comme si Jacques Cartier ne pouvait être la propriété intellectuelle que d'un vrai Québécois comme lui.

Alors s'ensuivit une joute oratoire remarquable sur les surprenantes observations de Jacques Cartier. Abigail et Mathieu décrivirent tour à tour Hochelaga, cette ville située, selon les mots de Cartier lui-même, près d'une montagne que lui et ses hommes avaient nommée le Mont Royal.

— Jacques Cartier était un observateur remarquable ! dit Couture, en montant le ton de sa voix. Sans lui, nous ne serions pas ici aujourd'hui. C'est le premier homme à avoir écrit sur notre Grande Rivière.

— Je le sais, répondit Abigail. C'est d'ailleurs du haut du Mont Royal qu'il a très exactement décrit l'Outaouais : « ... le long des montagnes qui sont vers le nord, il y a une grande rivière qui descend de l'occident. »

— Comme l'autoroute 50 ? plaisanta Bob Vaillant.

Abigail Meers laissa les autres rire. Elle enchaîna, passionnée :

— Les Indiens lui ont alors dit qu'il y avait de l'or.

— Où ça ? demanda Jim McConnery.

— Sur le chemin de la mine, j'suppose ! dit Bob en riant.

— Tu peux pas être sérieux un moment, protesta Rachelle Ouimet. Écoute, ça m'intéresse.

— De l'or et des *Agojudas*, aussi, reprit Abigail.

— Qu'est-ce que c'est que ça ? demanda le grand Albert Guertin.

— Ça, mon ami, dit Abigail avec superbe, c'était, aux dires du fameux Jacques Cartier de Mathieu Couture, « de mauvaises gens, qui étaient armés jusque sur les doigts » et qui « menaient la guerre continuelle ». Autrement dit, c'était des Algonquins.

— De mauvaises gens, les Algonquins ? s'indigna Aurélie Concalvez.

Abigail regarda à nouveau Mathieu Couture droit dans les yeux.

— Tout un raciste, ton capitaine Jacques Cartier, dit-elle.

— Effrontée !

— Le *fun* est pogné, ponctua Bob Vaillant.

— Tout ça, rien qu'avec le nom du parc Jacques-Cartier, dit Jeff Verner.

— Qu'est-ce que ça sera quand ils parleront des autres noms des parcs de la ville, du parc Fontaine, par exemple ? dit Albert Guertin.

— Le parc Fontaine ? demanda Jeff Verner.

— C'est le plus vieux parc de l'île de Hull. Anciennement, c'était un lac ; le lac Flora. C'est là que mon grand-père a joué à la balle, répondit fièrement le gros footballeur.

— J'suppose qu'il nageait entre les coussins, lança Bob.

— Fais pas le con, Bob. Tu sais de quoi je parle. Y paraît qu'il frappait la balle du coin de Papineau et de Kent jusqu'au coin de Laval et Saint-Jean-Baptiste. C'était l'un des as de la ligue commerciale.

12

Le professeur François Desjardins était certes impressionné par la performance de ses élèves, mais il était temps de rentrer. Il les invita à retourner en classe. Abigail marcha à la tête des siens, Mathieu Couture aussi. Bob Vaillant, Albert Guertin, Aurélie Concalvez et Rachelle Ouimet suivirent. Vincent Rossignol ferma la marche. Les deux protagonistes continuèrent à s'étriver jusqu'en classe. Même qu'à un certain moment, le professeur craignit que les deux jeunes personnes ne s'en prennent aux cheveux.

— Dans les relations de Cartier, les Indiens sont nus comme des spécimens de nature, mi-bêtes mi-hommes, pauvres et voleurs, malicieux à souhait, dit Abigail. Et plus souvent qu'autrement, le récit fait état des ruses des uns comme des autres. Nous étions en droit, je pense, de nous attendre à plus de grandeur d'âme de la part de l'homme qui a remonté le grand fleuve. Les voyages de Cartier apparaissent comme le véritable début de la conquête de terres et d'hommes plus que millénaires, qui aboutira quelque quatre cent cinquante ans plus tard à leur acculturation. Alors, que penser de tout ceci ? En tout cas, aucune louange, bien des regrets et, hélas, un constat de racisme.

Les dernières paroles d'Abigail Meers mirent Mathieu Couture hors de lui. Il était rouge de colère. Abigail s'attaquait à son héros, à son poète, à son prophète. Il s'apprêtait à lui dire qu'en matière de racisme elle n'avait pas de leçon à lui faire, mais c'est ce moment que choisit François Desjardins pour intervenir.

— Mes chers amis, dit-il, nous avons eu droit à un bon débat. C'est très prometteur. Je remercie mademoiselle Meers, prix du Gouverneur général, et monsieur Couture, prix du Ministre, pour cette démonstration de savoir. J'ajouterai pour conclure sur Jacques Cartier qui, incidemment, a donné son nom à l'un des plus beaux parcs de notre ville de même qu'à un vaste centre commercial, j'ajouterai donc que...

— C'est un ethnologue de premier ordre, s'empressa de dire Mathieu Couture, toujours en colère.

— Ça va, Couture, on en sait assez ! dit Albert Guertin

Le jeune intellectuel aux lunettes de métal tourna la tête vers le grand Guertin et lui dit quelque chose qui eut l'heur de relancer le débat.

— Savais-tu que les Indiens avaient même un bordel ?

— Quoi ? firent Bruno Langevin et Bob Vaillant, qui retrouvaient spontanément leur intérêt.

— Ce n'était certainement pas des Algonquins, dit Aurélie, froissée.

— Ne t'inquiète pas, Aurélie, Mathieu fait sans doute référence aux Iroquois, dit François Desjardins. Car il y a un passage du texte de Jacques Cartier qui dit : « Ils ont une coutume, fort mauvaise, pour leurs filles ; car, dès qu'elles sont en âge d'aller à l'homme, elles sont toutes mises dans un bordel, abandonnées à tout le monde qui en veut, jusqu'à ce qu'elles aient trouvé leur parti. » C'est bien ce passage-là auquel tu réfères ?

— Tout juste, fit Mathieu.

— Encore une fois, tu juges trop vite, Mathieu Couture, répliqua Abigail Meers. Cette coutume de laisser aux jeunes filles la liberté de faire des expériences pour les aider à mieux choisir le futur époux était tout ce qu'il y a de plus moral pour cette société. Tu as regardé cette réalité avec les yeux de tes préjugés. Si tu avais lu le moindrement, tu aurais compris qu'à certaines époques, par exemple en Hollande, on réservait une chambre du rez-de-chaussée à la jeune fille de la maison pour qu'elle puisse expérimenter à sa guise les relations sexuelles avant le mariage. Ce n'était pas un bordel pour autant.

— Peut-être pas, mais du *fun dans la cabane* par exemple, redit Bob Vaillant avec encore plus de joie.

Les veines de la figure de Mathieu étaient gonflées. Il aimait de moins en moins se faire faire la leçon par l'Anglaise. Et il devint furieux lorsque Abigail lui lança :

— « Est barbare celui qui croit avant tout à la barbarie ! »

— Justement, Abigail Meers!

— Je vois que vous avez lu *Race et histoire* de Lévi-Strauss, mademoiselle Meers, dit François Desjardins, et je ne saurais trop vous recommander la lecture de ce remarquable ouvrage, ajouta-t-il à toute la classe. Car il est bien évident que l'on juge souvent les autres cultures à l'aulne de la nôtre.

L'exposé du professeur qui suivit l'altercation entre Abigail et Mathieu fut exaltant. Aussi, quand l'horloge marqua seize heures, les étudiants savaient que Hull, particulièrement au confluent de la Gatineau et de l'Outaouais, avait été un important lieu d'échanges commerciaux entre les hommes pendant des millénaires. Ils avaient non seulement hâte de circuler dans leur ville avec un nouveau regard, mais encore, ils étaient doublement excités à l'idée d'explorer en équipe les surprenantes ressources de l'histoire hulloise.

— N'oubliez pas que c'est vendredi que vous devez me donner vos sujets, dit le professeur aux élèves, qui, maintenant, se dispersaient en petits groupes.

Abigail Meers invita ses comparses à monter dans sa BMW. Mathieu Couture emmena Constance, Benoît et Bruno vers l'agora bleue. « Suivez-moi, leur avait-il dit, vous verrez que vous ne serez pas déçus ! » Quant à Bob Vaillant et au grand Albert Guertin, ils se permirent d'inviter Rachelle Ouimet et Aurélie Concalvez à monter avec eux dans le *pick-up* de Bob, un vieux Ford quatre-vingt, histoire d'aller s'en envoyer une fraîche à la brasserie des Raftsmen.

— L'inspiration, dit Bob, c'est comme la bière, il faut que ça coule ! Ça fait qu'on n'a pas de temps à perdre, allons tout de suite nous inspirer !

Les quatre jeunes gens, entassés sur l'unique banquette, contournèrent le cégep sur les chapeaux de roue. C'est tout juste s'ils ne renversèrent pas Vincent Rossignol, qui roulait sur sa planche à roulettes vers la piste cyclable du Parc de la Gatineau. Vincent présentait toujours un visage étonné quand, quelques instants plus tard, la jolie Abigail, accompagnée de Jeff, Jim et Pedro, lui fit un beau sourire au volant de sa voiture. Ce sourire amical créa toute une sensation dans son corps et fit en sorte que c'est d'un geste vigoureux qu'il se dirigea vers le ravin du Mont-Bleu.

13

Vincent adorait rouler sur la piste cyclable avec sa planche. Il prenait toujours la direction est, celle qui passe à travers le Mont-Bleu. La descente vers la Sporthèque lui procurait beaucoup de plaisir. La pente restait vertigineuse même si la piste était organisée en lacets. Il aimait ce parcours aussi pour ses particularités. Entre autres, les tunnels lui permettaient de vivre à fond ses superstitions, comme si ces passages telluriques rendaient propitiatoires ses désirs les plus secrets. Il parcourait ainsi le trajet en moins d'une heure entre le cégep et la tour Port-de-Plaisance.

Cette journée-là, il prit son temps. Il confia à la pénombre des tunnels un « Je t'aime, Abigail ! ». Ce qu'il avait entendu en classe lui fit apparaître une toute autre réalité. Combien de fois avait-il descendu du Mont-Bleu jusqu'à chez lui sans savoir que les lieux qu'il traversait étaient riches d'une si grande histoire ? Sans penser que sur cette terre, que sillonne la piste cyclable, des Indiens avaient pratiqué un commerce intensif ? Le professeur avait dit qu'on avait retrouvé sur le site du lac Leamy plusieurs tessons de poterie, de nombreuses pointes de flèches et, même, des objets de cuivre. Il prenait conscience que Hull avait été aussi une forêt, un lieu sur lequel bien des hommes avaient présidé aux rites de chasse et de pêche, et, surtout, au rituel du feu bienfaisant. Les Algonquins avaient bien saisi la richesse de ce site situé au confluent de la Gatineau et de l'Outaouais. Et Vincent se mit à rêver des forêts de pins blancs et rouges que le professeur avait évoquées avec enthousiasme. En roulant vers le lac Leamy, il espéra même de tout son cœur trouver le fulgurant silex.

Il était passé des dizaines de fois autour du lac et le long des rivières Gatineau et Outaouais sans penser que ces puissances naturelles avaient été le théâtre de grands échanges. Maintenant, le lac commençait à prendre une nouvelle signification. Quand il longea la rive orientale du lac Leamy, cette fin d'après-midi-là, les visages qu'il rencontra prirent une nouvelle dimension. Il ne vit plus uniquement des familles en train de pique-niquer ou de jolies jeunes filles étendues sur l'herbe en petite tenue, mais il imagina d'autres soleils, d'autres ciels bleus de fin de juin, et, pour la première fois de sa vie, cette terre, qu'il trouvait déjà belle, devint pour lui un corps vivant. En une heure de rouli-roulant, il vit des transformations géologiques. Hull avait un passé autre que celui de l'asphalte de la piste cyclable. Il lui sembla que la route qui va du « pont des chars » de la Gatineau jusqu'au parc Jacques-Cartier sur l'Outaouais avait été glace, puis mer, puis forêt, puis pin, puis visages d'homme qui se rencontraient pour échanger des marchandises venues d'aussi loin que le mystérieux Labrador et l'ineffable Texas. Tout cela le fascina. Hull avait une âme.

C'est ainsi qu'il arriva dans le luxueux appartement familial, transportant avec lui une mémoire vivifiée par le furtif sourire d'une jeune fille. Son cœur battait encore plus fort « Je t'aime, Abigail ! ».

TROISIÈME PARTIE

Le père Reboul

14

Au moment même où Vincent entrait chez lui, un carambolage se produisait à la hauteur du cégep, à l'intersection des
boulevards Cité-des-jeunes et Mont-Bleu. Des automobilistes
avaient dû freiner en catastrophe à cause d'une voiture qui
s'était arrêtée sur un feu vert. Plusieurs voitures s'étaient
embouties. La raison en était toute simple : le conducteur de la
première voiture avait regardé passer, ébahi, un groupe curieux
de quatre jeunes vêtus d'une manière surprenante. Le groupe se
dirigeait vers les appartements au nord de l'intersection. Celui
qui ouvrait la marche portait une longue soutane noire élimée. Il
était suivi par une petite femme énergique coiffée d'un chapeau
cloche et vêtue d'une robe droite d'ouvrière, elle-même suivie
d'un jeune homme accoutré comme un marchand endimanché
du début du siècle, avec col empesé et cravate. Un grand gaillard,
affublé d'une chemise à carreaux, d'un pantalon de flanelle et
d'une hache à la ceinture, fermait la marche. Heureusement
pour les automobilistes, mais malheureusement pour le singulier
groupe, il y avait une auto-patrouille postée non loin de là, au
Subway. Un procès-verbal fut dressé. Une foule de curieux
s'attroupa autour des deux policiers, des automobilistes et des
quatre énergumènes.

— Passer sur un feu rouge. D'où est-ce que vous sortez, vous
autres ? demanda le plus jeune des deux agents de police.

— Du cégep, c't'affaire ! répondit Mathieu Couture, le jeune homme à la soutane noire.

— Du cégep... habillé comme ça ! On aura tout vu ! La Saint-Jean-Baptiste, c'était la fin de semaine passée, mes petits amis. C'est fini la fête. Voulez-vous bien me dire ce que vous faites accoutrés de même ?

— Un travail de recherche, monsieur le constable.

Le policier regarda son collègue plus âgé, qui présentait une figure dubitative.

— Allez, votre identité.

— Louis Étienne Reboul, dit Mathieu Couture sans broncher.

Comme le constable écrivait le nom, son compère, qui présentait toujours une tête interrogative, lui dit en se penchant à son oreille.

— Ce nom-là me dit quelque chose.

— C'est vrai ça, lui répondit le jeune constable.

Il leva momentanément les yeux vers le coin gauche, puis après un moment :

— Y a pas une école qui porte ce nom-là ?

— Bien oui, le centre d'enseignement aux adultes au coin de Maisonneuve et de Sacré-Cœur !

— Tout juste, dit Mathieu Couture, et il devrait y en avoir bien d'autres. Louis Étienne Reboul, c'est le père de Hull.

— Puis elle, j'suppose que c'en est la mère ? fit le jeune policier en désignant Constance Larocque.

— Moi, monsieur, je suis Donalda Charron.

— Célèbre allumettière des années vingt, monsieur le constable, s'empressa d'ajouter Mathieu Couture. Tant qu'à y être, je vais vous présenter tout mon monde. Le jeune homme d'affaires que vous voyez à côté de Donalda, c'est le marchand Josaphat Pharand. Ne me dites pas, monsieur, que vous n'avez pas entendu parler du célèbre magasin Pharand, le grand magasin à rayons de la rue Champlain, le parc Luna de la caisse enregistreuse ? Avez-vous déjà été dans Val-Tétreau, au parc Brébeuf ?

— La rue Champlain, c'est pas à Val-Tétreau.

— Je le sais que la rue Champlain, c'est pas à Val-Tétreau, mais avez-vous été oui ou non dans Val-Tétreau au parc Brébeuf ?

— Oui, répondit naïvement le jeune constable, impressionné par l'aplomb de Mathieu.

— Y avez-vous remarqué le bronze représentant l'illustre martyre Jean de Brébeuf ?

— Bien sûr.

— Eh bien, ce bronze, c'est Josaphat Pharand qui l'a offert à la ville le 12 septembre 1926. Vous pouvez lui dire merci.

— Fais pas ton p'tit comique, dit l'autre policier.

Il ajouta ironiquement en levant la tête sur Bruno Langevin :

— Puis lui, j'suppose que c'est Jos Montferrand !

— En plein ça, monsieur l'agent, répondit le Maniwakien, dont l'œil était on ne peut plus fier. On aurait dit que le fait de personnifier l'homme fort de la légende l'inspirait. Au reste, il s'interposa entre les policiers et ses compagnons quand le jeune policier qui établissait le procès-verbal, dit :

— Vous avez causé un carambolage. C'est pas rien, ça !

Comme le policier disait cela, le camion de la station CHOT-TV arrivait. Le caméraman sauta même du véhicule toujours en marche. Mathieu Couture, l'œil vif, en profita pour discourir devant la foule de plus en plus nombreuse, toute heureuse de se trouver en si joyeuse et historique compagnie.

— Ça roule ? demanda-t-il au caméraman.

— Tu parles, si ça roule, ça court, même ! répondit l'homme, à l'affût de bonnes nouvelles.

— Écoutez bien ce que j'ai à vous dire, Hulloises et Hullois. Je me présente : je suis le père Louis Étienne Reboul. J'ai été élevé à la prêtrise en 1852 par le fondateur des missionnaires oblats de Marie Immaculée, Monseigneur Joseph Eugène de Mazenod en personne. Je viens de l'Ardèche, pays de grands vins de la douce France. En 1854, je suis à Hull, en 1856, à Maniwaki.

— C'est de là que je viens, moi aussi, ne put s'empêcher de dire Bruno Langevin en entendant prononcer le merveilleux nom de Maniwaki, le chef-lieu de la Haute-Gatineau.

Le colosse se tenait toujours entre les policiers et Mathieu. Le caméraman avait contourné les constables et s'était placé en contre-plongée devant Mathieu Couture qui ne demandait pas mieux que de discourir.

— Le père Reboul s'est dépensé sans compter pour les Hulloises et les Hullois. Il a donné ...

— Allez, vous autres, ou bien vous faites votre déposition un à un, ou bien on vous monte au poste ! dit le jeune constable.

— Comment ça, au poste ?

— Il commence à y avoir trop de monde ici. La consigne est de monter les faiseurs de troubles au poste.

— Écoute d'abord ce qu'il a à dire, ordonna le grand Bruno.

— Merci Jos, dit Louis Étienne Reboul.

— J'appelle du renfort, lança le constable plus âgé.

— Ça commence à être vraiment intéressant, clama le caméraman. Oh ! ça y est, on est en direct.

Mathieu Couture, fort de la protection du grand Bruno, détailla les nombreuses missions du père Reboul dans les chantiers au nord de Maniwaki et ses hauts faits d'armes comme, par exemple, l'obtention d'une corporation scolaire indépendante. Les policiers s'impatientaient. Le père Louis Étienne Reboul donnait sa leçon d'histoire. Et toute une leçon. Mathieu Couture n'avait pas son pareil pour retenir ses lectures. Il est vrai que ce prix du Ministre avait une mémoire exceptionnelle. Il pouvait citer mot pour mot une page qu'il venait de lire. Il avait potassé tout ce qui avait été écrit sur le père Reboul. Mais ce que Mathieu aimait le plus, c'était les pages d'histoire populaire. Les pages d'historiens près du peuple. Il avait lu, entre autres, l'historien Raymond Ouimet, lequel soulignait l'importance de Reboul. Mathieu était convaincant : « En 1872, il est nommé président de la commission scolaire de Hull, écrit Ouimet. Reboul est alors l'âme de Hull, celui à qui on s'adresse quand il y a des problèmes à régler. Quand le tocsin se fait entendre, il arrive le premier sur les lieux, organise les moyens de protection, applique les échelles et monte sur les toits ou se précipite dans les maisons enflammées pour y arracher des flammes quelque objet. Son ascendant sur ses concitoyens est considérable. »

Les sirènes maintenant hurlaient de toutes parts.

— Circulez, y a rien à voir, cria le jeune constable à la foule de plus en plus nombreuse.

— Lâche pas Mathieu, répliquèrent ses compagnons.

— Continue, ça nous intéresse ! dit un badaud égayé par la verve de l'étudiant.

Fort de cet encouragement, Mathieu Couture éleva le ton et, citant toujours Ouimet :

— « Le père Reboul ne se contente pas de diriger les ouvriers mais travaille autant qu'eux, s'expose au soleil, à la pluie et au froid, passant des journées entières avec des vêtements humides ou mouillés, ne pouvant comprendre qu'on put le plaindre. »

— Allez-vous circuler à la fin, s'impatienta le premier constable devant la foule de curieux qui ne cessait de grossir.

— Continue Mathieu, dit Bruno, le corps encore plus droit comme si le discours de son confrère élevait sa conscience.

— Le père Reboul, c'est mon héros, mes amis. Grâce à lui, le peuple hullois avait non seulement un héros — H-É-R-O-S — mais un hérault — H-É-R-A-U-L-T.

— C'est quoi la différence ? demanda le constable qui avait subitement oublié sa fonction.

— C'est simple, lui répondit Mathieu. Héros — H-É-R-O-S — il a sauvé Hull d'une conspiration capitaliste fomentée par E. B. Eddy, le docteur Graham et Alonzo Wright, qui, selon l'historien Ouimet, « avaient réussi à modifier, en catimini, la charte municipale au mépris des intérêts de la population hulloise. Ayant pris connaissance de cette machination, le père Reboul n'hésite pas à en informer le premier ministre du Québec, Charles-Eugène de

Boucherville. » Hérault — H-É-R-A-U-L-T — il porta le message d'amour et de partage partout dans le pays des hautes rivières : vingt-quatre campagnes de mission dans les chantiers. Mais...

Mathieu Couture fut interrompu par six nouveaux policiers arrivés en renfort. Notre joyeux groupe d'historiens en herbe n'eut plus guère le choix que de monter dans le panier à salade. La petite Constance Larocque se débattit comme une diablesse sur des fonts baptismaux, en criant avec admiration :

— Le père Reboul a été de tous les combats. C'est un grand bâtisseur. On lui doit l'église Notre-Dame de Grâce, on lui doit nos premières écoles, il a combattu les intrigues, il a pourfendu les inégalités, il a vaincu les flammes. Si vous saviez tout ce que cet homme a fait pour Hull, messieurs les policiers, ce n'est pas dans un vulgaire panier à salade que vous le hisseriez, mais dans un superbe camion de pompier pour lui rendre hommage.

« Bravo, Constance ! » dit Bob Vaillant, qui venait de renverser le troisième pichet de bière, à la brasserie Les Raftsmen. Le grand Albert Guertin, Rachelle Ouimet et Aurélie Concalvez jubilaient avec lui devant l'écran géant.

— Ce sont nos potes ! dit Bob, je paie la bière à tout le monde.

Heureusement pour lui, il n'y avait que trois clients à part eux dans la place.

— Ce Couture-là, y en a dans le casque, tout un original ! s'exclama Albert Guertin.

— Tu nous le dis, clama Rachelle Ouimet.

— Ça me donne une idée, fit Bob.

— Quoi ? demanda Aurélie.

QUATRIÈME PARTIE

Le combat des bâtisseurs

15

À six heures du matin, le vendredi suivant, Vincent Rossignol roulait sur la piste cyclable en direction ouest. D'ordinaire, il prenait toujours l'autobus pour monter au cégep, mais le cours de François Desjardins, où étudiait la belle Abigail Meers, donnait à sa vie un nouvel essor, le stimulait, le galvanisait même.

Quand il passa le long du musée des civilisations, il pensa comment la vie, parfois, réservait des surprises agréables, comment elle était belle et, surtout, comment tout ce qu'il voyait autour de lui était beau. Il commençait à comprendre pourquoi les femmes et les hommes s'étaient installés sur les rives de la Grande Rivière et, pour saluer la beauté des lieux, ils leur avaient élevé des sanctuaires : la Maison du Citoyen, le musée des civilisations, celui aussi des beaux-arts sur l'autre rive. Déjà, la force du cours de François Desjardins avait une résonance. « Quand vous aurez réussi mon cours, avait dit François Desjardins, vous saurez qu'une ville a un esprit ; vous habiterez alors votre ville. » Vincent commençait à habiter sa ville, et sa ville avait l'esprit d'Abigail. Dans sa tête, ce matin-là, il s'inventait un scénario musical où les expressions dansaient *andante, animato, appassionato, glissando, legato, fugato*, donnant à sa planche à roulettes un air de valseuse céleste ; il tenait Abigail dans ses bras. Son esprit lyrique débordait de tendresse pour cette jeune fille à l'accent différent. Il voulait l'étonner, l'impressionner, la séduire. Comment parler de Hull ? Hull, pour lui, c'était elle, cette fille à la longue chevelure rouge comme un grand feu cathartique, cette voluptueuse personne à la peau laiteuse comme les eaux des Chaudières dans lesquelles il désirait maintenant se livrer, s'abandonner, s'abîmer. Il découvrait l'amour en même temps que sa ville, et sa ville ressemblait à des lèvres humides en quête de baisers.

Jamais architecture ne lui parut plus belle que cette façade de la Maison du Citoyen aux meurtrières curieusement tendres qui donnaient sur l'usine Scott. Tout ce que les Hullois avaient bâti était merveille, cette journée-là. Même la vieille tour Eddy, appelée la *Digester Tower*, la tour du lesssivage, où l'on digérait le bois pour en faire de la pâte, surtout elle, lui sembla digne de la tour que sa mère lui avait fait visiter à Florence et qu'elle avait appelée « Le campanile de Giotto ». Hull, ce matin-là, avait un petit air toscan. Vincent était heureux, même si, au fond de lui, sourdait l'angoisse du travail à faire pour le cours de François Desjardins. Un cours pourtant béni des dieux parce qu'il lui avait fait rencontrer Abigail.

Quoi dire dans le travail que François Desjardins lui demandait ? Quoi entreprendre ? Quoi faire surtout pour épater Abigail ? Le professeur avait exigé qu'on lui apporte le sujet et les thèmes de la recherche le matin même. Vincent remonta la Grande Rivière jusqu'à Val-Tétreau, et la Grande Rivière avait l'haleine fraîche d'une jeune fille. Passé l'Université du Québec, il traversa le boulevard Taché en se demandant pour la première fois de sa vie pourquoi cette rue portait ce nom ? Les noms de rues ou de parcs ou de places publiques n'avaient jamais eu d'importance avant Abigail. Maintenant qu'il y avait ce cours et cette figure d'étudiante, ce profil de jeune fille, cette présence de femme, il voulait aller au-delà des apparences. Il avait le goût de mordre à pleines dents dans la chair de Hull pour en connaître la « substantifique mœlle ». Hull avait une nouvelle vie à lui offrir.

Connaître tout d'elle, dire ce qu'elle était, surtout l'indicible, tel était son défi.

16

Il arriva, inspiré, dans la classe. À sa grande surprise, l'état-major du collège était là : le directeur général, le directeur des études et le directeur des étudiants. Vincent tenait sa planche à roulettes dans ses mains.

— Plus d'incartades, c'est compris, disait le directeur général. Votre professeur vous a tirés du mauvais pas, avant-hier. Mais il ne faudra plus qu'il aille vous chercher au poste.

Il leva son regard vers le fond de la classe et, s'adressant au grand Albert Guertin :

— Voulez-vous bien me dire, jeune homme, ce que vous faites, attriqué de même ?

— Je suis ici pour faire régner l'ordre, répondit le grand footballeur qui, pour la circonstance, était vêtu d'un uniforme dont la plus petite particularité était une étoile métallique piquée sur sa chemise et la plus évidente était un immense képi. Je me présente, monsieur, je suis Adrien Robert, chef de police de Hull.

Le directeur regarda le professeur d'un œil ébahi. François Desjardins lui dit avec humour :

— Comment, vous ne connaissiez pas, monsieur, le plus grand directeur de police de l'histoire de la ville de Hull, le héros de la vertu qui a régné sur la ville de 1937 à 1961 !

— Et elles, fit le directeur général, en désignant Rachelle Ouimet et Aurélie Concalvez, ne me dites pas qu'elles personnifient la vertu !

Les deux étudiantes avaient revêtu pour la circonstance une tenue des plus légères : robes de soie noire échancrées, bas résilles et porte-jarretelles.

— Ce sont mes clientes, monsieur le directeur, dit soudain Bob Vaillant.

Le directeur général regarda longuement Bob. Ce dernier était vêtu comme un caïd de Chicago, un complet trois-pièces avec bracelets et montre en or.

— Tu es qui, toi, jeune effronté ?

— Moi, monsieur le directeur, je suis Alphonse Moussette, maire de Hull et propriétaire de l'Avalon.

À ses côtés, Rachelle et Aurélie ressemblaient aux gourgandines qui ont fait les belles heures du célèbre club de l'Outaouais.

— Monsieur Desjardins, je veux bien croire que c'est un cours d'été, dit le directeur général, mais il y a tout de même des limites à la tenue vestimentaire. À ce que je sache, vous avez été engagé pour donner un cours d'histoire, pas un cours d'art dramatique. Il n'y a qu'une semaine à peine que les cours ont commencé et vous avez trouvé le moyen d'être la cible de tous les médias électroniques. Seul *LeDroit* n'a pas encore parlé de vous.

— Ça sera pas long, dit Bob Vaillant en jetant un coup d'œil rieur vers son professeur.

Il ajouta :

— Je vous gage, messieurs les directeurs, que vous ne savez même pas que Hull était situé à l'Ouest d'Éden.

— L'Ouest d'Éden, connais pas. En revanche, je connais l'Est d'Éden, mon jeune ami, répondit le directeur général. J'ai mes lettres. Mais le coup du « club » dans une classe d'histoire, il faut le faire.

Se retournant vers le professeur :

— Il faudra mettre de l'ordre dans tout ce fatras, mon ami.

Le directeur général tourna les talons. Ses acolytes le suivirent. Avant de franchir la porte, ils frôlèrent Vincent Rossignol, qui avait assisté en silence à toute la scène. Le retardataire eut le temps d'apercevoir un furtif sourire sur les lèvres du directeur général.

Quand la direction eut quitté, François Desjardins eut ce mot fraternel :

— Mes amis, vous m'impressionnez !

— Bravo ! fit Bob Vaillant.

Le professeur s'approcha du groupe de Mathieu.

— Le coup du père Reboul à CHOT, avant hier, c'était pas piqué des vers.

Puis il se tourna vers le groupe de Bob.

— Quand à cette surprise du Petit Chicago de Hull, vous me comblez. Voilà deux équipes qui, déjà, rivalisent d'originalité.

François Desjardins tourna alors sa tête vers le groupe d'Abigail. Un sourire altier flottait sur les lèvres de la belle Anglaise.

— On connaît les personnages du groupe de Mathieu Couture, ceux aussi de l'équipe de Bob Vaillant. Mais les vôtres ? demanda le professeur.

— Vous ne lisez donc pas le *Citizen*, répondit Abigail, l'air triomphant.

— Comment, le *Citizen* ?

— Jeff, dit Abigail, apporte-le-lui.

Jeff Verner se fit un plaisir d'avancer près du pupitre du professeur. Il lui tendit le journal à la page frontispice. Mathieu Couture, curieux, s'approcha lui aussi. Une photographie présentait le superbe blason de Hull accroché en scapulaire au cou d'une sculpturale jeune fille en habit de bain. La vignette disait :

> *Quatre jeunes étudiants du Collège de l'Outaouais s'identifiant comme Philemon Wright, Asa Meech, Ezra B. Eddy et Diana Zaïda Arnold, ont traversé la Grande Rivière à la nage, le long du pont du Portage, afin d'aller offrir le blason hullois à la communauté ontarienne représentée, pour les circonstances, par les élèves du Collège Algonquin avec, à leur tête, le colonel By. Quelle belle façon d'honorer la fête du Canada !*

François Desjardins ne broncha pas. Mathieu Couture, en revanche, intervint :

— Syncope, c'est rendu qu'on fait ça sous le pont. J'ai déjà vu des maires le faire dessus, dit-il. Je veux bien croire qu'il existe un pont Champlain, un pont Cartier-Macdonald... (Macdonald-Cartier, intervint Jim McConnery)... Cartier-Macdonald, continua Mathieu, un pont Alexandra, un pont des Chaudières, puis un pont du Portage, mais il faut comprendre ce qu'il faut portager. Un rapt héraldique !

— On se croirait à Rome, dit humoristiquement François Desjardins. Les Sabines ! Tite-Live !

— On se pense subtile en traversant la Grande Rivière à la nage, mademoiselle Meers, continua Mathieu Couture.

— T'as rien compris, le souverainiste ! Sais-tu ce que c'est, ce blason-là ?

— Me crois-tu né de la dernière pluie, Abigail ? Écoute bien ce que je vais te dire. Puis vous autres aussi, dit-il à Jeff, à Jim et à Pedro.

Mathieu prit la photo dans la main droite.

— Tu veux parler du blason, Mathieu ? dit François Desjardins.

— En effet, monsieur.

— Attends, j'ai une belle reproduction.

Le professeur sortit de sa serviette une superbe reproduction du blason de Hull. Mathieu la lui prit des mains et commença son explication en s'adressant à Abigail.

— Premièrement, le chevron, dit-il, c'est ton Philemon Wright et son pont. L'étoile d'argent, parce que Philemon vient des États-Unis, comme toi, ma belle Anglaise. La fleur de lys, c'est la mienne, ma petite Anglo-Saxonne. La France était ici bien avant toi. La flamme ? les incendies de 1808, 1875, 1880, 1888, 1900 et 1906. La roue d'engrenage ? Les travaux et les hommes qui ont sué sang et eau pour faire de Hull une capitale industrielle. La rivière ? Aucun blason, où figure ce signe, n'est mieux honoré que le nôtre. Les deux rivières les plus fécondes du Québec : la grande Outaouais et la fougueuse Gatineau qui baignent notre ville. Quant à la couronne ? Je te la laisse, ma belle loyaliste. En revanche, je revendique bien haut les feuilles

Le blason

Le professeur sortit de sa serviette
une superbe reproduction du blason de Hull.

[Héraldique - Hull, Document 184-2476.]

d'érable qui l'ornementent. Elles représentent ceux et celles qui ont toujours cru en nos racines. La souche ? C'est ma mère, c'est mon père. C'est aussi ton père et ta mère, Abigail Meers.

La belle Anglaise, pendant un moment, regarda Mathieu avec des yeux superbement calmes. Toutefois Jeff Verner vint troubler cette paix sans le vouloir.

— As-tu remarqué, Mathieu, que nous autres, Anglais, avons consenti, en 1875, que soit inscrite sur le blason de Hull une devise en langue française ? « Soyons de cœurs francs »

Ni Jeff Verner ni Jim McConnery ni Pedro ni Abigail ne se seraient attendus à une réplique aussi cinglante.

— Vous pensez que la devise française est une concession que les Anglais nous ont faite ? Vous croyez que ces mots français dictés en 1875 par une unanimité toute savoureuse nous trompent ? Même l'échevin Doucet, qui a amendé la devise en 1960 en « Soyez cœurs francs », n'y a vu que du feu. Tu penses m'amadouer, Jeff Verner avec tes concessions ? Je vais te placer au pied du mur avec une seule question.

— Laquelle ? défia Abigail.

— En quelle langue crois-tu qu'est la devise d'Angleterre ?

— En anglais, c't'affaire.

— Non, en français. Tu regarderas. C'est écrit : « Dieu et mon droit », se contenta de répondre Mathieu Couture, triomphant.

— Mathieu a raison, dit le professeur. Même la devise du blason d'Angleterre est en français ! C'est comme ça.

Un brouhaha suivit, traversé par la voix du professeur.

— Du calme, mes amis, dit-il en rappelant à Vincent Rossignol, l'incorrigible retardataire, de rouler vers une chaise bienveillante.

17

Le professeur s'approcha du groupe d'Abigail.

— Je vous ferai remarquer que l'exploit du groupe d'Abigail ne manque pas d'originalité, dit François Desjardins. En tout cas, c'était une belle façon de se manifester. Le choix de vos personnages était bien pensé. Jeff en Philemon Wright, Pedro en Asa Meech, le pasteur, Jim en E. B. Eddy, l'allumettier, Abigail son épouse, Diana Zaïda Arnold, voilà un beau morceau de Hull. Le lotisseur, le révérend, l'industriel, la maîtresse femme. Il fallait y penser.

— Ils prenaient des risques, par exemple, dit Bob Vaillant vêtu de son habit trois-pièces, le cigare à la bouche.

— Explique-toi, Bob.

— Avec un nom comme Meech, ils risquaient de couler.

— Est bonne, Bob ! dit le grand Albert Guertin.

— Est encore meilleure que tu ne le penses, Bob Vaillant, fit Mathieu Couture. Certes, l'accord du lac Meech a coulé, mais il y a plus troublant.

— Comment ça ?

— La deuxième femme d'Asa Meech — il a eu trois femmes et vingt et un enfants en tout, six avec la première, cinq avec la suivante, et dix avec la troisième — je disais donc la deuxième femme, Maria de Witt...

— Au lieu de personnifier le père Reboul, t'aurais dû choisir Asa Meech, dit Bob à Mathieu. Les curés protestants, y ont pas l'air de s'ennuyer. C'est plus fécond.

— Niaiseux, répondit Mathieu.

— Avec lui et sa progéniture, tu serais pas monté au poste, mais au septième ciel.

Le groupe s'esclaffa.

Voyant que Mathieu Couture commençait à s'énerver, Bob lui dit sur un ton plus doux.

— Tu disais donc que la deuxième femme d'Asa, Maria de Witt ...

— ... s'est noyée avec trois de ses enfants dans le ruisseau de la Brasserie au printemps 1822. La crue avait emporté le pont. Plus tard, en 1883, deux des petits-fils d'Asa vont se noyer dans le lac Meech. C'est ce que je voulais dire tantôt : avec un nom comme Meech, c'était dangereux de couler.

— Je savais cela, dit sèchement Abigail, encore plus jolie avec sa coiffure défaite, ses cheveux cascadant sur ses épaules comme si elle les faisait encore sécher après sa baignade de la veille dans la Grande Rivière. Asa restera quinze ans, continua-t-elle, il sera contemporain de la paroisse St. James. L'église St. James, sise à l'intersection de *Main* et de St-Jacques, demeure encore la plus belle église de Hull.

— Qu'est-ce que tu fais de l'église de la Guadeloupe ? demanda Benoît Lapointe.

— C'est également une belle église, mais c'est aussi une jeune paroisse. Même pas une quarantaine d'année, alors que la nôtre, c'est la plus vieille de Hull. 1823.

— La plus vieille peut-être, mais la plus belle, non ! Est-ce que ton église peut se vanter de posséder le plus belle Vierge de la ville ? ajouta Benoît Lapointe.

— La Vierge de la Guadeloupe n'est rien à côté de ce qu'a été celle de l'Église Notre-Dame-de-Grâce, dit Rachelle Ouimet, dont le propos vertueux contrastait avec l'allure péripatéticienne que lui donnait son costume de cliente de l'Avalon. Basile Carrière, le riche quincaillier du centre-ville, a fait don d'une statue monumentale aux oblats.

Ses coéquipiers furent enchantés de voir une des leurs marquer un point.

— T'as pas perdu de temps, mon colibri, dit doucement Bob.

— Je demeure sur la rue Charlevoix, en face du parc Fontaine, et mes parents m'en ont parlé.

— Est-ce que ton église peut se vanter d'avoir brûlé deux fois et d'être toujours debout ? dit tout haut Abigail.

— Trois fois, répondit Mathieu Couture.

— Mais l'incendie de 1971, un an après celui de l'hôtel de ville, causera sa destruction, reprit la jeune Anglaise, alors que, vois-tu, mon petit ami, les paroissiens de St. James ont su toujours relever le défi. D'ailleurs je t'invite à venir voir notre église. Elle est toujours debout, elle.

Mathieu Couture, malgré l'aide stratégique de Benoît Lapointe et l'assistance pieuse de Rachelle Ouimet, dut convenir que la belle Anglaise marquait des points.

Abigail Meers en rajouta lorsqu'elle détailla les différentes étapes de la vie de la communauté anglicane.

Vincent Rossignol, qui s'était assis juste derrière Abigail, voyait maintenant la belle Anglaise de profil. Il semblait embrasé par les propos vivifiants de la jeune fille. Il aurait voulu l'appuyer, mais rien ne sortait de sa bouche.

— Premier feu en 1865, disait-elle. Debout en 1866. Deuxième feu en 1900. Debout en 1901. Toujours debout en l'an 2000. Elle est prête à traverser le troisième millénaire. Alors que votre Notre-Dame-de-Grâce...

— Notre église Notre-Dame-de-Grâce, comme tu dis, reprit Rachelle Ouimet, qui, pour la circonstance, avait caché son décolleté avec un châle de soie noire, comme si elle avait voulu donner plus de respectabilité à ce qu'elle allait dire, est l'œuvre du révérend père Reboul (en entendant ces mots, Mathieu Couture redressa le corps). Elle a été construite en 1868 non loin du lieu où le révérend père Durocher avait fait édifier la Chapelle des chantiers en 1845. La façade donnait alors sur l'Outaouais en regard de la cathédrale Notre-Dame d'Ottawa, haut lieu du catholicisme.

— La nôtre n'a jamais eu à s'assujettir, dit Abigail. Elle garde encore toute son indépendance, même aujourd'hui. Son unique correspondante, c'est la Grande Rivière, celle de l'immense force des Chaudières.

— Tu connais bien l'histoire de ta paroisse, je te le concède, mais, ma petite Anglaise, savais-tu que l'église Notre-Dame a brûlé en 1888 et qu'elle fut reconstruite en 1892, cette fois avec une farouche indépendance, son chevet faisant maintenant dos à la cathédrale d'Ottawa, et le parvis donnant sur la rue Alma, que le maire Archambault rebaptisera rue Notre-Dame, dans les années dix, comme il en rebaptisera plusieurs autres, notamment la rue Inkerman, qui deviendra la rue Champlain en l'honneur du père fondateur de la francophonie d'Amérique.

— Je ne savais pas cela, non, mais je sais, en revanche, que j'aurais beau chercher ton église, elle n'est plus là. Car, si je ne m'abuse, on a construit l'hôtel Ramada à cet emplacement.

— Le presbytère demeure toutefois.

— En annexe à l'hôtel, fit Abigail.

— Je me demande bien si les congressistes de ces lieux entendent encore l'écho des messes du père Reboul ? dit Jeff Verner avec une ironie cinglante.

— Il n'y a pas à dire, vous, les catholiques, avez de la suite dans les idées. Là où s'élevait un saint autel, vous avez érigé un grand hôtel, ajouta Abigail.

— À tout le moins, on a la souplesse homonymique de notre belle langue française, répondit Mathieu Couture cherchant à sauver les meubles par un morceau de bravoure galliciste.

Sa mine renfrognée disait toutefois que le combat des bâtisseurs qu'ils entreprenaient s'avérerait plus difficile que prévu. Le professeur François Desjardins leur avait dit que ce ne serait pas facile. Il avait raison. Mais la partie était bien engagée.

18

Vincent Rossignol voyait maintenant une promesse de fertilité dans la chevelure flamboyante d'Abigail. Il lui semblait que cet être incarnait l'entêtement et l'acharnement d'une communauté d'origine qui avait enduré bien des épreuves mais restait toujours debout, installée sur la rue Principale, non loin des Chaudières, là ou tout avait commencé.

— Vous me faites plaisir, mes jeunes amis, dit le professeur.

— Comment vous fait-on plaisir, professeur ? demanda Constance Larocque. Depuis deux jours, c'est le combat des bâtisseurs et tout ce que vous trouvez à nous dire, c'est que nous vous faisons plaisir.

— Je vais vous faire une confidence.

— Dis toujours, j'adore les confidences, fit Rachelle Ouimet.

— Ma confidence est la suivante : « Je ne vous déteste pas ».

— On aimerait mieux que vous nous aimiez, dit le grand Albert.

— C'est une litote, ma belle grande police, dit Aurélie Concalvez, dont le décolleté admirablement en évidence ajoutait à la spiritualité de la répartie.

— Ça mange quoi en hiver, une litote ? demanda Bruno Langevin.

— Ça signifie tout simplement « dire moins pour en dire plus ».

— Veux-tu dire qu'en disant qu'il ne nous déteste pas, il veut dire qu'il est tombé en amour avec nous autres ? argua Bob avec une belle grimace dont, seul, il possédait le secret.

François Desjardins, sourire aux lèvres, enchaîna :

— Votre propos de ce matin ne pouvait pas mieux tomber. Je voulais consacrer les heures de cours d'aujourd'hui aux nombreuses communautés religieuses qui ont donné une spiritualité à Hull. Est-ce que le nom de sœur Mechtilde vous dit quelque chose ?

Personne n'osa répondre, même pas Mathieu Couture. Les figures interrogatives montraient, toutefois, que les avanceurs comme les rattrapeurs voulaient savoir.

— Les Servantes de Jésus-Marie, alors ?

— Oui, monsieur, ça me dit quelque chose, dit d'une voix timide Vincent Rossignol.

Toutes les têtes se tournèrent vers lui.

— Tiens, si c'est pas Vincent qui ose enfin prendre la parole, lança François Desjardins.

Comme cette réplique avait l'heur de gêner davantage le garçon, le professeur s'empressa d'ajouter :

— Je suis content, Vincent, que tu participes. Alors qu'est-ce que cela te dit les Servantes de Jésus-Marie ?

— Je dors au-dessus d'elles, répondit maladroitement le jeune homme.

— Hein ? fit le groupe étonné.

— Chanceux ! cria Bob.

Abigail se retourna vers Vincent et le regarda en laissant flotter un rire interrogatif sur ses jolies lèvres.

— Je veux dire que là où j'habite, je vois leur couvent tout en bas.

— Où habites-tu ? demanda Aurélie Concalvez.

— Au sommet de la Tour Port-de-Plaisance.

— T'es riche, alors ? ne put-elle s'empêcher de dire.

Vincent rougit. Toutes les filles posèrent un nouveau regard sur lui, à l'exception d'Abigail qui, elle, demanda :

— Les Servantes de Jésus-Marie, c'est un ordre contemplatif, n'est-ce pas, monsieur le professeur ?

— Qui s'est installé sur les lieux même où, il y a de cela longtemps, une bande d'Indiens campait, répondit-il.

— Et cette sœur Mechtilde ? demanda Abigail.

— C'était une itinérante.

— Comment ça ? fit Bob.

— C'est elle qui quêtait pour son couvent.

— Êtes-vous sûr de ce que vous avancez ?

Le professeur coupa court à la conversation en donnant l'ordre de travailler en équipe.

— Vous pouvez travailler soit dans la classe soit à la bibliothèque ou encore à la médiathèque. Je demeurerai à votre disposition à mon bureau. On se retrouve cet après-midi pour le cours de treize heures. C'est bien parti. Je suis fier de vous.

Constance Larocque s'approcha de François Desjardins qui, lui, se dirigeait vers Vincent Rossignol.

— Monsieur, dit-elle, allez-vous nous reparler de sœur Mechtilde ?

— Bien sûr, cet après-midi même, je te le promets. Tu m'excuseras, Constance, je dois voir Vincent.

Le professeur se tourna vers le pupitre où était assis Vincent Rossignol. Ce dernier avait la mine basse.

— Aurais-tu l'amabilité de rouler avec moi jusqu'à mon bureau ? demanda-t-il avec humour. J'ai quelque chose pour toi.

Le Nord de l'Outaouais

Il avait devant lui les noces de la nature et de la culture.

[Jean Dallaire, *Le Nord de l'Outaouais*, 1938, détail tiré de la page de garde du livre
Le Nord de l'Outaouais. © Jean Dallaire / SODRAC (Montréal) 1999.]

CINQUIÈME PARTIE

Le jeune Dallaire

19

Le bureau de François Desjardins était situé au demi-étage, ce qui n'empêcha pas le planchiste de survoler les marches.

— Tu n'as pas encore trouvé ton sujet, toi, n'est-ce pas ?

— Non, monsieur.

— Le temps file, mais je ne désespère pas. Je sais que tu y parviendras.

— Je n'en suis pas sûr.

— Moi, j'en suis sûr, répondit le professeur. Tu ne parles peut-être pas beaucoup, mais je sais que tu ne manques rien de ce qui se passe. Certes, l'histoire n'est pas ta matière préférée, mais tes yeux brillent quand même et cela ne trompe pas. En outre, tes camarades ne te laissent pas indifférent. En tout cas, certains de tes camarades. Hull a toujours de belles Anglaises, n'est-ce pas ?

François Desjardins fit flotter sur ses lèvres un sourire complice.

Vincent Rossignol sourit lui aussi, en rougissant toutefois.

Le professeur enchaîna immédiatement de manière à ne pas trop gêner son élève. Il voulait juste lui montrer qu'il était de tout cœur avec lui.

Il ouvrit son classeur et en sortit une grande enveloppe qu'il tendit à son étudiant.

— Il y a quelque chose pour toi à l'intérieur, et je suis certain que cela va t'aider.

— Pourquoi moi ?

— C'est ma façon de t'appuyer, Vincent. Tu as une belle sen-
sibilité. Je te crois capable de grandes choses. Il fait beau dehors,
va t'installer sur la pergola. Tu verras, ça sera agréable.

Quelques minutes plus tard, Vincent Rossignol ouvrait ner-
veusement l'enveloppe. Il en sortit un gros livre relié intitulé *Le
Nord de l'Outaouais*. Il tourna la première de couverture. Ce fut
un coup de foudre, le mot n'est pas trop fort. Tous les sujets
possibles reliés à Hull lui sautèrent dans la figure. Et, pourtant,
ce n'était qu'une page de garde, mais pas n'importe laquelle. Une
image exceptionnelle y était imprimée. De nombreux dessins ou,
plutôt, un tableau dessiné présentant de multiples personnages :
un pont, une usine, une église, une centrale électrique, un arbre,
des champs, de longues cheminées et des flammes, même un
pompier. L'énergie contenue dans ce dessin le frappait de plein
fouet. Il avait devant lui les noces de la nature et de la culture. Une
symbiose ! Des prairies, des clôtures, des vaches y paissant, une île
avec des arbres, les eaux puissantes d'une rivière harnachée, mais
pas moins fougueuse pour autant, de grandes cheminées qui
crachent des nuages de fumée, un prêtre et deux écoliers, un se-
meur, un cimetière, un mineur, des pompiers, un échafaudage, des
charpentiers qui montent leurs poutres dans le ciel comme des
flammes et semblent rebâtir au fur et à mesure ce que le feu
consume. Toute l'histoire d'une ville dans un seul élan, avec un
étudiant en toge adossé à un érable à sucre dont les racines sorties
comme des griffes serrent opiniâtrement le sol. Au sommet de
l'arbre, la tête d'une jeune fille coiffée de la couronne de lauriers
des vainqueurs, le tout auréolé d'une ramure baignant dans les
eaux de la Grande Rivière et les flammes de l'immense aventure
humaine. Tout ce paysage dessiné en vert émut profondément
Vincent Rossignol. Le nom de l'artiste paraissait dans le coin droit,
juste aux côtés d'une borne-fontaine. C'était écrit : « Dallaire ».

Et Vincent revit le blason de la ville de Hull, qu'Abigail
Meers avait si témérairement offert à ses camarades de l'autre

rive, et il s'imagina Abigail couronnée de lauriers elle aussi. Ce n'était plus un rapt, mais un exploit. Abigail Meers était ce hérault capable d'aller chanter ailleurs les louanges de sa ville. Il la voyait comme une messagère qui allait dire aux citoyens de l'autre rive que c'est au nord, dans le labeur et la sueur, que tout avait commencé. Hull était plus vivante que jamais. Il voyait sa ville comme un porte-flambeau du métissage, et, pour la première fois, il remarqua dans la peau de ses camarades comment Hull était une belle métisse. La Hull africaine de Rachelle, celle portugaise de Pedro, l'indienne d'Aurélie, l'écossaise de Jeff, l'irlandaise de Jim, la française de Constance. Les grands yeux naïfs de la jeune fille au flambeau du dessin de Dallaire semblaient une entrée qui conduisait à la lumière du cerveau de Hull.

Pour Vincent, ce Dallaire, dont il voyait le nom pour la première fois, était une fontaine. Il s'y abreuvait. Dallaire le confortait, l'enrichissait, le nourrissait. Il faisait danser dans sa tête le poème d'une naissance. « Je ferai des droitiers des gauchers et des gauchers des droitiers », avait dit son professeur. Vincent n'était déjà plus droitier. Il était arrivé au milieu du passage, là où tout prend une allure différente, là où l'on s'éloigne d'une certitude comme une étoile dans la galaxie. Ce dessin de Hull présentait les sucurs et le drame, le feu et la quête, le perpétuel recommencement. Pourtant, il lui semblait qu'une tranquillité couvait l'orage. Une colère paisible. Une paix. Les personnages de ce dessin de la page de garde du *Nord de l'Outaouais* présentaient aux yeux de Vincent Rossignol le sublime de la quiétude, mais aussi de l'ardeur et du courage. Une indépendance et une douceur dans le drame. Ainsi, ce pompier arqué vers l'arrière et qui semble esquisser un pas de deux avec les flammes. Ce moissonneur, qui offre ses yeux à la terre comme pour en extirper sa douce chaleur. Ce prêtre qui, escorté par une fillette et un jeune garçon, pointe la baguette du professeur vers un ciel bruyamment semblable aux chutes de la Grande Rivière.

L'homme n'habite pas innocemment un lieu, car le lieu le définit. Il lui donne sa beauté, sa grandeur, sa détresse aussi. Hull était ce lieu, un drame avec ses actes et ses scènes. Un lieu avec un commencement, un milieu, une fin. Un lieu avec ses péripéties, ses charnières, son *climax* et sa chute. Mais il lui semblait que Hull n'arrivait qu'à la fin du premier acte. À sa première charnière, qui allait la précipiter dans l'ère des grands défis. Hull faisait grimper ses billots au ciel. La ville qu'il avait toujours vue sans la connaître, parce qu'il ne s'était jamais posé la question de son commencement, parce qu'il ne s'était jamais imaginé sa ville avant les gratte-ciel, avant les musées, avant les grandes écoles, voilà qu'elle lui paraissait avoir un âge. Grâce à François Desjardins et à ce « maudit cours » auquel il n'avait pas voulu s'inscrire, il comprenait maintenant qu'une ville avait aussi sa croissance comme les hémérocalles de Port-de-Plaisance, les pins du parc Jacques-Cartier et aussi le petit chat de sa mère devenu grand. Hull avait l'âge d'une belle fille qui devient femme. Resplendissante de santé. Capable de mettre au monde une famille pour affronter les obstacles et relever les défis. Vincent comprenait un peu plus le sens des villes. Sa mère, riche, l'avait traîné dans les grandes villes du monde. Il avait vu Athènes, Rome, Paris, Vienne, Londres et Berlin, mais il n'y avait fait que passer en zombie. Il n'avait pas su jauger leur beauté. Hull lui faisait prendre conscience qu'une ville a un âge. Athènes, maintenant, lui paraissait comme une lointaine ancêtre. Rome, tout au plus une arrière-grand-mère. Quant à Paris, c'était comme une vieille dame de plus de cent ans, alors que Hull avait l'âge d'Abigail. Il y avait une échelle dans le dessin de Dallaire, et Vincent n'avait qu'un seul désir : y grimper.

Cette impression animait son esprit quand il retourna en classe.

— T'as bien un beau livre toi, dit Rachelle Ouimet, toujours accoutrée en cliente de l'Avalon. Coquine, elle avait profité de la pause du midi pour se refaire une beauté.

— Oui, dis-nous où t'as pris ça ? renchérit Aurélie qui, elle aussi, était passée devant le miroir.

Vincent ne répondit pas, mais jeta plutôt un regard pénétrant vers le professeur.

François Desjardins ouvrit légèrement les lèvres comme pour signifier à Vincent qu'il avait compris.

SIXIÈME PARTIE

La Règle

20

Le cours reprit. Les élèves, particulièrement Constance, avaient hâte d'entendre leur professeur parler de sœur Mechtilde. François Desjardins leur avait mis l'eau à la bouche. Ils ne furent pas déçus.

Ils apprirent que cette sœur avait été un personnage hors du commun. Leur professeur l'avait connue alors qu'il était enfant et qu'elle était très vieille. Elle traînait son grand sac noir dans les différentes rues de la ville, entre autres sur l'ancienne rue Cartier où il demeurait avec ses parents. Sœur Mechtilde passait de porte en porte. Tout le monde la recevait dignement. Les gens lui faisaient la charité. Elle quêtait pour le luminaire, la grande lampe qui sert à éclairer la sainte Hostie. Les plus pauvres partageaient avec elle le pain qu'ils avaient. En contrepartie, elle les écoutait et transportait dans son cœur leurs souffrances qu'elle déposait en offrande dans ses prières au pied du saint sacrement.

L'inspiration éclairait la figure de François Desjardins. Il raconta à ses élèves que les Servantes de Jésus-Marie suivaient toujours une règle très stricte. Des offices pendant la nuit, des offices pendant le jour, des offices au petit matin. « Imaginez-vous cette femme qui ne dort que quelques heures par nuit, dit-il, et qui trouve le moyen de parcourir les grandes rues de Hull, monte la côte abrupte de la rue Laval, celle de la rue Wright, redescend la rue Eddy, parcourt Saint-Rédempteur, arpente Saint-Joseph et revient par Alexandre-Taché. Savez-vous comment les vieux Hullois appellent ces petites sœurs de Jésus-Marie ?

— Non.

— « Les paratonnerres de Hull ». J'ai souvent entendu ma mère dire : « Confie tes prières aux petites servantes du bon Dieu, tu vas voir que ça t'aidera. »

— Est-ce que vous l'avez fait, monsieur ? demanda Constance Larocque.

Le professeur ne répondit pas, mais il ajouta :

— Ces religieuses respectent une règle aussi dure que celle des cisterciens. Ce qui n'a pas empêché sœur Mechtilde de mourir à cent trois ans.

— Cent trois ans ! s'exclama Bruno Langevin.

— Cisterciens ? demanda Aurélie.

— L'ordre de Cîteaux, une branche bénédictine de stricte observance, fondé par Robert de Molesme en 1098.

— Il n'y a jamais eu de cisterciens à Hull, professeur, s'empressa d'ajouter Mathieu Couture, qui préférait de loin les ordre actifs aux ordres contemplatifs.

— En es-tu sûr, Mathieu ? demanda le professeur.

— À cent pour cent, monsieur le professeur. Car les communautés qui ont fait Hull, ce sont d'abord les oblats et le grand Louis Étienne Reboul, puis les Frères des Écoles Chrétiennes et les Sœurs grises de la Croix, les Frères du Sacré-Cœur, les Filles de la Sagesse, les Sœurs du Précieux-Sang, les Chanoinesses des Cinq Plaies, sans oublier les Spiritains. Je pense au père Amet Limbour, qui a fondé le renommé collège Saint-Alexandre...

— Sur l'emplacement qu'il a acheté à Mary Sparks, la femme d'Alonzo Wright, s'empressa de dire Abigail Meers.

— Amet Limbour était un homme remarquable, reprit François Desjardins. Il est arrivé de France le 13 mai 1904. Il y est retourné le 30 août 1905. Un an pour tout faire.

— Parle-moi d'un homme qui ne se traîne pas les pieds, dit Mathieu Couture. C'est encore plus surprenant quand on sait que la famille d'Alonzo Wright ne lui a pas vendu les lieux pour des « pinottes ».

— Soixante-neuf mille trois cent dix-sept dollars qu'il a payés, Amet ! glissa François Desjardins.

— Mais le père Limbour était visionnaire, lui, dit Mathieu. Il voyait grand. Il n'était pas comme les Wright, qui se sont gardé tous les terrains pendant plus de cent ans et qui ont empêché d'autant le développement de Hull.

— Peut-être que la famille Wright s'est réservé des privilèges, dit Jeff Verner, d'ailleurs bien mérités, mais...

— Tu parles. Nous avons vécu de 1800 à 1924 sous le régime des constituts, interrompit Mathieu.

— Des constituts ? dit Aurélie.

— C'est un régime de baux, fit le professeur. Les Wright louaient leurs terrains. Les habitants se construisaient à leurs frais. C'est grâce à Achille Morin, à Edgar Gauthier et à Wilfrid Cravelle que, le 15 mars 1924, le gouvernement du Québec sanctionnera un projet de loi qui abrogera ce régime de baux.

— Mais Ezra Buttler Eddy, lui, voyait aussi grand qu'Amet Limbour, répliqua Jim McConnery.

— J'ai jamais dit le contraire, fit Mathieu Couture.

François Desjardins en profita pour prendre le relais.

— Mathieu Couture vous a parlé du père Limbour. Je soupçonne un peu que Mathieu a été formé au collège Saint-Alexandre, n'est-ce pas, jeune homme ?

— En effet, dit fièrement l'avanceur.

— J'y ai été formé moi-même, comme des milliers d'autres garçons de Hull et de l'Outaouais, dit le professeur.

— Vous oubliez les filles, monsieur Desjardins, dit la petite Constance Larocque.

— Les filles appartiennent à l'histoire récente de ce collège.

François Desjardins se tourna vers le groupe d'Abigail :

— Merci à la famille d'Alonzo Wright qui, sans jeu de mots, a su jeter un pont entre nos deux cultures, dit-il.

— Ça n'empêche pas qu'il y a bien des rapides dans ce coin-là ! fit Benoît Lapointe, vraisemblablement un ancien élève de Saint-Alexandre, lui aussi.

— Moi, monsieur, je suis allée à l'école Saint-Joseph, dit Aurélie Concalvez.

— On pourrait pas dire ça en te regardant, clama le grand Albert en riant.

Aurélie couvrit sa poitrine avec un châle, comme l'avait fait Rachelle Ouimet plus tôt.

— C'est mieux, ma fille, dit le grand Albert qui, incidemment, en imposait dans son uniforme du chef de police Adrien Robert.

— Je crois que c'est la fondatrice des Sœurs grises d'Ottawa, la grande Élizabeth Bruyère en personne, qui a eu l'idée d'envoyer ses religieuses pour enseigner à la population hulloise.

— Tu as raison en partie, Aurélie, mais Élizabeth Bruyère était morte quand s'est érigé le couvent actuel. En revanche, une sœur très importante a fait de cette école une maison de culture remarquable. Une sœur musicienne. La sœur Magdeleine de Pazzi. Mettez ça dans votre pipe, mes petits amis.

— On ne fume pas, monsieur, répondit candidement Constance.

— Elle inaugure, en 1908, la première école de musique. En 1931, elle reçoit un doctorat d'honneur. Elle meurt le 27 mai 1946, à l'âge de quatre-vingt-six ans.

— Elle aurait été mieux de quêter comme sœur Mechtilde, dit Bob, elle aurait vécu plus longtemps.

— Vous n'avez toujours pas prouvé, professeur, qu'il existait des cisterciens à Hull, fit Mathieu Couture.

— N'évoque-t-on pas l'esprit d'un grand cistercien sur la façade d'une église bien en vue de Hull ? répondit le professeur.

Les avanceurs et les rattrapeurs se demandaient de quelle église voulait parler François Desjardins. Les noms de toutes les églises de Hull sortirent comme une procession. Saint-Joseph,

Très-Saint-Rédempteur, Sacré-Cœur, Saint-Pierre-Chanel, Saint-Benoît, toutes y passèrent, même le nom de Saint-François-de-Salles, une paroisse de Pointe-Gatineau, ajouté malicieusement par Bob, pour mettre encore plus de piquant à la litanie.

— Vous en avez oubliez une très importante.

— Laquelle ? demanda Mathieu.

— L'église St. James, dit François Desjardins, énigmatique.

— C'est une église protestante et elle n'a rien de cistercien, répliqua Mathieu Couture.

— N'abrite-t-elle pas deux communautés ?

— Oui, une anglophone et une francophone, dit Jeff Verner.

— Et portent-elles toutes les deux le même nom ?

— Non, dit cette fois Abigail Meers, la communauté française se nomme « Bernard-de-Clairvaux ».

— Saint Bernard, le grand cistercien du Moyen Âge, reprit Mathieu Couture, qui venait d'allumer.

Vincent Rossignol était vraiment intrigué.

— N'oubliez pas que l'église anglicane est l'église catholique d'Angleterre. Nous avons beaucoup de saints en commun.

François Desjardins se surpassa dans l'exposé qu'il leur fit sur Bernard de Clervaux, ce moine qui vécut en Bourgogne dans la première moitié du XIIᵉ siècle. Il trouvait ainsi le moyen d'inscrire dans la géographie hulloise la vivante pensée de ce chaste cistercien.

— Huit heures de prière, huit heures de sommeil, huit heures de travaux manuels ou intellectuels. Une vie réglée telle que l'avait pensée saint Benoît plusieurs siècles auparavant, mais qu'avaient oubliée quelque peu les Bénédictins de Cluny.

Comme Bob Vaillant allait demander ce qu'était Cluny, François Desjardins, devinant sa question, s'approcha de lui, les yeux allumés comme s'il avait été Bernard de Clairvaux en personne. Il désigna le trois-pièces de Bob Vaillant, toujours habillé en maire Moussette.

— Bernard rejetait le luxe et le faste, lui. Il était doté d'une âme ardente. Il avait, selon sa propre expression, « l'ivresse sobre ».

— Ça devrait être la tienne aussi, mon Bob ! dit le grand Albert Guertin.

Les avanceurs comme les rattrapeurs ne purent s'empêcher de rire devant ce tableau baroque : François Desjardins dans le rôle du moine cistercien Bernard de Clairvaux, Albert Guertin dans celui du chef de police autoritaire Adrien Robert et Bob Vaillant dans celui du maire Alphonse Moussette, riche propriétaire de l'Avalon, escorté par deux clientes vêtues d'une façon peu modeste : Rachelle Ouimet et Aurélie Concalvez.

— Bernard de Clairvaux a horreur du somptuaire, reprend François Desjardins en pointant tour à tour Alphonse Moussette et les clientes. Il critique la riche abbaye de Cluny, la plus grande église du Moyen Âge. Il critique son faste et son luxe scandaleux qui arrachent les fidèles à leur recueillement.

— Êtes-vous en train de critiquer l'Avalon ? demanda Bob loufoquement.

Le professeur s'approcha de Rachelle et d'Aurélie, ruisselantes de bijoux et maquillées lourdement. Reprenant mot pour mot le discours de saint Bernard avec une virtuosité mnémonique qui ébahit sa classe, il leur dit :

— « Que fait l'or dans vos sanctuaires ? »

— Vous voulez dire « votre sanctuaire », suggéra Bob.

Le professeur sourit du mot d'esprit de Bob Vaillant puis, reprit, inspiré :

— « Que fait l'or dans vos sanctuaires ? Quand les yeux se sont ouverts d'admiration pour contempler les reliques des saints enchâssées dans l'or, les bourses s'ouvrent à leur tour pour laisser couler l'or. On expose la statue d'un saint ou d'une sainte et on la croit d'autant plus sainte qu'elle est plus chargée de couleur... Ô vanité plus insensée que vaine ! Les murs de l'église sont étincelants de richesses et les pauvres vivent dans le dénuement ; ses pierres sont couvertes de dorure et ses enfants sont privés de vêtements ; on fait servir le bien des pauvres à des embellissements qui charment les regards des riches... »

— Bravo, professeur ! dit Constance Larocque. Quel esprit !

Les yeux de Mathieu Couture, d'Abigail Meers et de tous les autres, rattrapeurs comme avanceurs, étaient accrochés à la bouche de François Desjardins. Ils étaient allumés. Leur professeur les impressionnait véritablement. « Quelle leçon d'histoire ! » semblaient dire ces yeux. Comparer la grande abbatiale de Cluny au club l'Avalon du maire Moussette, il fallait le faire. Cluny était la plus grande abbatiale de la chrétienté ; l'Avalon le plus grand club hors des limites de Hull. François Desjardins les initiait au second degré. Il invitait ses élèves à lire les mots sous les mots. Ses cours donnaient dans l'anagramme et la symbolique, le symbole étant par essence ce qui fait entrevoir une réalité fondatrice derrière l'objet apparent. Aussi bien, le laïus de Bernard de Clairvaux sur l'architecture clunisienne romane, aux chapiteaux chargés d'images d'animaux fabuleux empruntées à l'Orient superstitieux, ne tombait pas dans l'oreille de sourds.

— « À quoi bon, dans ces endroits, ces singes immondes, ces lions féroces, ces centaures chimériques, ces monstres demi-hommes, ces tigres bariolés, ces soldats qui combattent et ces chasseurs qui sonnent du cor ? Ici, l'on voit une seule tête pour plusieurs corps ou un seul corps pour plusieurs têtes ; là, c'est un quadrupède ayant une queue de serpent et, plus loin, c'est un poisson avec une tête de quadrupède... »

— À l'Avalon, professeur, il y avait une belle tête d'orignal empaillée. Un quarante-deux pointes. Une belle tête d'ours, deux loups, une louve, un lynx, un renard et un gros masquinongé, dit Bob Vaillant.

— Et des petites truites arc-en-ciel itou, ajouta Rachelle Ouimet avec humour.

François Desjardins n'arriva pas à retenir son rire. Il aimait l'esprit de sa classe. Les remarques taxidermistes de Bob et Rachelle tombaient à point nommé. Comme Cluny, l'Avalon avait aussi son bestiaire.

Mais pour donner le change à Bob qui personnifiait Alphonse Moussette, à la fois maire de Hull et propriétaire de l'Avalon, François Desjardins cita l'une des grandes diatribes de Bernard de Clairvaux contre son grand rival du XIIe siècle, le célèbre théologien Pierre Abélard. Le moine cistercien reprochait au théologien Abélard d'avoir recours à la raison plutôt qu'à la foi et aux mystères. Le professeur pointa du doigt Bob Vaillant, alias Alphonse Moussette, engoncé dans son habit trois-pièces. Il prononça alors un discours fiévreux et emporté qu'il termina par ce propos péremptoire : « C'est un homme à double face, au dehors un Jean-Baptiste, au dedans un Hérode. C'est un moine en apparence, mais au fond c'est un hérétique... C'est une couleuvre tortueuse, sortie de sa retraite, une hydre... Qui donc se lèvera pour fermer la bouche de ce fourbe ? »

— Tout ça à cause de l'écriteau accroché à l'église St. James de Hull : « Communauté Bernard-de-Clairvaux », dit Bob. Heureusement qu'il n'y a pas d'église Marie-Madeleine à Hull.

— Grand fou ! dit Rachelle toute affectueuse.

— Que veux-tu, j'suis comme ça, mon colibri !

— Mais saint Bernard exagérait, reprit François Desjardins. Sa fougue à défendre la mystique contre une théologie de la raison était aveugle. Quoi qu'il en soit, il réussira à faire taire Abélard, qui finira ses jours dans la grande abbaye bénédictine de Cluny sous l'abbatiat de Pierre le Vénérable.

— Est-ce qu'Alphonse Moussette, lui, a fini ses jours dans son club ? demanda Constance.

Le professeur ne répondit pas.

François Desjardins tourna momentanément le dos à ses élèves, puis d'une voix rêveuse :

— Pauvre Abélard, si vous saviez toute la lumière que ce grand intellectuel a donnée à la religion.

— Est-ce qu'Alphonse Moussette a donné une lumière à Hull ? demanda Aurélie.

On rit.

— Soyons honnête, reprit François Desjardins. Alphonse Moussette a accompli de belles choses. Ce n'est pas pour rien qu'un parc et un boulevard de Hull portent son nom. Alphonse était maire au moment du cent cinquantième anniversaire de la ville. Il a eu le flair de demander à l'historien Lucien Brault d'écrire l'histoire de Hull.

Le professeur s'arrêta pendant quelques instants, puis dit :

— Et si vous connaissiez son drame amoureux.

— À Alphonse ? demanda Aurélie Concalvez.

— Non, à Abélard.

— Un prêtre amoureux ? fit Constance.

— J'suis certain que ça pas été le premier à part ça, lança Albert Guertin.

— Surveille ton langage, ma belle police ! fit Aurélie.

— Mes enfants, reprit François Desjardins en se retournant, l'histoire d'Abélard et d'Héloïse est l'une des plus belles et des plus tristes histoires d'amour qui soit.

— On veut l'entendre, fit, malgré lui, Vincent Rossignol.

Des têtes surprises se tournèrent vers le rouliplanchiste.

— Qu'il me suffise de vous citer quelques mots écrits par Héloïse à son bien-aimé et vous verrez combien extraordinaire fut cet amour, dit le professeur.

— Cite-les, fit Rachelle.

— Imaginez-vous un grand professeur de théologie, chanoine à Notre-Dame de Paris, à qui son supérieur confie sa jeune nièce brillante pour qu'il soit son précepteur et qu'il tombe profondément amoureux d'elle et elle de lui en sorte qu'elle devient rapidement sa maîtresse puis, en secret, son épouse. Imaginez-vous aussi qu'un cruel destin les sépare. Héloïse écrit à Abélard : « Le titre d'épouse a été jugé plus sacré et plus fort, pourtant c'est celui de maîtresse qui m'a toujours été plus doux et, si cela ne te choque pas, celui de concubine ou de fille de joie. »

— Mon Dieu ! firent Rachelle et Aurélie.

— Dieu n'a rien à voir là-dedans, dit Bob allègrement.

— Imaginez-vous que vous recevez une lettre où il est écrit : « Je ne me suis rien réservé de moi-même, si ce n'est le droit de devenir avant tout ta propriété. »

— Quelle passion ! dit Abigail.

— L'une des plus grandes de l'histoire, ajouta François Desjardins.

— De l'histoire de Hull ? ajouta Bob.

Le professeur ne s'attarda pas sur ce trait d'esprit, il continua plutôt à raconter l'histoire sans soupçonner, toutefois, que son discours troublerait autant la vie de Vincent Rossignol. Son laïus sur la Règle cistercienne ne devait pas rester lettre morte.

En descendant sur la piste cyclable le long de la Sporthèque, cette journée-là, Vincent Rossignol entendait dans sa tête la voix de François Desjardins. Celui-ci parlait d'Abélard et d'Héloïse, et cela l'émouvait. L'histoire de ces deux grands amoureux accentuait l'ivresse qu'il ressentait depuis qu'il avait vu Abigail pour la première fois. Abigail Meers, à qui il n'avait même pas encore osé parler. Tout au plus s'était-il permis des regards. Il l'avait admirée en silence comme une prière.

Lorsqu'il longea la Gatineau non loin du lac Leamy, cet après-midi-là, il entendait les mots brûlants d'amour qu'Héloïse avait écrits à Abélard et dont le professeur François Desjardins s'était fait le chantre. Mais la voix qu'il entendait dans sa tête avait un léger accent anglophone : « Plus grand est l'objet de ma peine, plus grands doivent être les remèdes de la consolation », avait écrit Héloïse. « Adieu mon tout. »

Ces paroles étaient brûlantes.

21

« Comme tu as eu chaud, mon chéri ! » dit la mère de Vincent lorsque celui-ci entra dans l'appartement familial et défit son sac de classe.

— Est-ce que tu connais Héloïse, maman ?

— Est-ce une copine de ta classe ?

— Non.

— C'est quoi, ce beau livre que tu tiens dans la main ?

— Oh ! ça ? C'est *Le Nord de l'Outaouais*, un cadeau que m'a fait mon professeur.

— Dans mon temps, c'est nous qui donnions des cadeaux au professeur.

Vincent alla dans sa chambre. Il s'approcha de la fenêtre. En bas, le couvent des Servantes de Jésus-Marie lui parut plus éclairé qu'il ne l'avait jamais été. Vincent voyait le luminaire de sœur Mechtilde.

Cette journée de classe avait été éclairante. Il avait savouré les quelques regards qu'Abigail lui avait jetés. En fait, il s'était efforcé de prendre la parole à la seule fin que cette divine Anglaise daigne lever les yeux sur lui. Cela lui avait coûté de parler, mais il aurait été prêt à faire n'importe quoi pour attirer, ne serait-ce qu'un furtif instant, l'attention d'un être pour lequel il éprouvait plus que « l'ivresse sobre ».

SEPTIÈME PARTIE

La quête

22

Vincent Rossignol avait quatre jours devant lui avant de retourner en classe. Comme c'était la fin de semaine de la fête du Canada, le lundi suivant était férié. Il l'avait échappé belle. Le professeur lui avait donné un délai pour présenter son sujet. En plus, il avait promis une surprise à toute la classe pour le mercredi suivant.

D'une certaine manière, ces quatre jours lui apparaissaient comme une dure épreuve, car, pendant quatre longues journées, il ne verrait pas son Abigail, son Héloïse, son luminaire à lui, cette Anglaise de Hull qui pouvait remonter dans son ascendance sur plus de deux siècles, alors que lui, tout haut juché qu'il était au sommet de la tour Port-de-Plaisance, n'aurait même pas su décliner les prénoms de ses grands-mères. Quatre jours sans voir les beaux cheveux flamboyants de son héroïne qui avait traversé la Grande Rivière à la nage sous les traits de Zaïda Arnold, quatre jours sans respirer le parfum auroral de ce corps au satin voluptueux. Mais, en même temps, il ne lui restait que quatre jours pour trouver son sujet. Quatre petits jours pour répondre aux attentes de son professeur, pour qui il éprouvait de plus en plus d'admiration, quatre minuscules journées pour pondre une pensée digne de son Abigail.

Il retourna dans le salon, où sa mère arrosait ses hémérocalles.

— Maman, dit-il, est-ce que tu penses qu'une anglophone peut s'intéresser à un francophone ?

— Quelle question !

Voyant que son fils était embarrassé, Sophie Rossignol ajouta :

— Est-ce que tu penses qu'un francophone peut s'intéresser à une anglophone ?

La mère prit alors tendrement la main de son fils et lui donna l'arrosoir.

— Mon chéri, crois-tu que l'hémérocalle, qui est ici, se demande si l'eau que tu lui verses est l'eau de la rivière Rideau ou l'eau de la rivière Gatineau ?

Vincent apprécia le trait d'esprit de sa mère. Celle-ci lui embrassa le front.

La mère retourna à ses fleurs. Et, penchée sur elles, elle dit à son fils.

— Tu sais, Vincent, tu m'as demandé tout à l'heure si je connaissais Héloïse. Eh bien ! j'en connais une. C'était une grande amoureuse. Elle a écrit des lettres de feu. Regarde dans ma bibliothèque à Héloïse et Abélard.

Vincent, qui n'avait jamais fouillé dans la bibliothèque de sa mère, trouva, le cœur battant, le petit livre qui contenait des lettres incendiaires.

Le lendemain matin, alors que le soleil du premier juillet se levait sur l'Outaouais, Vincent Rossignol terminait sa passionnante lecture des amours fiévreuses d'Abélard et d'Héloïse. Le professeur n'avait qu'évoqué le destin tragique des deux amants. Vincent savait maintenant que l'oncle d'Héloïse, Fulbert, avait fait émasculer Abélard qui avait mené, par la suite, une vie rangée, fondant même le monastère de Paraclet où, un jour, sa douce Héloïse deviendrait abesse et où lui-même serait enterré grâce à Pierre le vénérable. Le corps d'Abélard avait en effet été envoyé à l'abesse Héloïse du monastère de Paraclet par Pierre le Vénérable, abbé de Cluny. Une absolution l'accompagnait.

Moi, Pierre, abbé de Cluny, qui ai reçu Pierre Abélard comme moine de Cluny et qui ai concédé son corps, transporté en secret, à Héloïse, abbesse du Paraclet et aux religieuses de ce monastère, par l'autorité de Dieu Tout-Puissant et de tous les saints, je l'absous d'office de tous ses péchés.

Vincent jeta un regard sur la Grande Rivière. Elle lui sembla paisible comme si l'onction du grand abbé bénédictin l'avait atteinte elle aussi. Il respira profondément en pensant à Abigail, puis il ouvrit le livre *Le Nord de l'Outaouais* que son professeur lui avait donné. Il contempla longuement la ravissante tête de jeune fille du dessin de la page de garde.

23

« Connais-tu un certain Philippe Dallaire, maman ? » dit Vincent, en entrant dans la salle à manger.

— Non, en revanche, je connais un Jean Dallaire. Un grand peintre !

— C'est vrai ?

— J'ai vu quelque toiles de lui au musée et c'est tout. Mais j'ai aimé.

— Penses-tu que ce Jean Dallaire est parent avec Philippe Dallaire ?

— Je ne sais pas. Pourquoi cette question ?

— Tout simplement parce que Philippe Dallaire a dessiné Hull comme jamais je ne l'avais vue. Seul un Hullois peut dessiner sa ville comme ça.

— C'est intéressant ce que tu dis. Tu me montres le dessin ?

— Certainement.

Vincent ouvrit le livre *Le Nord de l'Outaouais* à la page de garde.

— Mais, c'est Dallaire ! dit Sophie Rossignol.

— Je sais bien que c'est Dallaire, Philippe Dallaire.

— Non, Jean Dallaire.

— Regarde, maman, c'est écrit :

Les feuilles de garde sont dues au dessin du jeune artiste de Hull, Philippe Dallaire, boursier du Gouvernement provincial.

— Attends mon chéri, je mettrais ma main au feu que l'éditeur du livre s'est trompé de prénom. Le dessin est daté de 1938 ? Boursier du Québec ? Il n'y a pas à douter.

— Je m'en fiche qu'il s'appelle Philippe ou Jean. Je ne connais pas grand-chose à l'art, mais je sais quand mes yeux aiment. Quelqu'un qui n'aurait pas été Hullois n'aurait pas pu injecter dans sa toile l'énergie de ces lieux.

— Tu devrais t'inscrire à des cours d'été plus souvent, toi. Tu me réjouis mon fils.

Sophie Rossignol embrassa avec enthousiasme son Vincent. Gêné, il se dégagea en douceur de sa mère et prit sa planche à roulettes.

— Où vas-tu comme ça ?

— À l'église.

— Un premier juillet ?

24

Les lettres de feu d'Héloïse et le dessin de Dallaire avaient troublé Vincent. Il découvrait en quelque sorte le pouvoir magique de l'art. Personne de la classe n'avait choisi ni un poète ni un peintre ni un sculpteur ni un musicien ni un danseur ni un comédien, et, pour lui, le nom de celui qui avait signé le magistral dessin du *Nord de l'Outaouais* suggérait qu'il y avait des êtres capables de transformer et de projeter à l'extérieur d'eux-mêmes, sous forme de sons, de couleurs, de matière, l'intériorité, la biologie et la physiologie d'un lieu. Sa lumière en quelque sorte. Dallaire l'avait accompli. Sans doute d'autres l'avaient-ils fait aussi.

Comment comprendre Hull dans son essence et ses manifestations ? Vincent Rossignol pressentait que l'art était la fiancée du labeur des hommes et que son rôle était avant tout de s'accoupler à la réalité, peu importe les extravagances de la nuit de noces. L'art couvrait les lieux d'une aura. Pour la première fois de sa vie, le sens du sacré interpelait Vincent. Le sacré que l'homme reconnaît aux êtres et aux lieux. Le sanctuaire. Le lieu qui recèle toutes les beautés de l'homme. Le jeune homme n'avait jamais réellement porté attention à l'architecture. Aux églises, par exemple. Il commençait à comprendre pourquoi elles étaient si belles. Comme si l'homme avait investi dans cette construction le meilleur de lui-même pour qu'elle rende hommage à son labeur. Et puis les grands monuments civils. Ceux de sa ville. La Maison du Citoyen était devenue une basilique, le musée des civilisations, une cathédrale. Et voilà que, dans le parcours pour se rendre à son église, il remarqua combien les maisons étaient belles. Les pignons, les fenêtres arrondies, les balcons superposés, les corniches moulurées, les fenêtres en saillies, les œils-de-bœuf, les triglyphes, les toitures à encorbellement, même les portes ouvragées. Il avait entendu quelqu'un dire à la radio que Hull était laide. Pourtant, il n'y avait pas de plus belle ville. Même les masures lui apparurent brillantes parce qu'il connaissait davantage l'histoire organique de sa ville.

Rares sont les personnes qui ne sont jamais malades. Les paraplégiques apportent aussi leur beauté. Hull, contrairement à sa voisine d'en face, avait su garder ses lieux balafrés. Ses maisons allumettes reconstruites à la hâte après les nombreux incendies. Ces maisons collées les unes sur les autres parce qu'on avait décidé en haut lieu, avait dit son professeur, de louer des demi-lots de trente-trois pieds de façade sur quatre-vingt-dix-neuf pieds de profondeur, si bien que les gens s'étaient construits en longueur, ajoutant une rallonge à chaque nouvelle naissance. Se promener dans la ville était vivifiant pour Vincent. « Tout ce qui n'est pas légèrement difforme a l'air insensible », avait dit son professeur en citant Baudelaire. Hull était difforme peut-être, mais c'est cette difformité même qui lui donnait maintenant toute sa beauté.

Une demi-heure plus tard, Vincent Rossignol roulait sur la rue Saint-Onge près de l'école du Parc-de-la-Montagne. Devant lui, sur une île de verdure, se dressait un grand oiseau magique, l'église Notre-Dame-de-la-Guadeloupe.

Il cogna à la porte du presbytère.

Un prêtre jovial lui répondit avec un sourire bienveillant.

— Qu'est-ce que je peux faire pour toi ?

— J'aimerais bien visiter votre église, monsieur. On m'a dit que la Vierge de la Guadeloupe était superbe.

— C'est vrai. On l'appelle aussi Notre-Dame-des-Roses. Tu veux la voir, viens je vais aller te la montrer.

Vincent Rossignol fut émerveillé par la nef toute de bois construite. On aurait dit un immense vaisseau renversé.

Ils arrivèrent bientôt devant la Vierge. Vincent trouva que Mathieu Couture avait eu raison de dire qu'elle était belle.

— Tu sais que ce n'est pas notre seul trésor ? fit le curé.

Il se tourna vers le mur nord.

— Regarde le crucifix qui est là. C'est un Médard Bourgault.

Vincent Rossignol fut troublé par la simplicité, le dénuement et la beauté de ce Christ en croix.

Le curé ajouta :

— Est-ce que tu sais, jeune homme, qu'il en existe un encore plus grand du même sculpteur dans la région ? Il a été sculpté en 1938.

— En 1938, ne put s'empêcher de murmurer Vincent Rossignol en pensant au dessin du jeune Dallaire.

— Ce Christ se trouve dans la paroisse Saint-Jean-Baptiste d'Ottawa.

Comme Vincent levait des yeux interrogateurs, le curé ajouta.

— Connais-tu le Collège dominicain ?

— Non, répondit Vincent.

— C'est de l'autre côté des Chaudières, sur la butte qui domine les plaines Le Breton. Tu peux y aller, l'église Saint-Jean-Baptiste y est adjacente. Elle est toujours ouverte.

Il ajouta :

— Le chemin de croix en céramique, que tu vois ici, sur le mur de l'ouest, est du sculpteur Jordi Bonet, un Espagnol d'origine qui habitait dans la vallée du Richelieu, je crois. Va. Prends ton temps, admire son talent.

Pour la première fois de sa vie, Vincent Rossignol fit son chemin de croix. Or, il fut stupéfié par la ressemblance entre la quiétude de cette Passion de Notre Seigneur et la quiétude du dessin de Dallaire. Jordi Bonet, qui venait d'ailleurs, avait, semble-t-il, été happé lui aussi par la paisible énergie hulloise.

— Merci pour tout, mon Père, dit Vincent Rossignol en repassant par la sacristie.

— As-tu aimé le chemin de croix ?

— Beaucoup.

— Celui qui l'a fait était infirme. Il n'avait qu'un bras.

— Hein, qu'un bras !

Vincent repensa au Mario de François Desjardins qui dactylographiait ses superbes textes avec son front.

— Reviens quand tu voudras, ma porte est toujours ouverte.

— Merci, mon Père.

— Tu peux m'appeler Jean-Charles.

25

À sa sortie de l'église, Vincent avait un nouveau but : se rendre au Collège dominicain pour voir le Médard Bourgault.

Il prit les petites rues du Parc-de-la-Montagne. En passant sur
la rue Archambault il éclata de rire malgré lui. C'est qu'il entendait dans sa tête ses camarades qui, pendant la pause du midi, la
veille, s'étaient obstinés sur le nom des rues de Hull suite à la
fantaisie odonymique à laquelle leur professeur s'était laissé
aller. C'est à Urgel Archambault, médecin et maire de Hull dans
les années dix, que l'on devait d'avoir francisé plusieurs rues de
Hull. Par exemple, la rue Montcalm qu'on appelait auparavant
« Brewery », ou encore la rue Britannia qui devient Maisonneuve
et Lake, Laval. Des trois douzaines de rues, presque toutes de
noms anglais au moment de l'incorporation de la ville de Hull, en
1875, on était passé à plus de cinq cents aujourd'hui, en grande
majorité d'appellation française. Des noms d'arbres, des noms
d'oiseaux et des noms de roches : rues des Chênes, des Trembles
et des Merisiers, du Geai-Bleu, des Perdrix et des Grives, de la
Calcite, du Mica, de la Galène, du Granite et même du Silex.
Moins d'histoire et plus d'écologie. Mais il y avait toujours les
grands noms du patrimoine : les Champlain, les Frontenac, les
Montcalm et les Papineau. Également les Wright, les Eddy et les
Taylor. François Desjardins leur avait fait un excellent résumé
d'un article de Denise Latrémouille intitulé « L'évolution de l'odonymie hulloise de 1875 à nos jours ».

Vincent Rossignol arrivait maintenant dans Wrightville.

Il roula sur Montcalm comme un « loup » du rouli-roulant.
Il prit Alexandre-Taché, puis la Promenade du Portage, histoire
de mieux contempler *La fontaine des bâtisseurs*. Comme il allait
tourner pour prendre le pont des Chaudières, car il avait l'intention de se rendre au Collège dominicain, il vit qu'un rassemble-
ment se tenait devant l'église St. James. Il s'approcha. Son cœur
s'arrêta net. Mathieu Couture et son groupe, drapeau papal en
mains, passaient et repassaient devant l'église catholique
d'Angleterre, mieux connue sous le nom d'Église anglicane, qui
abritait, entre autres, la communauté Bernard-de-Clairvaux.

Abigail, toute souriante, arborait avec fierté les couleurs du grand Canada et de la subtile Albion.

— Notre église est ouverte à tout le monde, donnez-vous la peine d'entrer, dit-elle avec un sourire œcuménique.

Au même moment, les Snowbirds de la *Canadian Air Force* arpentaient le ciel de la Grande Rivière comme pour délimiter une possession. Le combat des bâtisseurs continuait sur la Promenade du Portage. Ni Mathieu ni Benoît ni Bruno ni Constance n'entrèrent dans l'église protestante. Vincent Rossignol, lui, détourna la tête quand Abigail le regarda. Il piqua plutôt vers le pont des Chaudières.

Arrivé à Ottawa, il se rendit sur la rue Somerset, qu'il emprunta en direction est jusqu'à la rue Empress, sur laquelle se trouvent l'église Saint-Jean-Baptiste et le Collège dominicain.

26

Le curé Jean-Charles de la paroisse Notre-Dame-de-la-Guadeloupe avait raison : le Médard Bourgault de l'église Saint-Jean-Baptiste était superbe. Sans s'en rendre compte, Vincent s'agenouilla devant l'immense crucifix, ému par la résignation sereine de ce Christ de bois vêtu d'un simple pagne tacheté de sang.

C'est un jeune homme recueilli que trouva un prêtre vêtu de beaux habits sacerdotaux. Ce dernier était accompagné d'une petite famille dont la mère tenait un bébé dans ses bras.

— C'est un beau Christ, ce Bourgault, n'est-ce pas ? dit le prêtre.

— Oh, pardon mon Père, je vous dérange.

— Nous procéderons à un baptême. Vous pouvez rester, si vous voulez. Je vois que l'art vous intéresse, ce Christ en particulier. Sachez que dans le collège nous avons un autre magnifique « crucifié ». Sur toile. De Dallaire.

— Dallaire ? ne put s'empêcher de s'exclamer Vincent.

— Prenez le couloir à votre droite et rendez-vous chez le frère portier. Faites demander le père archiviste. Il vous le montrera.

Dire l'effet que ces paroles firent sur Vincent est indicible. Dallaire revenait dans son cœur par la porte de l'art sacré.

C'est d'un pas nerveux, sa planche à roulettes collée contre son cœur, qu'il arriva au guichet du portier.

— Vous désirez, jeune homme ?

— Voir le père archiviste.

— Assoyez-vous, je l'appelle.

Cinq minutes plus tard, un vieux prêtre à la figure rouge se présenta à Vincent.

— Qu'est-ce que je peux faire pour vous ?

— J'aimerais beaucoup voir une toile de Dallaire intitulée « Le crucifié ».

Vincent Rossignol s'attendait à ce que le prêtre lui demande pourquoi. Aussi fut-il surpris d'entendre le père lui dire :

— C'est sous les combles, au cinquième. Nous allons prendre l'ascenseur jusqu'au quatrième.

Une fois là, l'octogénaire dominicain lui dit avec un sourire timide.

— C'est l'escalier pour le cinquième.

Pendant cette dernière ascension, une joie fébrile animait Vincent Rossignol. Le bonheur de voir une œuvre peinte par le dessinateur de la page de garde du *Nord de l'Outaouais*, qui l'avait tant troublé.

Les deux pèlerins arrivèrent enfin dans un corridor au bout duquel il y avait un vitrail illuminé.

— Notre fondateur, saint Dominique, dit le moine en désignant le vitrail. Mais ce que vous cherchez, jeune homme, se trouve derrière la vieille porte de gauche surmontée d'un vasistas. C'est ici, ajouta le vieux prêtre, en tentant de mettre une clé dans la serrure. Mais il n'arrivait pas à le faire. Vincent offrit de l'aider. Rien n'y fit.

Le prêtre et l'étudiant essayèrent toutes les clés, mais en vain. Ce faisant, le dominicain dit à Vincent :

— Vous savez, nous avons plusieurs tableaux de Dallaire. Il les a peints quand il demeurait ici à la fin des années trente.

Vincent était de plus en plus intéressé, mais le père archiviste n'arrivait toujours pas à ouvrir.

— Je vais aller chercher un autre trousseau de clés, dit-il.

Pendant ce temps, Vincent admira le vitrail représentant saint Dominique et ses frères dans une sorte de déambulatoire.

— Vous aimez notre vitrail, dit soudain le père archiviste, qui arrivait avec un nouveau trousseau de clés.

Il eut tout autant de difficulté à ouvrir la vieille porte. Vincent l'aida de nouveau, mais à nouveau, le vieux prêtre retourna chercher d'autres clés dans sa chambre. Peine perdue, aucune n'ouvrait l'invitante porte. La figure vraiment désolée, le père archiviste dit à Vincent.

— Vous savez, nous allons si peu souvent dans cette chambre que j'en ai égaré la clé. Mais j'ai une idée.

Il s'absenta un moment et revint avec un petit escabeau qu'on utilise dans les bibliothèques.

— Montez, vous pourrez au moins l'apercevoir par le vasistas.

Vincent Rossignol grimpa les marches de l'escabeau. C'est tout juste s'il put coller ses yeux sur le rebord de la fenêtre.

— Voyez-vous le « crucifié » ? demanda le père.

— Non, répondit Vincent, mais je vois un saint comme le saint Dominique du vitrail. Il est à genoux et a les bras ouverts.

— Pierre et Paul sont-ils là ?

— Je ne sais pas, mon père, si Pierre et Paul sont là. Mais il y a deux vieux au-dessus de votre saint patron. Ils ressemblent à mes professeurs. Il y en a un qui est chauve comme mon prof de math et l'autre a une grande barbe comme mon professeur de français. Le chauve tient dans ses mains des clés et un bâton. Le poilu, lui, tend un livre rouge.

— Ce sont eux, dit le moine avec humour. Une lumière tombe sur eux, n'est-ce pas ?

— Une lumière, en effet, et des têtes d'ange aux cheveux bouclés flottent au-dessus des vieux messieurs.

— C'est la « Vision prophétique de saint Dominique » de Dallaire, mon jeune ami. La scène se passe à Rome en 1215. Vous êtes sûr que vous ne voyez pas le « crucifié » ?

— J'en suis certain.

— Écoutez, venez avec moi.

Vincent suivit le vieux prêtre jusqu'à sa chambre. Le dominicain entra pendant un moment, puis il ressortit avec un gros livre rouge.

— Tenez, je vous le donne.

— C'est pour moi ! dit Vincent enchanté.

— C'est l'histoire de la paroisse Saint-Jean-Baptiste de 1872 à nos jours. Il y a un petit chapitre consacré à Dallaire. Je vous laisse mes coordonnées. Rappelez-moi. Cette fois, j'aurai la clé et vous verrez le crucifié.

Vincent sortit du Collège dominicain le cœur heureux. Il roula allègrement jusqu'aux Chaudières. Rendu à Hull, il descendit la rue Laval jusqu'au parc Fontaine où, pour la fête du Canada, on avait organisé une partie de balle. Il arriva juste au moment où le grand Albert Guertin frappait la balle de l'intersection Papineau-Kent à l'intersection Laval-St-Jean-Baptiste. Il entendit Aurélie Concalvez, Rachelle Ouimet et Bob Vaillant lui crier : « Bravo, le grand ! »

— Un petit peu plus loin et tu rééditais l'exploit de Raymond Decelles, le meilleur frappeur de l'histoire de Hull ! ajouta Bob.

Vincent sourit. Il l'aimait bien, ce groupe de gais lurons qui avait contribué pour une bonne part à l'enthousiasme combatif qui animait la classe. En fait, pas une minute du cours de François Desjardins n'avait été ennuyante. Au contraire, les rattrapeurs comme les avanceurs avaient été pris dans un maelström.

HUITIÈME PARTIE

La cage

27

« Je t'aime, Abigail Meers ! » disait fiévreusement le jeune Vincent Rossignol, chez lui, devant la Grande Rivière, ce mercredi six juillet. En bas, l'Outaouais coulait paresseusement. Vincent flottait littéralement au-dessus de ces eaux heureuses. La journée précédente avait été déterminante. La visite de l'église de la Guadeloupe, admirable sanctuaire, ses rencontres de Bourgault et de Jordi Bonet, celle de Dallaire au Collège dominicain, l'avaient stimulé. Il avait enfin son sujet. Ce serait « L'art à Hull ». Il avait hâte de le communiquer à son professeur. En plus, François Desjardins avait promis une surprise pour le cours d'aujourd'hui. Il était six heures du matin. Il s'était juré de ne pas arriver en retard.

Il fit sa toilette, en prenant soin de suivre un conseil de sa mère. « Peigne-toi sur le côté droit », lui avait-elle dit. Il essaya. Il ne détesta pas ce qu'il vit. Il eut même une rougeur. Timide, il étira son bras jusqu'à un délicat flacon de parfum. Il mouilla ses doigts, ensuite ses aisselles, puis son menton. Il sentait bon.

Quand, à sept heures, il passa dans la salle à manger, sa mère était déjà assise à table. Elle souriait. Devant elle brillait un superbe emballage qui couvrait un long objet rectangulaire.

— C'est pour toi, mon chéri !

— Qu'est-ce que c'est ?

— Ouvre-le, tu verras bien !

Vincent ouvrit.

— *Dallaire* ! cria-t-il.

— Le même que celui de ton dessin.

— Deux cent soixante-quatre pages, t'es folle !

— Je suis folle de toi, mon fils. Je t'avais dis que j'aimais ce peintre.

— Maman, tu me saoules, et il est à peine sept heures.

— Enivre-toi à la trente-sixième page.

Vincent tourna la page magique. Le Dallaire des pages de garde du *Nord de l'Outaouais* était là.

— C'est donc un grand peintre ? dit Vincent, ému.

— Il l'était déjà, pour toi, sous le nom de Philippe.

Dire le temps que la mère et le fils prirent pour goûter les pages de ce *Dallaire* magnifiquement écrites par l'historien de l'art Guy Robert, c'est comme affirmer que ce matin-là, Vincent Rossignol arriva de nouveau en retard à l'école.

— As-tu ton habit de bain ? demanda Bob à Vincent.

— Mon habit de bain ? fit-il, incrédule.

— On s'en va à la « Maison Charron », Vincent ! dit la petite Constance.

Tout le monde éclata de rire.

— Tu ne connais pas la « Maison Charron » ? fit François Desjardins.

— Non.

— C'est dans le parc Jacques-Cartier, sur les lieux mêmes des anciens chantiers maritimes de Hull.

Pour une surprise, c'en était toute une.

— Au fait, Vincent, m'as-tu apporté ton sujet ?

— Oui, le voici.

Le professeur prit la feuille et la lut. Au bout d'un moment, il dit :

— Ça me semble prometteur.

— C'est quoi ? demanda Aurélie, curieuse.

— Allez, tout le monde à l'autobus !

28

Une demi-heure plus tard, la joyeuse troupe descendait devant la maison normande de François Charron, une maison faite de poteaux sur sol et d'une toiture en pente. François Desjardins donnait son cours.

— Vous êtes présentement devant la maison de François Charron, qui s'est marié avec une Deschênes en 1822, peu avant le commencement de la construction du canal Rideau par le colonel By. Pour faire une histoire courte, comme vous aimez dire, la maison a été vendue en 1841 à un dénommé Michael Slevan, un Shiner.

En entendant ce nom, Jim McConnery se redressa le corps.

— Ça te dit quelque chose, les Shiners, Jim ? demanda le professeur.

— Si ça ne lui dit rien, moi, ça me dit quelque chose ! fit Bruno Langevin, alias Jos Montferrand.

— Comment ça ?

— C'est une gang d'Irlandais que j'ai mis à ma jambe.

— À ta jambe ?

— Je les couchais par terre sans leur faire « trop » de mal, dit Bruno en regardant Jim.

— Tu parles à travers ton chapeau, Bruno Langevin !

— Tu veux chanter le coq, l'Irlandais !

— En plein ça.

— Je relève le défi.

— Vas-y, Jim, dit Jeff Verner impulsivement.

— Vas-y, Bruno, répliqua le petite Constance. T'as la jambe et les bras longs.

Bruno Langevin se prit vraiment pour Jos Montferrand devant cette maison normande, la plus vieille de Hull.

— « Je crains Dieu ; quant au diable, habillez-le en homme ou amenez-le-moi dans son costume naturel et je l'étranglerai ! » dit Bruno, en citant le célèbre raftsman.

Le diable de Jos Montferrand, c'était les chaîneurs irlandais que les arpenteurs du gouvernement avaient employés pendant la construction du canal Rideau. Ils étaient maintenant en chômage et voulaient déloger les Canadiens français des chantiers. Or, les Shiners avaient commis des horreurs. Incendies, vandalisme, sacrilèges, bastonnades, rien n'était à leur épreuve.

Le professeur se mit entre les deux belligérants et prit la parole.

— Les historiens disent que la guerre entre les Irlandais et les Canadiens français, à l'époque de la construction du canal, était permanente. « Le Bytown canadien frémit encore au souvenir de ces jours d'oppression », écrit Benjamin Sulte. Aussi, mes bons amis, pour ne rien envenimer, nous nous contenterons de ce constat. Reportons-nous plutôt à l'histoire du site sur lequel nous nous trouvons en ce moment.

— L'histoire des Shiners, c'est mon histoire et il n'est pas question qu'on la saute, intervint Jim McConnery.

Et Montferrand, au pied léger
Aura de mes nouvelles
Il ne pourra pas s'en sauver :
Je le cherche et l'appelle !

— Tu me cherches ? dit Bruno.

— Et comment ! fit Jim.

— Devant la maison Charron, tout est permis, monsieur le professeur, dit Abigail. Un siècle durant est passé le bois équarri de nos ancêtres. Alors, nous ne laissererons pas Jos Montferrand pointer vers nous son talon.

— Soixante embarcations de toutes sortes, surtout des chalands et des remorqueurs, ont été construites sur cette rive, enchaîna François Desjardins pour atténuer l'orage.

Mais l'orage devait éclater. Les avanceurs et les rattrapeurs étaient déjà en cage.

29

« Vous étiez une gang de lèche-cul », dit Jim McConnery. Vous acceptiez des jobs à bas salaire. Pas une graine d'orgueil.

— Tu vas ravaler tes paroles, l'Irlandais ! dit Bruno Langevin.

— La Conquête vous avait déjà ramolli le cerveau, ajouta Jim, cinglant.

En entendant ce mot, le sang de Mathieu Couture ne fit qu'un tour.

— Tu oses parler comme ça du courage de mes ancêtres, toi. T'apprendras, Jim McConnery, qu'ils n'étaient pas des lèche-cul, mais des hommes avec du cœur au ventre. C'est grâce à eux que Hull va se développer. Tu sauras, l'Irlandais, que les deux meilleurs hommes de radeaux qu'il y a jamais eu sur toutes les rivières de l'Amérique du Nord Britannique, c'était des Canadiens de langue française.

— Comment ça, deux meilleurs hommes ? dit Bruno Langevin alias Jos Montferrand. J'pensais que j'étais le seul.

— Dans l'Outaouais, Jos, tu as été le plus grand. Sur les cages à cribes. Mais sur les cages à drames, il y en a un autre presque aussi grand que toi.

— Qui ça ? demanda Bruno.

— Cages à cribes, cages à drame, explique-toi ? fit Aurélie Concalvez.

Le professeur en profita pour reprendre la parole, voyant là une nouvelle occasion d'apaiser la situation par un subterfuge pédagogique.

— Mes amis, dit-il, Mathieu a raison. Il y avait deux sortes de cages. Et il y a eu deux grands cageux.

— C'est quoi au juste une cage ? demanda Pedro, qui aimait bien que les choses soient claires..

— C'est qui l'autre grand cageux ? insista Bruno.

— Attends un peu, Jos, je te le dirai tout à l'heure. Pedro a raison. D'abord, établissons ce qu'est une cage. Eh bien ! la cage, c'était un immense train de bois équarri qu'on lançait sur les rivières pour faire le commerce du chêne et du pin. Et les hommes qui pilotaient les cages s'appelaient des cageux.

— Les cageux, c'étaient donc des draveurs ? dit Pedro.

— Pas exactement, répondit François Desjardins. Les draveurs, eux, dirigeaient la pitoune vers les moulins à scie ou à papier.

— « Dirigeaient la pitoune », avez-vous dit, tu parles des chanceux ! fit Bob Vaillant.

— En fait de jeu de mots, Bob Vaillant, j'ai déjà vu mieux, clama Rachelle Ouimet.

— Fâche-toi pas, mon colibri. Un gars a droit de « gaffer » de temps en temps.

— « Gaffer », ah ! ça, c'est mieux, dit François Desjardins en riant.

Comme Rachelle ne semblait pas comprendre, Bob ajouta :

— « Gaffer », « gaffe », mon colibri. La gaffe était l'outil du draveur pour piquer les belles pitounes comme toi.

Rachelle lui lança un regard brûlant où se lisait pourtant, à travers la colère, une passion conciliante.

François Desjardins lui aussi trouvait les jeux de mots de Bob Vaillant plus ou moins douteux, mais il était malgré tout content de son athlète qui savait, comme pas un, désamorcer les situations orageuses. Il enchaîna.

— Le cageux ne court pas sur les billots, il flotte plutôt sur eux. C'est un homme de radeau. Les cageux appartiennent surtout à l'histoire de la première moitié du XIXe siècle, l'époque des grands barons du bois équarri comme les Wright, les Egan, les Papineau et les Aumond.

— Aumond et Egan, dit Bruno Langevin, c'est des noms de par chez nous, ça !

— Tu as raison, Bruno, les cantons d'Egan et d'Aumond, qui jouxtent celui de Maniwaki, ont été nommés en l'honneur de ces marchands de bois des années 1830.

— Vous en oubliez bien d'autres, professeur. À vous entendre, il y avait autant d'entrepreneurs français qu'anglais, dit Jim.

— Ce n'est pas ce que je dis, Jim. Je voulais tout simplement donner un exemple.

— Ne tronquez pas la réalité historique. Qu'est-ce que vous faites des Bowman, des Price, des McGill, des Symmes, des Hamilton, des Aylen et j'en passe ; la liste est longue. Le grand Peter Aylen.

François Desjardins poursuivit de manière à ne pas envenimer la situation.

— La cage, Pedro, était donc un moyen de transport pour acheminer le bois vers Québec. Car la ville de Québec était la destination finale. Là fourmillaient les scieries, et, surtout, là se trouvait le grand port où des dizaines de navires attendaient le bois du Saint-Laurent et de la Grande Rivière pour le traverser en Angleterre.

— Ah, je comprends maintenant pourquoi le bois était équarri, dit la petite Constance.

— Explique-toi, demanda le grand Albert Guertin.

— C'est simple, si le bois devait être transporté dans les navires, il fallait que sa masse soit répartie de façon stable. Avec le roulis, des rondins auraient mis à rude épreuve la bonne marche du navire. C'est pour ça qu'il fallait du bois équarri.

— Y a pas à dire, y en a de la jarnigoine dans cette petite tête-là, dit Bob Vaillant en frottant affectueusement les cheveux de Constance Larocque.

Ce geste ne passa pas inaperçu aux yeux de Rachelle Ouimet. Elle en prit momentanément ombrage.

— C'est qui, l'autre grand cageux ? revint à la charge Bruno Langevin.

— Calme-toi, Jos, dit Bob Vaillant. Tu le sauras en temps et lieu.

Cela fit rire même Abigail. En revanche, la contention se lisait toujours sur la figure de Mathieu Couture.

— Il y a donc des radeaux à cribes et des radeaux à drames, continua le professeur. Sur l'Outaouais, que vous avez présentement sous les yeux, passaient des radeaux à cribes. Un cribe était constitué de pièces de bois carré appelées plançons. À chaque extrémité, on plaçait deux pièces de bois rond qui servaient de flotteurs. Sur les traverses équarries, on rajoutait des plançons. Imaginez, dans la seule année 1823, plus de trois cents cages de l'Outaouais parvinrent à Québec. Des dizaines de milliers de dollars.

— C'était quoi la largeur ? demanda Constance Larocque.

— Sais-tu que plus tu me poses des questions, toi, plus je t'aime, répondit le professeur. Les radeaux à cribes étaient plus petits que ceux utilisés sur les Grands Lacs et le fleuve Saint-Laurent. Mais je vois que tu veux parler hydrographie, hein ?

— Oui.

— Qu'est-ce que vous dites là, professeur ? fit Aurélie Concalvez.

— C'est un truc pédagogique pour nous intriguer, dit Bob Vaillant.

— T'es pas bête, Bob, fit François Desjardins.

Le professeur se retourna vers Constance en disant :

— Je te remercie, Constance, d'avoir suggéré par ta question que les rivières ne coulent pas droit comme un canal. Elles ont leurs accidents. Des chutes, des rapides, des cascades. D'où l'importance des glissoirs pour faire passer les cages. Les glissoirs avaient trente pieds tout au plus, comme celui des Wright aux Chaudières. C'est la raison pour laquelle les cages à cribes ne dépassaient guère vingt-cinq pieds de largeur. On démantelait les cribes en amont. Ils passaient un par un. Quand descendait le cribe où était installée la « cookerie », c'était tout un spectacle.

— La « cookerie » ? demanda Aurélie.

— Une cabane d'une dizaine de pieds de haut. On y faisait la cuisine.

— Ça devait servir d'abri aussi ?

— Tu vois juste, Constance. En aval on refaisait les cribes. Une cage pouvait compter plus de cent cribes. Ça en fait du pin blanc, ça !

— Et le drame ? dit Pedro.

— Tu veux dire « la drame », reprit le professeur. Le mot est féminin.

— On comprend, dit Bob.

— Arrête donc de niaiser, dit Rachelle Ouimet.

— On disait donc « une drame ». Elle était tout simplement plus large. Comme notre grand fleuve Saint-Laurent. D'ailleurs, à Québec, on avait un mot pour les reconnaître : la Rivière du Sud pour les cages à drames du Saint-Laurent et des Grands Lacs, la Rivière du Nord, c'est-à-dire l'Outaouais, pour les cages à cribes.

— C'est qui, professeur, l'autre raftsman aussi célèbre que moi ? demanda encore Bruno Langevin.

Mathieu Couture, qui rongeait son frein depuis un bon moment, intervint :

— L'homme dont il est question est presque ton égal, Jos. Les rapides du Saint-Laurent retiennent encore l'écho de ses exploits. Cet homme était connu sous le sobriquet de « Vieux Prince ». Le héros des rapides Lachine. Son vrai nom était Aimé Guérin.

En entendant ce nom, le grand Albert Guertin se raidit.

— C'est pas « Guertin » mais « Guérin », ma belle grande police, dit Aurélie Concalvez, toute chatte.

— Aimé Guérin n'avait pas son pareil pour piloter une cage. Seulement trois jours qu'il mettait entre Kingston et Montréal.

— Alors que Tiberius Wright a mis deux mois pour piloter le premier train de bois entre Hull et Québec, s'empressa d'ajouter Mathieu Couture, qui, décidément, cherchait noise.

— Tu oublies que c'était le premier train de bois, en 1806, alors que Guérin, lui, a œuvré à la fin de l'ère des cageux, où il pouvait compter sur plusieurs glissoirs, cingla Abigail Meers.

— Bien dit ! fit Jeff Verner.

— Pis moi ? dit Bruno Langevin alias Jos Montferrand.

— Quoi, toi ? fit Jim McConnery.

— Jos Montferrand n'avait pas son pareil pour démolir un « jam », reprit, inspiré, Mathieu Couture. Il fallait le voir, un câble ceinturé à la taille, défier les billots récalcitrants devant ses compagnons morts de peur sur la rive. Jamais, non jamais ! on a vu un homme capable de plus éblouissantes prouesses. Il dansait sur les eaux. La rivière était sa maîtresse et la hache son instrument de musique. Il n'y a jamais eu plus grande chorégraphie sur l'Outaouais que le pas de deux de Jos Montferrand et du pin blanc.

Bruno Langevin, qui écoutait avec admiration Mathieu Couture, ressemblait maintenant à un arbre plein de sève dont la tête, qui dépassait toutes les autres, était en communication intime avec le soleil. Même que les rattrapeurs comme les avanceurs avaient braqué leur regard sur elle, comme si elle avait été véritablement celle du Jos de la légende. Certes, les yeux de Jim, ceux de Jeff et ceux d'Abigail ne portaient pas la même flamme admirative que les prunelles des autres, mais il disaient tout de même que les paroles de Couture remuaient quelque chose en eux.

— Jos régna sur le bois et les cages comme un phare.

— Ton Jos travaillait quand même pour un Anglais, dit Abigail.

— À petit salaire, à part ça, ajouta Jeff Verner.

— Bien dit, Jeff, ce n'était qu'un salarié, fit Jim McConnery.

Cette fois, c'en était trop. Bruno Langevin s'approcha de l'Irlandais, le prit sous les aisselles et le souleva au bout de ses bras. On aurait dit que la force mythique de Jos Montferrand était passée dans ses veines.

On eut beau protester, le professeur plus que les autres, rien n'y fit. Qui plus est, on aurait dit que la force de Bruno Langevin

s'alimentait maintenant à la parole de Mathieu Couture devenue
une véritable centrale électrique :

— Tu sais pas à qui t'as affaire, Jim McConnery.
Montferrand a déjà tenu tête à plus de cent cinquante Shiners de
ton espèce sur le pont des Chaudières, qui s'appelait à l'époque
le pont Union.

— Lâche-moi, dit Jim à Bruno.

— Lâche-le, ajouta François Desjardins.

— Quel spectacle ! continua Mathieu Couture, il avait
attrapé par les pieds le premier Shiner venu et s'en était servi
comme d'un moulinet. Les Shiners volaient de tous bords tous
côtés. Les bouillons de la Grande Rivière se souviennent encore
des cris des Irlandais.

— Aie, Bruno ! tu devrais faire la même chose avec Jim, dit
Bob Vaillant. Prends-le par les pieds, ça va être le *fun*.

— T'es pas drôle, répliqua sèchement François Desjardins.
Ça suffit, Bruno, dépose Jim.

Jeff Verner sauta sur Bruno par derrière, mais en vain,
Bruno Langevin était tétanisé par la parole épique de Mathieu
Couture.

— Le sang coulait et la Grande Rivière semblait accueillir
dans l'allégresse la chair irlandaise que son amant Jos lui
envoyait, poussa Mathieu.

Et pendant que Couture continuait à raconter les exploits du
grand Montferrand, Bob Vaillant chanta à tuc-têtc :

> *La ious qu'y sont, tous les raftsman ?*
> *La ious qu'y sont, tous les raftsman ?*
> *Dans les chantiers y sont montés.*
> *Bing sur la ring !*
> *Bang sur la rang !*
> *Laisse passer les raftsman !*
> *Bang sur la ring*
> *Bing ! Bang !*

— Lâche Jim, lança François Desjardins.

— Continue, cria Benoît Lapointe.

— Lâche-le, crièrent, cette fois, toutes les filles de la classe.

Ces voix de femmes eurent un certain effet sur Bruno, qui relâcha quelque peu son étreinte. Jos Montferrand avait un faible pour le désir des dames. Mais Bruno Langevin, lui, avait aussi un faible pour la voix dramatique de son coéquipier Couture qui, galvanisé par le brassage d'énergie, lança :

— Les cloches de l'Outaouais se souviennent de toi, Jos Montferrand, toi qui noyas par ton courage les incendiaires protestants qui voulurent brûler l'église de Buckingham que venait de bénir Monseigneur Bourget, le grand évêque de Montréal.

— Lâche-le, crièrent en chœur de nouveau les filles.

— Jos Montferrand était un homme d'église ; il savait faire prier ses cageux, continua Couture.

— Peut-être bien qu'il savait les faire prier, mais, en tout cas, toi, Bruno, tu aimes te faire prier. Ça suffit ! cria le professeur.

Cette parole de François Desjardins ramena temporairement l'ordre dans la classe. Bruno Langevin laissa choir Jim McConnery.

— Enfin, il était temps ! dit le professeur. Je vous prierais maintenant de vous rendre sur la rive, où une gondole vous attend.

— Pas une gondole ! dit Rachelle.

— Oui, mon colibri, et je serai ton gondolier.

NEUVIÈME PARTIE

Le *Phœnix*

30

En fait, la « gondole » du professeur était une longue barge de draveurs munie de plusieurs paires de rames. Pour la circonstance, des travailleurs de la marina de Hull avaient installé un velum sur presque toute la longueur de la barge, ce qui donnait un air romantique à la rustre embarcation. François Desjardins avait emprunté l'idée du velum à l'artiste Frances Ann Hopkins, une pionnière des paysages de l'Outaouais au XIXᵉ siècle, qui avait peint une jolie barge fantaisiste. Le professeur distribua les bancs comme un metteur en scène.

— En poupe, Bob et Rachelle. Suivront trois par trois : Bruno, Constance et Mathieu, puis Benoît, Aurélie et Albert, ensuite, Jim, Abigail et Jeff, enfin Vincent et moi. Les jeunes filles s'assoiront au milieu. Elles vous regarderont ramer, messieurs.

— Chanceuse, mon colibri, tu seras assise entre mes jambes ! Es-tu contente ?

L'embarquement ne se fit pas en douceur. François Desjardins dut se mettre entre Jim et Bruno jusqu'à ce que les deux gaillards aient gagné respectivement leurs bancs assignés.

— Cap sur l'aval, cria le professeur.

La barge se mit en route et les invectives avec elle. Jeff Verner excella dans l'art de titiller la situation déjà explosive.

— En tout cas, Jos, dit-il, t'étais pas le seul, il y avait aussi Aimé Guérin.

— Un autre qui travaillait pour nous autres, dit Jim.

— Aimé, tu parles d'un nom servile !

— Ferme ta boîte, Verner. Tu n'as pas le droit de profaner ceux qui portent ce prénom, lança Mathieu Couture. L'un des plus grands hommes politiques de l'histoire de Hull portait ce nom-là.

— Pas Oswald ? dit Bob en riant.

— Maudit que t'es fou, Bob Vaillant, dit Rachelle Ouimet. Je ne suis pas libérale, mais Oswald Parent a quand même sa grandeur. Il a été ministre. Comme Gilles Rocheleau, du reste.

— Un autre libéral, ajouta Aurélie Concalvez.

— Qui a bien tourné, tu en conviendras avec moi, reprit Mathieu Couture.

— « Qui a bien tourné », pousse mais pousse égal ! dit Jeff Verner. Si t'appelles ça bien tourner, un libéral qui devient séparatiste.

— Est-ce que c'est le libéral qui se réveillait la nuit pour haïr le péquiste Jean Alfred ? demanda Jim McConnery

— En plein ça, Jim. Pis, il n'haïssait pas seulement les péquistes mais les écologistes aussi, qu'il appelait les « grilloteux de gulley », les « fendeux de mouches en quatre » et les « gosseux de poils de grenouille ».

— Oswald Parent et Gilles Rocheleau ont quand même été aimés par les citoyens de Hull, dit Rachelle Ouimet.

— C'est vrai, mais pas autant qu'Aimé, répliqua énergiquement Mathieu Couture.

— Quel Aimé ? dit Abigail Meers.

— Aimé Guertin, répondit solennellement Mathieu.

Aurélie ne put s'empêcher de donner une tape d'amitié à son grand Albert.

— Est-ce qu'il était parent avec toi, le grand ?

Albert Guertin était tout fier, mais il n'aurait su dire pourquoi.

Le professeur François Desjardins laissa aller la discussion.

— Aimé Guertin n'était pas de Hull, mais d'Aylmer, dit Jeff Verner.

— Peut-être bien, mais ce conservateur, ami de mon grand-père, a défendu la ville de Hull avec acharnement entre 1927 et 1935. Son premier discours prononcé à l'Assemblée nationale...

— Assemblée législative, dit Abigail Meers. Sois précis.

— Comme tu voudras, mais Assemblée quand même. Son premier discours, donc, est resté mémorable. Car Aimé Guertin avait promis de faire résonner la véritable voix de Hull pour la première fois dans cette noble enceinte. Selon lui, notre ville sise aux confins de la province, avait été négligée par les gouvernements. Il avait engagé ainsi sa parole parce qu'il avait compris, comme tous ses électeurs, que Hull, et je le cite de mémoire, « a été abandonnée, ignorée, méprisée, elle a été même trahie jusque par certains de ses dirigeants ».

— Bravo Mathieu ! dit Constance.

— Quelle mémoire ! fit Benoît Lapointe.

— Dis plutôt une mémoire sélective, répliqua Abigail Meers.

— Mes amis, ne vous chamaillez plus. Admirez plutôt le paysage. Saviez-vous qu'au siècle dernier, la Grande Rivière n'a pas vu passer que des radeaux et des chalands ?

— Il y avait aussi des bateaux à vapeur, répondit Vincent Rossignol.

Les rameurs lâchèrent momentanément leurs rames, toutes les têtes se retournèrent vers Vincent, tellement on était peu habitués de l'entendre intervenir. Le jeune homme, assis sur le banc de proue en compagnie du professeur, rougit.

— Tu as raison, Vincent. Et peux-tu nous dire quel était le trajet de ces vapeurs ? demanda le professeur.

— Hull-Grenville, je crois.

— Où t'as appris ça ? demanda le grand Guertin.

— C'est ma mère qui me l'a dit, elle fait partie du club de voile.

— Sa maman lui a dit cela, « elle fait partie du club de voile », railla Albert Guertin.

Aurélie lui donna un coup de coude dans les côtes en lui disant :

— T'es pas drôle, le grand.

Abigail Meers, assise sur le banc devant Vincent, s'était retournée la tête, elle aussi ; elle vint à sa rescousse :

— C'est d'ailleurs l'un de ces bateaux à vapeur, en provenance, justement, de Grenville, qui fut l'occasion du plus grand spectacle à jamais avoir eu lieu sur l'Outaouais.

— Quel vapeur ? demanda Mathieu Couture.

— Le *Phœnix*.

— Quand ?

— Le 31 août 1860.

— Ça t'en bouche un coin, ça, mon Mathieu Couture, dit Bob. Faites un désir, on passe juste en dessous du pont Cartier-Macdonald !

— Macdonald-Cartier, lança Jim McConnery.

— C'est intéressant ce que tu nous dit, Abigail, souligna immédiatement François Desjardins, de peur que la querelle entre Shiners et Canadiens français ne reprenne. Et peux-tu nous raconter ce que le *Phœnix* a de si important, en 1860.

— Il a à son bord le plus grand personnage à avoir mis les pieds en Outaouais, répondit la jeune fille.

— Qui ? lancèrent les avanceurs comme les rattrapeurs.

— Le prince de Galles en personne, le futur roi d'Angleterre Edward VII.

— Un prince ! ne purent retenir Rachelle, Aurélie et même Constance.

— Le premier de la famille royale d'Angleterre à visiter les Chaudières. Il n'avait que dix-neuf ans.

— Était-il beau ? demanda Aurélie.

— Comme ton grand Albert, répondit Bob en riant.

— Toi, Vaillant, tu te moques toujours de tout.

— Elle a raison, ajouta Rachelle.

— Je veux bien croire que c'était un membre de la famille royale mais où est le spectacle ? dit Mathieu.

— Toi, le « Prix du Ministre », au lieu de lire les débats de l'Assemblée législative, tu devrais exercer ta mémoire sur d'autres écrits, lui lança ironiquement la belle Anglaise.

Comme Mathieu allait lui répliquer, elle lui dit :

— Écoute bien. Ce que je vais dire, je l'ai lu en plus dans un journal canadien-français, *La Minerve*.

— Mon oncle a un chalet, là, dit Bob.

— Pas cette Minerve-là, fit Abigail en riant. Elle planta ses beaux grands yeux verts dans les petits yeux bleus de Mathieu Couture :

— Cela s'est passé à l'embouchure de la rivière Gatineau. Imagine-toi cent cinquante grands canots occupés par mille deux cents hommes qui descendent la rivière, une immense flottille qui forme la lettre V. À l'avant-garde, quelques canots d'Indiens en tenue d'apparat. Derrière eux, une multitude de raftsmen vêtus de belles chemises rouges et de pantalons blancs. « Ils se sont formés en deux lignes de chaque côté de la rivière durant l'arrivée du prince, écrit-on dans *La Minerve*, et à son passage, ils ont poussé le plus vigoureux hourrah que le beau prince... »

Abigail s'arrêta un instant et tourna sa tête vers Vincent.

— « ... ait encore entendu en Amérique... »

Abigail se retourna de nouveau vers Mathieu Couture.

Le regard de la jeune fille bouleversa Vincent Rossignol. La belle Anglaise avait tourné sa tête vers lui au moment même où elle avait dit « le beau prince ». Il avait reçu cette œillade comme un hommage. Les paroles qu'elle prononça par la suite semblèrent légères comme un vol d'oiseau, une pluie de feu, un phœnix.

— Le prince et sa suite se sont empressés de monter au gaillard d'avant, le *Phœnix* a continué sa route, les canots ont formé de nouveau la lettre V. « Six autres steamers encombrés de passagers se trouvèrent entourés dans le vide de cette initiale, rapporte *La Minerve*. Il n'y avait pas moins de vingt mille personnes sur les versants du quai... »

Abigail Meers s'arrêta. Jeff, Jim, Pedro, Aurélie et Rachelle la félicitèrent. François Desjardins aussi.

— Tout ça pour le prince de Galles, mon petit souverainiste, fit la belle Anglaise.

— J'ai pas besoin de lire les journaux de Montréal pour te parler de l'Outaouais, moi. Puis tu vas voir que je ne sais pas seulement lire les débats de l'Assemblée nationale... Tu disais que vingt mille personnes attendaient le prince de Galles, le futur Edward VII ?

— Oui.

— Eh bien ! je vais t'en conter une dont mon père m'a parlé et que j'ai lue aussi dans un journal, mais dans un journal de Hull. Et ça parle aussi de ton prince de Galles. Est-ce que l'explosion de 1910 te dit quelque chose ?

— Qu'est-ce que cela à voir avec le prince de Galles ?

— Écoute bien ce que je vais te dire. Puis vous autres aussi. C'est tellement saisissant que tout ce que j'ai entendu et lu à ce sujet et que je vais vous raconter est resté gravé en moi pour toujours. Ça s'est passé le huit mai 1910. « Presque coup sur coup, vers 5 heures 45 de l'après-midi, — vous pouvez lire ça dans *Le Spectateur* —, trois détonations, dont les deux dernières formidables, en moins de temps qu'il n'en faut pour l'écrire, venaient de secouer l'atmosphère sur un rayon de trois à quatre milles, annonçant le passage de la mort et de la douleur qui, sans compter, impitoyables, semaient en un clin d'œil des cadavres et de pauvres corps mutilés. »

Des corps mutilés, répétèrent Aurélie et Rachelle.

— Qu'est-ce que cela a à voir avec le prince de Galles ? demanda Jeff Verner.

— Oui, c'est vrai ! ça pas rapport, dit Jim McConnery.

— « Ça pas rapport ! Ça pas rapport ! » tu peux pas parler comme du monde, toi, fit la petite Constance venue à la rescousse de Mathieu, mais surtout désireuse d'en savoir plus.

Le prince de Galles dans l'Outaouais des Raftsmen

Les glissoirs avaient trente pieds tout au plus,
comme celui des Wright aux Chaudières.

[Lithographie de T. W. Willegan. 1860. Archives nationales du Canada C-5086.]

— Attendez, vous allez voir que « ça a rapport », dit Mathieu.

— Continue Mathieu, fit le grand Guertin. C'est vrai ce que tu nous racontes ?

— Aussi vrai que je suis ici et que vous êtes là.

— Bon, c'est vrai d'abord ! dit Bob.

— Une journée d'enfer, continua Mathieu Couture. Pourtant rien ne prédisait le sinistre spectacle. Il faisait beau soleil, les enfants couraient dans les champs de la Petite Ferme, — aujourd'hui les terrains de l'aréna Robert-Guertin —, pendant que les parents encourageaient leurs équipes de balle. Oh, bien sûr, les journaux avaient parlé de la fameuse comète de Halley qui devait frôler la Terre, cette année-là. Mais sans plus. Personne se serait imaginé qu'elle aurait tombé près du ruisseau de la Brasserie.

— Elle a vraiment tombé ? demanda Bruno Langevin.

— Inquiète-toi pas, Bruno, est pas tombée, dit Constance, qui en profita pour prendre la main du grand bûcheron.

— J'vois toujours pas le rapport avec le prince de Galles, dit Jeff Verner.

— Ta gueule, toi ! je veux savoir l'histoire, fit le grand Guertin.

Mathieu commençait à prendre des forces. Abigail Meers lui avait fait un pied de nez, il se sentait d'attaque.

— Non, rien ne laissait présager le drame qui se produisit ce dimanche 8 mai 1910, à 5 heures 45 de l'après-midi, quand le feu a pris à la General Explosives Company of Montreal Limited, située au bout de la rue Dumas, de l'autre côté de l'île de Hull, près du ruisseau de la Brasserie. Une usine de « virite ».

— Un usine de « virite » ? Qu'est-ce que c'est ça ? demanda Rachelle Ouimet.

— Ça, mon colibri, c'est comme de la nitrite. T'as juste à la combiner avec du mercure, pis ça saute pas à peu près.

— Arrête, Bob, tu me fais peur !

La barge continuait à dériver, Mathieu Couture à raconter.

— Connaissez-vous Pline ? dit-il énigmatique.

— L'Ancien ou le Jeune ? répondit du tac au tac la belle Abigail.

— Savez-vous ce qui est arrivé le 24 août 79 à Pompéi ?

— Non, mais on aimerait bien savoir, Mathieu Couture, ce qui est arrivé le 8 mai 1910 à Hull, dit Rachelle Ouimet.

— « … une nuée noire et horrible, crevée par des feux qui s'élançaient en serpentant, s'ouvrait et laissait échapper de longues fusées semblables à des éclairs, mais qui étaient beaucoup plus grandes. » Voilà ce qu'a écrit Pline le Jeune au sujet de l'explosion du Vésuve et de sa pluie de *lapilli* qui a atteint la ville de Pompéi, le 24 août 79, dit le professeur.

— Puis à Hull ?

— Boum ! Une pluie de roches sur la rue Chaudière, aujour-d'hui la rue St-Rédempteur ! enchaîna Mathieu Couture.

— Mais c'est terrible, dit Aurélie.

— La plus effroyable tragédie humaine à avoir frappé Hull.

— Qu'est-ce que cela a à voir avec le prince de Galles ?

— Je t'ai dit de la fermer « Veurneux » !

— Pire que le grand feu de 1900 ? demanda Constance.

— Humainement, oui ! L'historien Ouimet la décrit comme s'il avait été lui-même sur les lieux. Pline n'aurait pas fait mieux.

— Pline le Jeune ou Pline l'Ancien ? demanda Bob avec humour.

Mathieu Couture avait les yeux illuminés.

— Les deux Pline ensemble. Écoutez-moi bien. Je vais tenter de mon mieux de résumer Ouimet. Il raconte que c'est la troisième explosion qui a été la plus forte de toutes. Elle a propulsé partout les blocs de pierre de la General Explosives Company. Imaginez la puissance. Ils sont tombés « sur la ville, particulièrement sur les maisons des ouvriers de la Petite Ferme, tuant et blessant près d'une cinquantaine de personnes », dit Ouimet. Il ajoute (il me permettra de mettre son récit au présent) : « Sur le quai de la gare, un jeune adolescent nommé Louis McCann, qui observe le sinistre avec son beau-frère, est tué sur le coup par une roche qui l'atteint à la tête. De grosses pierres de 100 et même 200 kilogrammes tombent dans la rue Chaudière. Au coin des rues Chaudière et Adélaïde (Sacré-Cœur), les Servant et le jeune Saint-Martin détalent à toute vitesse se mettre à l'abri. C'est alors qu'Antoine Servant est atteint par une pierre qui le projette à cinq mètres plus loin, la tête aux trois quarts arrachée. »

— Quelle horreur ! dit Aurélie Concalvez.

— Ouimet pousse l'évocation au point de citer des témoins oculaires de la scène : « C'était comme des étoiles mais c'était des roches. Mon père nous a pris, mon p'tit frère et moi, nous a jetés par terre et en nous jetant à terre on a entendu boum ! Une roche grosse comme ça est tombée à côté de la maison. Quand il s'est relevé, mon père a dit « Merci mon Dieu, merci ».

— J'vois toujours pas en quoi ton histoire a rapport avec le prince de Galles, s'entêta Jeff Verner.

— On s'en fout du prince de Galles, dit Albert Guertin, ému par le récit de Mathieu Couture.

La barge dérivait toujours mais toutes les têtes étaient maintenant rivées sur Mathieu qui, tel un aède, s'était levé.

— Huit mai 1910 ! Terrible huit mai ! Terribles heures où, comme le dit notre Pline de l'Outaouais : « Des femmes, des hommes et des enfants pris de terreur se mirent à courir dans les rues, les bras chargés de vêtements ou d'objets de ménage, à la recherche d'un abri. Des lamentations, des pleurs de désespoir se faisaient entendre dans les rues, dans les maisons éventrées. Certains étaient convaincus que la comète de Halley — qui devait apparaître à la fin du mois — venait de heurter la terre. D'autres en proie à une crise de nerfs, s'attendaient à ce qu'une nouvelle explosion détruise toute la ville. La plupart des maisons sises dans la partie nord de la rue Chaudière étaient soit détruites, soit lourdement endommagées. »

— Est-ce qu'elle est tombée ou pas, la comète ? demanda à nouveau Bruno.

Constance en profita encore pour lui serrer cette fois les deux mains. Elle ne détestait pas cette belle pièce d'homme. Mathieu, lui, prêtait sa bouche à l'histoire hulloise et à son historien Ouimet dont il mettait à nouveau le récit au présent : « Les époux Carrière sont comme hébétés par la douleur. Peu avant l'explosion, ils sont en train de souper avec leurs enfants — deux jeunes filles sourdes-muettes — dans leur masure. Attiré à l'extérieur de son domicile par un ami qui veut lui parler, Pierre Carrière sort à l'instant même où sa maison est secouée par un vacarme d'enfer. Il revient à l'intérieur où une scène horrible s'étale devant ses yeux : ses filles, Émilia et Laurentia, gisent sur le plancher de la cuisine, tuées par une pierre d'une centaine de kilogrammes qui a enfoncé la toiture... »

— Arrête-toi, Mathieu, dit Rachelle.

— Tout ça à Hull ? dit Aurélie.

— Oui à Hull, mes amis, j'en ai encore le frisson. Et j'aimerais bien que vous reteniez les noms que je vais vous dire. Ils ont droit à toute votre mémoire.

— Qu'est-ce que cela a à voir avec le prince de Galles, dit encore Jeff Verner.

Cette fois c'est Abigail Meers qui lui dit de se taire.

— Jeff, laisse faire le prince de Galles, je t'en prie !

Cette réprimande froissa Jeff Verner. La belle Anglaise se tourna vers Mathieu et lui dit :

— Parle. Nomme-les.

— Sont morts cette journée-là Patrick Blanchfield, Émilia et Laurentia Carrière, George Coleman, Arthur Corneau, Théodore Gagné, Ferdinand Laurin, Louis McCann et Willie Sabourin. Le plus vieux avait trente-trois ans ; la plus jeune, douze.

Mathieu se tourna alors vers Jeff qui semblait blessé dans son orgueil, et la voix empreinte d'émotion, lui dit :

— Tu veux toujours savoir quel rapport il existe entre ce que je viens de raconter et le prince de Galles. Tu y as droit. Écoute bien ce que je vais te dire.

— Il t'écoute, dit le grand Guertin.

— Les funérailles des victimes de la *General Explosives Company of Montreal Limited* ont eu lieu le 11 mai à l'église du Très-Saint-Rédempteur. Les citoyens de Hull, en signe d'affection pour ces morts innocents, avaient installé sur tout le parcours du cortège des tentures noires. Aucun magasin n'était ouvert. Et, nous dit l'historien Ouimet, « les drapeaux en berne de la colline parlementaire à Ottawa semblaient participer au chagrin des Hullois, mais soulignaient en fait la mort du roi britannique Edward VII, décédé la veille de l'explosion. » Edward VII, le vieux roi qui avait été un jour le jeune Prince de Galles qu'avaient salué vingt mille personnes sur la Grande Rivière à bord du *Phœnix*, le 31 août 1860.

Ce fut plus fort qu'elles, Aurélie, Rachelle et Constance embrassèrent Mathieu. Même Abigail Meers traversa la barge pour aller lui rendre hommage. Ses beaux grands yeux verts étaient humides. Les garçons regardaient leur confrère avec admiration. Vincent aurait aimé avoir une telle éloquence.

Après ces effusions, Mathieu reprit sa rame, et Bob, son sens de l'humour.

— Oh, fit-il, sont-ce là les chutes de la rivière Rideau que je vois à tribord ?

— Derrière lesquelles, dit-on, le grand Jos Montferrand se serait caché, ajouta moqueusement Abigail Meers.

— À bâbord, mes amis, dit le professeur, vous apercevez l'embouchure du ruisseau de la Brasserie, où, chaque premier juillet, au siècle dernier, on organisait des courses de canots. Le champion de l'époque était un métisse comme toi, Aurélie. Il s'appelait Louis Eustache.

Une rougeur monta au front d'Aurélie Concalvez. Son sourire s'élança dans le ciel de la Grande Rivière. Ce fut plus fort que lui. Le grand Guertin serra la main de sa belle amérindo-portugaise.

— Quel cap pour le *Phœnix*, professeur ? demanda Bob.

— Le *Phœnix*, notre barque ? dit Rachelle, on peut dire que tu perds pas une minute, mon beau prince !

— Il est comme le maire Urgel Archambault, il sait baptiser, dit Mathieu.

— Cap sur le ruisseau du lac Leamy ! cria le professeur, le cœur gai.

— *Attaboy* ! répondit le gondolier.

31

Le *Phœnix* contourna dans la joie une presqu'île, puis entra dans le ruisseau du lac Leamy. Les élèves avaient maintenant le cœur à la fête et ils chantaient. Bruno Langevin, qui s'était apaisé depuis son altercation avec Jim, se sentait ragaillardi. À tel point, du reste, qu'il dit avec fierté :

— L'eau qui coule ici, c'est l'eau de la Gatineau. L'eau de mon pays. Parce que la Gatineau coule dans le lac Leamy et le lac Leamy dans ce ruisseau. Pour cela, je vais vous chanter la plus belle chanson du monde : « Les draveurs de la Gatineau ».

— Vas-y, mon Bruno, on t'écoute, dit Bob.

— À une condition.

— Comment ça, le grand ?

— Un couplet à la fois. Un seul pour aujourd'hui. Parce que je veux que vous l'appreniez bien. D'abord, les mots. Répétez après moi :

— *Adieu donc belles rives*
— *Adieu donc belles rives*
— *Du grand Katébongué*
— *Du grand Katébongué*
— *Voilà le temps qui arrive*
— *Voilà le temps qui arrive*
— *Il faut nous séparer*
— *Il faut nous séparer*

— *L'hiver est terminé*

— *L'hiver est terminé*

— *Et tous ses embarras*

— *Et tous ses embarras*

— *Cent hommes sont rassemblés*

— *Cent hommes sont rassemblés*

— *Jack Boyd les conduira*

— *Jack Boyd les conduira*

— *Jack Boyd les conduira*

— *Jack Boyd les conduira*

Bruno Langevin entonna de sa voix de basse la chanson dont la mélodie enchanta les avanceurs et les rattrapeurs.

— Tu chantes donc bien, Bruno ! dit la petite Constance.

— Maudit que c'est beau, cette chanson-là ! fit Aurélie Concalvez.

— Je te lève mon chapeau, Bruno Langevin, dit Pedro, le musicien.

— Recommence-la, fit Jim, la figure heureuse.

Le grand Bruno tourna une tête ensoleillée vers l'Irlandais.

Le professeur était tellement heureux de la tournure des événements qu'il laissa son groupe chanter à tue-tête le premier couplet des « Draveurs de la Gatineau », même si, à ce moment-là, le *Phœnix* passait le long du cimetière Notre-Dame.

— N'était-ce pas des monuments funéraires que nous avons longés, professeur ? dit Rachelle au bout d'un moment.

— Ceux du cimetière Notre-Dame, Rachelle. Plus de soixante mille morts y reposent.

— La chanson du grand Bruno doit les avoir réveillés ! lança Bob.

Le *Phœnix* fit une entrée bruyante dans le lac Leamy, à telle enseigne que, sur la plage, tous les baigneurs se mirent debout pour admirer la curieuse gondole, qui ressemblait à une barge de draveurs en vacances.

— Que celui qui m'aime me suive ! lança soudainement Bob Vaillant en plongeant dans les eaux du lac Leamy.

32

Tous, sauf un, plongèrent dans les eaux chaudes. Vincent Rossignol restait assis sur son banc.

— C'est pas grave, Vincent, même si t'as pas ton costume de bain. Plonge quand même ! dit Bob qui nageait avec tous les autres.

— Plonge, fit le professeur.

— Plonge, reprit Abigail avec un beau grand sourire.

Vincent Rossignol souriait lui aussi, mais son sourire semblait forcé. Pendant ce temps, les avanceurs comme les rattrapeurs batifolaient autour du *Phœnix*. Soudain, le grand Guertin sortit de l'eau comme « Jaws », attrapa Vincent par les épaules et l'amena dans les eaux du lac.

Tout le monde rit. Les secondes passèrent. Vincent ne refaisait pas surface. On commença à s'inquiéter.

— Y a rien là, inquiétez-vous pas, dit le grand Albert.

Abigail Meers était très inquiète. Elle plongea. L'atmosphère n'était plus à la fête. Bob et Albert plongèrent eux aussi. Au bout d'une trentaine de très longues secondes, les trois plongeurs refirent surface avec Vincent Rossignol, inconscient.

— Je grimpe dans la barge, dit Bob.

L'athlète prit Vincent sous les aisselles.

Abigail monta rapidement dans le bateau.

— Tasse-toi, fit-elle énergiquement.

Elle se pencha sur Vincent, tendit ses lèvres vers sa bouche et souffla de toutes ses forces l'oxygène de son corps.

Elle répéta son manège pendant un temps qui parut interminable au professeur et aux élèves, puis Vincent Rossignol toussa fortement en crachant de l'eau.

— Ça va ? dit la belle Abigail, la tête à quelques pouces du visage du jeune homme.

— Je suis désolé, je ne sais pas nager, fit Vincent en toussant de nouveau.

— Il est désolé qu'il dit, chanta Bob, tellement il était heureux de voir que Vincent avait repris conscience. Tu nous as fait une de ces peurs.

— Veux-tu que je te raccompagne chez toi, Vincent ? dit le professeur à la fois énervé et content que l'incident n'ait pas tourné au drame.

— Ça va mieux, répondit Vincent en tentant de se lever.

— Reste étendu un moment. Repose-toi, dit Abigail.

Jamais un ordre ne lui parut plus agréable à suivre. Même l'eau brunâtre du lac Leamy qu'il avait bue et qui avait laissé un goût amer dans sa gorge lui sembla, à ce moment précis, avoir été un apéritif, tant il goûtait cet intense moment de douce sollicitude qu'il passait, couché au fond de la barge, un ange suspendu au-dessus de sa tête. Vincent Rossignol avait enfin sa vision prophétique.

— Cap sur la plage, Bob ! ordonna François Desjardins.

— À vos rames, moussaillons !

Une foule de curieux accueillit le *Phœnix* comme s'il eut été la Grande Hermine.

Bruno, Bob et le grand Albert frayèrent un chemin dans la foule pour laisser passer le naufragé, que François Desjardins et Abigail Meers soutenaient par les bras.

— Laissez, dit-il gêné. Je me sens beaucoup mieux.

On lui fit de la place. Des baigneurs lui prêtèrent une grande couverture sur laquelle le jeune homme s'assit. Tous les élèves se placèrent en cercle autour de lui. Un silence chargé d'émotion régnait. Le grand Albert Guertin le rompit.

— Je m'excuse, Vincent, dit-il. Si j'avais su que tu ne savais pas nager.

— T'en fais pas, mon grand, fit Aurélie, on le sait bien que t'as juste fait ça pour t'amuser.

— Je ne t'en veux pas, Albert, tu pouvais pas savoir. C'est niaiseux, hein, que je sache pas nager à mon âge ?

— As-tu faim, demanda Albert Guertin, qui se sentait vraiment mal et aurait fait n'importe quoi pour faire plaisir à Vincent.

— Albert Guertin, Vincent vient d'avaler la moitié du lac Leamy et tu lui demandes s'il a faim ! dit Aurélie.

Vincent voyait bien que son camarade était désolé.

— Je prendrais bien un peu de chocolat, dit-il.

Jamais la plage du Lac Leamy ne fut témoin d'une course aussi rapide que celle du grand Guertin qui, en quelques secondes ou presque, fit l'aller-retour entre la cantine du parc et le naufragé.

— Tiens, Vincent, une belle *Cherry Blossom* !

— Maudit que t'es fin, le grand, quand tu veux, dit Aurélie.

— La prochaine fois, il faut que tu lui en demandes une, toi aussi, fit Bob, moqueur.

Aurélie, mi-choquée mi-souriante, se mit à courir après Bob.

Le bonheur était retrouvé. François Desjardins avait eu la frousse. Maintenant, il pouvait respirer.

— Tu es sûr que ça ira, Vincent ? répéta-t-il.

— Ne vous en faites plus pour moi, fit Vincent, je vais mieux. Il jeta un rapide et timide regard reconnaissant à l'ange Abigail.

— Eh bien ! dans ce cas, nous dînerons ici. Nous ne reprendrons le cours qu'à deux heures. Récréation, mes amis.

DIXIÈME PARTIE

Le berceau de Hull

33

Les avanceurs comme les rattrapeurs coururent se baigner, à l'exception de Vincent, d'Abigail et du professeur. Mais François Desjardins voyait clair. Il n'aurait voulu, en aucun cas, brouiller le courant d'énergie qu'il sentait passer entre le jeune homme et la jeune fille.

— Vous surveillerez les autres, dit-il en riant, j'ai un site à aller inspecter.

Ni Vincent ni Abigail ne s'objectèrent.

Quand le professeur fut parti, Abigail Meers dit à Vincent d'une voix très douce :

— J'ai eu très peur, tantôt. L'eau du lac est tellement brune que je n'arrivais pas à te trouver.

La belle Anglaise prit la main de Vincent et la serra tendrement. Les couleurs montèrent dans la tête du jeune homme comme dans un érable à l'automne. Vincent Rossignol connaissait une joie profonde.

Comme il arrive souvent lorsque deux jeunes personnes éprouvent une attirance l'un pour l'autre, la gêne peut faire son nid et commander au sang une dynamique nouvelle, tel un empressement. Parfois alors, les mots sortent précipités. Ainsi, Abigail, dont la main serrait toujours celle du jeune homme, dit, pour cacher son émotion :

— Sais-tu pourquoi, Vincent, ce lac est le berceau de notre ville ?

— Non.

— Certes, les Wright sont d'abord venus aux Chaudières, mais c'est sur les bords de la Gatineau et du petit lac que tu as devant toi qu'ils ont établi leurs premières fermes. As-tu déjà entendu parler de la Ferme Gatineau et de la Ferme Columbia ?

— Oui, par ma mère. Elle m'a dit que la Ferme Columbia était un excellent restaurant.

— Elle a raison. Mais avant de devenir un restaurant puis une banque de l'actuel boulevard Saint-Joseph, c'était une ferme qui couvrait plusieurs acres jusqu'au lac que tu as sous les yeux. Mais les Wright ont construit des maisons en bois rond. Il serait difficile d'en retrouver la trace aujourd'hui.

— Et ils ont nommé ce lac, le lac « Leamy ».

— Pas exactement. Au début, ce lac s'appelait « Columbia Pond ». Philemon Wright a vécu non loin d'ici pendant les premières années puis, en 1808, il a cédé la Ferme Gatineau à son fils aîné. Lui, il est allé se construire une superbe demeure à un emplacement non loin d'où se trouve aujourd'hui l'hôtel Plaza de la Chaudière, qui a aussi abrité le fameux Standish Hall. Ce secteur de Montcalm et Principale a vu bien des splendeurs architecturales. D'ailleurs, on y trouve encore des monuments. Tu connais celui érigé à la mémoire de Philemon Wright ?

— Non.

— Il est situé juste à côté de la « Fontaine des bâtisseurs ».

— La superbe sculpture d'une soixantaine de pieds de haut ?

— Qui envoie les billots de Hull au ciel !

— Je l'aime beaucoup. Et j'aime aussi ta façon de dire les choses, Abigail.

« Hé, Abigail, viens te baigner ! » cria au loin Jeff Verner.

— Ça ne te dérange pas ? dit-elle à Vincent.

— Je t'en prie.

Le soleil était si beau qu'il aurait même rendu gaie une tourterelle triste. Abigail Meers plongea dans les eaux du lac sans que Vincent n'apprit pourquoi ce lac s'appelait « Leamy ».

Le professeur arriva en sifflotant, avec les bras chargés de trois boîtes géantes.

— François nous a apporté de la pizza ! cria Rachelle Ouimet.

— *Attaboy*, fit Bob.

34

« Merci, François ! dit Rachelle. Elle est divine. »

— On le sait bien, c'est la meilleure pizza de Hull. Elle vient de chez « Naples ».

— Merci ! ajoutèrent les autres.

Quand tout le monde eut bien mangé et bien bu, Bob Vaillant demanda à François Desjardins :

— Qu'est-ce qu'il y a au programme de l'après-midi, mon capitaine ?

— Le fer, dit le professeur d'une façon particulièrement énigmatique.

— Quel fer ? demanda le grand Bruno.

— Celui des condamnés, répondit Bob à tout hasard pour blaguer.

— Il y a du vrai dans ce que tu dis, Bob, lui fit remarquer un François Desjardins sibyllin.

— Hein ! firent-ils tous.

— Suivez-moi.

Le groupe se leva avec promptitude. Même Vincent.

— Ça va, Vincent ?

— Très bien, répondit le jeune homme.

Les avanceurs et les rattrapeurs longèrent la plage du lac Leamy vers le nord, traversèrent un joli pont de bois en arche, puis tournèrent à droite sur le sentier de la piste cyclable qui borde au nord la rivière Gatineau. Toutefois, au bout de dix pas, François Desjardins s'arrêta pour dire :

— Avant de quitter le lac Leamy, j'aimerais apporter quelques précisions. Vous y avez connu à la fois la peur et la joie. Comme bien d'autres avant vous. Ce lac est...

— Le berceau de Hull, dit Vincent.

Tous les élèves le regardèrent, surtout Abigail qui afficha, pour la circonstance, un sourire pénétrant.

— Tu l'as dit Vincent, reprit François Desjardins. Vous foulez présentement le sol de ce qui a été la première ferme du canton de Hull. Pendant les deux premières décennies, il n'y aura guère plus que quatre fermes dans l'espace qui correspond à l'actuel territoire de la ville de Hull. Celle-ci, qui s'appelait...

— La ferme Gatineau, fit Vincent.

— T'es bien bon, dit la petite Constance.

Vincent sourit en regardant de nouveau Abigail.

— Puis la Ferme Columbia, entre le lac et l'actuel boulevard Saint-Joseph, et la « Ferme de Bretagne » dans ce qui est aujour-d'hui Val Tétreau, ajouta Mathieu Couture.

— Toi, le « nerd », on te félicite pas, dit le grand Guertin.

— Et la « Ferme des Chaudières » ajouta le professeur.

— Cinq cent cinquante, mille deux cents, mille trois cents et six cents acres respectivement, lança Mathieu Couture.

— Coudon, toi, fit Bob, si t'es si Jos-Connaissant, peux-tu nous parler du fer du professeur ?

— Certainement, fit Mathieu, mais je le ferai une fois qu'on aura passé le « pont des chars » de la Gatineau. C'est bien par là que vous nous amenez, professeur ?

— En plein ça. Mais avant d'y aller, j'aimerais juste ajouter quelque chose sur le lac Leamy. Il doit son nom à Andrew Leamy, l'époux de la petite-fille de Philemon Wright, Érexine.

— Tu parles d'un beau petit nom, mon colibri.

— Que j't'entende jamais m'appeler comme ça, dit Rachelle Ouimet, furieuse.

— Érexine Ouimet, c'est pas beau ça ?

— Bob et Érexine, un vrai couple hullois ! dit le grand Guertin.

— Cinquante ans qu'ils ont vécus ici, continua le professeur.

— Tout un bail, commenta le grand Guertin.

— Leamy était Irlandais.

Jim McConnery redressa les oreilles.

— Un économe et un travaillant. Il arrive ici en 1820. Du statut d'engagé, il passera au statut de gendre. En 1835, il a assez d'argent pour prétendre à cinq cents acres de terre en bois debout et à la riche main de mademoiselle Érexine.

— Une belle affaire ! dit Bob.

— Vous êtes présentement sur le bord du canal que le gouvernement fit construire pour relier la rivière Gatineau au lac. Grâce à ce canal, Andrew Leamy reçut le bois de la Gatineau. Leamy était propriétaire d'une scierie et il possédait en outre des quais partout sur le lac. Et de nombreuses piles de bois. Le futur grand industriel, J. R. Booth, y a travaillé.

— Pas notre J. R. ?

— Encore du bois que les protestants ont eu, dit Benoît Lapointe.

— Qu'est-ce que t'as contre les protestants, toi ? fit Jim.

— Andrew Leamy était un protestant catholique, pardon, un Irlandais catholique, dit le professeur en riant.

— Et si tu veux tout savoir, Jim McConnery, dit Mathieu Couture, il a été le premier président de la commission scolaire catholique de Hull.

— Hein ! firent Jeff et Jim.

— Ça vous en bouche un coin ! Oui, mes petits Anglais, votre Andrew marchait main dans la main avec le Père Reboul.

— Un bon Irlandais, quoi ! fit Bob.

— Ses conseillers étaient Hercule Gravel, Joseph Vallée, Moïse Trudel et Barnabé de Repentigny, ajouta Mathieu Couture.

— T'en sais bien des affaires, toi, dit Aurélie !

— Si tu lisais Edgar Boutet, un des meilleurs journalistes qui a écrit sur Hull, t'en saurais autant que moi.

Le groupe de la classe de François Desjardins marcha à la file indienne. Mathieu Couture devant, François Desjardins derrière. Bob Vaillant suivait immédiatement le « nerd », comme il l'appelait.

— Le fer, les prisonniers ? chuchota-t-il à l'oreille de Mathieu, donne-moi un indice, le souverainiste.

— Parce que c'est toi, Bob, je te dirai que c'est une autre affaire d'Anglais. McTaggart. Retiens bien ce nom-là. John McTaggart. Je mettrais ma main au feu que le prof va nous en parler.

— Qui c'est ça ?

— Un ingénieur British que le gouvernement de Sa Majesté a dépêché au Canada au moment de la construction du canal Rideau, en 1826. Tu vas voir, mon Bob qu'y manquait pas d'imagination.

— J'ai hâte de le constater, dit l'athlète.

Lorsqu'ils eurent atteint la voie ferrée en haut d'une montée abrupte, François Desjardins commanda à son groupe d'élèves de s'asseoir.

— Mon cours ne serait pas complet, dit-il, si je ne vous entretenais pas un moment de ce que représente la Gatineau dans l'histoire de l'Outaouais et de Hull. Vous êtes présentement sur la voie ferrée qui traverse la rivière Gatineau en direction de Montréal.

— Quel est le nom du pont, professeur ? demanda Constance.

— Le pont du CP, appelé familièrement « pont noir » par certains et « pont des chars » par d'autres.

— Ça manque d'originalité, dit Constance.

— Ils auraient pu l'appeler le « pont Jos-Montferrand », dit Bob malicieusement.

— C'est vrai, ajouta Bruno.

— Ou encore le « pont Peter-Aylen », reprit encore plus malicieusement Bob Vaillant.

— J'ai pas envie que ça recommence, Bob. Une guerre des Shiners par jour, ça suffit.

Le professeur embrassa des bras tout le paysage et d'une voix admirative :

— Imaginez-vous être ces colons qui arrivent en 1800. Partout, il y a des beaux pins blancs collés les uns sur les autres comme vous l'êtes en ce moment.

— Comme le grand Albert et Aurélie, par exemple ? dit Bob.

— Ou comme Bob et Rachelle ? fit Constance.

— Ou Constance et Bruno ? dit Mathieu. Une forêt amoureuse, quoi ?

— T'as pas complètement tort, Mathieu, car, vois-tu, les meilleures forêts pour l'abattage, ce sont celles où les arbres compétitionnent, comme vous autres depuis que vous avez commencé mon cours.

— Expliquez-vous, professeur, dit la petite Constance.

— Plus les arbres sont collés les uns sur les autres, plus ils cherchent à grandir afin de voir le soleil à leur aise et mieux respirer par le haut.

— Toi, Constance, à la grandeur que t'as, il te reste juste à te brancher sur les poumons de ton grand Bruno.

— Tu te penses drôle ! grimaça Constance.

— Vous comprenez qu'en grandissant les uns contre les autres, ils ne dépensent pas beaucoup d'énergie dans les parties inférieures, dit le professeur.

Tous les avanceurs comme les rattrapeurs regardèrent leur professeur par en dessous.

— Ne vous méprenez pas, dit-il en riant, ce que je veux dire, c'est que ces arbres poussent droit sans trop de branches dans le bas.

— Et, donc, plus de pénombre et moins de broussailles, dit la petite Constance.

— T'es peut-être petite toi, mais t'en as dans le casque, fit Bob.

Rachelle Ouimet en prit de nouveau ombrage.

— Voyons, mon colibri, sois pas jalouse, faut toujours bien que j'y envoie un peu de soleil, à cette petite-là.

— D'où la facilité de l'abattage.

— Vous avez raison, professeur, c'est bien vu, on jurerait que vous avez déjà été bûcheron.

— Je vais vous faire une confidence, mes amis.

Le professeur laissa passer un moment de silence.

— On attend, dirent Rachelle et Aurélie.

— Je viens de Maniwaki.

— Comme le grand Bruno, dit Jim McConnery.

Bruno Langevin se sentit si honoré que sa tête s'enflamma comme un soleil. Et il se mit à chanter tout de go le deuxième couplet de sa chanson.

> Hivernant tu nous quittes, ton sac dessus le dos
> Tu nous quittes trop vite, tu maudis nos billots
> Tu maudis nos rivières, nos rames, nos avirons
> Tu maudis jusqu'à l'air, que nous respirerons
> Que nous respirerons

— Arrête-toi, Bruno, c'est trop beau, tu vas me faire défaillir, dit Rachelle.

— Défaille, fit Bob. Abigail est là pour te ranimer.

— Je t'aime, Bob Vaillant ! dit Abigail Meers toute souriante.

— Comment ça, tu l'aimes ? fit Rachelle Ouimet.

— C'est juste une façon de parler, mon colibri.

— Inquiète-toi pas, Rachelle, dit Abigail, ce que je veux dire, c'est que je le trouve drôle et que ça fait du bien de côtoyer du monde comme lui.

— Ah ! ça me rassure.

— Et le fer, professeur ? dit Bob.

— Suivez-moi, vous allez comprendre.

Le groupe de la classe de François Desjardins marcha sur le pittoresque sentier pendant encore une quinzaine de minutes au bout desquelles il arriva dans un terrain vague vallonné à souhait, bordé à l'ouest par le boulevard Saint-Joseph et à l'est par la fougueuse Gatineau.

— Soyez émus, mes amis, fit le professeur en s'arrêtant.

— Pour quelle raison ? demanda le grand Guertin.

— Ici, autrefois, s'élevaient un bureau de poste, des dortoirs et un haut fourneau.

— Messieurs, dames, bienvenus en enfer ! dit Bob.

— L'enfer d'Ironside, ajouta Mathieu Couture.

Les avanceurs comme les rattrapeurs eurent droit à un magistral cours sur la fulgurante carrière minière de Hull. Ils apprirent entre autres que quatre mines de fer et de mica avaient été autrefois exploitées aux alentours de Hull, dont la mine de fer d'Ironside. Que non loin d'où ils se trouvaient, il y avait le chemin Freeman, qui montait le Mont Bleu jusqu'à la mine d'où on extrayait le minerai, qu'on descendait jusqu'à la rivière Gatineau pour ensuite le charger sur des barges qu'on remorquait, via le canal Rideau, vers les Grands Lacs jusqu'aux aciéries de Pittsburgh.

ONZIÈME PARTIE

Le marbre bleu

35

Les étudiants écoutèrent religieusement leur professeur. On aurait pu voir dans leurs yeux l'éclat du minerai fondu en lingots sur les bords de la Gatineau. Ils prenaient conscience que d'autres hommes et d'autres femmes les avait précédés dans cette ville, d'autres êtres avec du cœur au ventre et de l'énergie pour valser avec l'avenir. Certes, il ne restait plus que quelques traces de cette ancienne industrie, mais les avanceurs comme les rattrapeurs avaient maintenant le regard d'archéologues qui donne au présent la prégnance du passé. Ils étaient héritiers de ce brassage d'énergie plus que séculaire et c'est d'un pas déterminé qu'ils entreprirent l'exaltante ascension du Mont Bleu pour se rendre à la mine et constater de visu les dires de leur surprenant professeur.

Une heure plus tard, après avoir circulé entre les geais bleus et les jaseurs des cèdres, après avoir croisé sur la piste cyclable quelques mouffettes et un renard roux, ils débouchaient devant l'ancienne mine de fer où une vieille benne rouillée montait la garde.

— McTaggart ! cria Mathieu Couture. L'homme du fer et l'homme des fers !

— Encore une fois, tu me devances, Mathieu, dit le professeur.

— John McTaggart, un Anglais d'Angleterre, envoyé par Londres pour veiller à la construction du canal Rideau, poursuivit le professeur. C'est lui qui, le 26 décembre 1826, organisera la *Hull Mining Co.* avec les Wright. Il écrira dans le *Herald* qu'ils ont découvert « un immense gisement de minerai de fer de la plus haute teneur dont des échantillons ont été envoyés à Montréal ». Et il ajoutera : « Dans ces montagnes, nous avons trouvé du marbre bleu, noir et argent ainsi que du granit argenté... »

— Le Mont Bleu ! fit Constance.

— Tout juste, ma jeune amie. McTaggart rêvera d'un avenir minier exceptionnel. Il rêvera, j'ai bien dit. Et en fait de rêveur, il ne se fait pas mieux. Même les meilleurs poètes de l'Outaouais n'auraient pu imaginer ce qu'il imagina.

— Dites-le, professeur, ne nous faites plus languir ! fit Aurélie.

— Savez-vous ce qu'il a imaginé ? insista François Desjardins.

— Dites-le, crièrent-ils tous.

— Tenez-vous bien... Il voulait faire du Mont Bleu et de la vallée de la Gatineau une colonie pénitentiaire.

— Mais c'était un illuminé, dit Constance.

— Pas à peu près, à part ça.

François Desjardins leva l'index qu'il bougea au-dessus de la tête de ses élèves tout au long de son discours : « Je suis d'avis, écrit-il, qu'il serait grandement profitable pour la Grande-Bretagne de transporter une partie de ses prisonniers dans cette vallée de la Gatineau. Ils y seraient isolés du reste de la population de la colonie et il leur serait absolument impossible de s'en évader... »

— C'est plus qu'un illuminé, ça, dit Bob.

— C'est quoi ?

— Un criminologue en vacances.

On éclata de rire.

Cette journée-là, le cours de François Desjardins, rempli d'émotions, s'étira en palabres sur la pergola du collège. Les avanceurs ne voulaient pas quitter les rattrapeurs ; les Shiners, les Canadiens français ; le professeur, ses élèves ; Bob, Rachelle ; le grand Guertin, Aurélie ; la petite Constance, Bruno ; Jeff, Jim ; Mathieu, Benoît ; Pedro... Pedro ; et Vincent, la belle Abigail.

36

Quand Vincent Rossignol arriva chez lui, ce soir-là, sa mère lui dit :

— Tu arrives bien tard, Vincent, il fait noir. J'étais inquiète. Tu sais que ce n'est pas prudent de rouler la nuit avec ton engin.

— J'ai des yeux de chats, maman.

— Ça ne suffit pas.

— Préfères-tu des yeux de chouette, dit-il, le cœur gai.

— Enfin, tu es là, c'est ce qui compte.

Vincent Rossignol s'approcha de sa mère, l'entoura de ses bras caressants et lui dit sur un ton non moins joyeux :

— Tu sais ce qu'on a fait aujourd'hui ?

— Non.

— On s'est baigné au milieu du lac Leamy.

— Mais, tu ne sais pas nager !

— Je me suis presque noyé aussi, maman.

La mère se tourna vivement en se détachant de son fils.

— Qu'est-ce qui s'est passé ?

Vincent Rossignol raconta à sa mère sa journée sur l'eau. Il fut particulièrement éloquent sur son sauvetage par Abigail Meers et l'agréable sollicitude que ses camarades lui manifestèrent pendant toute la journée et toute la soirée, durant laquelle ils avaient palabré jusqu'à ce que les plus belles étoiles de l'été, Vega, Deneb et Altaïr, viennent leur tenir compagnie.

Sophie Rossignol manifesta certes une inquiétude, mais comprit que son fils avait eu une journée magnifique qu'il aurait été dommage de ternir par de nombreux reproches. Vincent était là en entier devant elle, il était heureux ; il était amoureux.

— Penses-tu que ma vieille bicyclette est encore en état de rouler, demanda-t-il à sa mère qui voyait à tout, surtout au rangement dans ses moindres détails.

— Tu vas enfin ressortir ta bicyclette et laisser ta planche à roulettes.

— Je n'ai pas dis que je laisserais ma planche à roulettes.

— La bicyclette alors, c'est pour quoi ?

— Pour la fin de semaine. Nous avons décidé avec notre professeur de faire une randonnée à partir du Collège dans les collines de la Gatineau.

— C'est haut, ça !

— Nous aurons amplement le temps de nous arrêter en route.

— J'espère bien. Comme dans un chemin de croix, ajouta-t-elle avec un brin de causticité.

— Il y a combien de stations dans un chemin de croix, maman?

— Si ma mémoire est bonne, quatorze, mon fils.

— J'crois pas qu'on s'arrêtera aussi souvent, dit Vincent en souriant. Bon, je vais prendre ma douche et je me mets sérieusement à l'étude.

— Je ne te reconnais plus.

— Moi non plus.

DOUZIÈME PARTIE

Les allumettières

37

Vincent Rossignol passa une partie de sa journée du jeudi à lire le grand *Dallaire* que sa mère lui avait offert.

En après-midi, il alla s'enfermer à la bibliothèque municipale, dans la salle réservée à l'Outaouais. D'ailleurs, il fut surpris d'y trouver Bob Vaillant déjà installé avec un gros livre portant le titre *Hull industriel*.

— Si c'est pas le naufragé en personne, dit Bob Vaillant, ça va, Vincent ?

— Ça va.

— Veux-tu bien me dire où est-ce que t'as mis ta planche à roulettes ?

— Je suis venu en vélo.

— Tu t'entraînes pour la randonnée de samedi ?

— En plein ça, dit Vincent avec un beau sourire.

Vincent Rossignol aimait bien Bob Vaillant. C'était l'élève de la classe, Abigail mise à part, pour lequel il ressentait le plus d'empathie. L'enthousiasme, l'allégresse, la joie de Bob Vaillant, même ses délires comiques, tout cela lui faisait du bien. Il admirait la nature joviale de l'athlète, lui qui était plutôt taciturne. Vincent se sentait à l'aise pour parler avec Bob.

— Qu'est-ce que tu lis ? lui demanda-t-il.

— Des annonces de 1908.

— Des annonces de 1908 ?

— Tu trouves dans les annonces, Vincent, toutes sortes
d'affaires : charbon, assurances, liqueurs, gramophones,
corsets...

— Ça l'air de t'amuser.

— Mets-en que c'est drôle ! Écoute ça, l'ami :

Si vous voulez avoir du charbon supérieur à tout autre,
achetez-le de J. HENRI BÉLANGER, marchand de charbon,
agent d'assurance contre le feu, sur la Vie et contre les
Accidents. Représentant de la Great West Life.

Marchand de charbon et agent d'assurances contre le feu ! Il
faut le faire, commenta Bob, le rire aux lèvres. Et puis, celle-là,
Vincent, elle est encore meilleure :

P. H. DUROCHER, ÉPICIER EN GROS. Liqueurs et
vins de choix et en détail, épices, tabacs, cigares, cigarettes,
provisions. etc. Entrepôt général de la fameuse bière de Hull,
fortement recommandée par tous les médecins.

« La fameuse bière de Hull, recommandée par tous les
médecins» a dû être « bonne rare ! », commenta Bob de nouveau.
Tu sais qu'on en apprend autant sur l'histoire de Hull dans les
annonces classées que dans les gros ouvrages sérieux. Une ville,
mon Vincent, c'est ses marchands. Tiens, par exemple, Jos
Pharand, du célèbre magasin Josaphat Pharand, sis aux 70, 72,
74 et 76, rue Inkerman.

— Quatre numéros civiques pour un même magasin !
s'exclama Vincent.

— Puis tout un numéro de vendeur aussi. Écoute ça :

J. PHARAND, Hull, Québec. Le magasin de la satis-
faction. Importateur et détailleur de marchandises d'étape et
de fantaisie.

— Qu'est-ce que c'est que des marchandises d'étape ? demanda Vincent.

— Des hardes-faites.

— Hardes-faites ?

— Des vêtements tout faits d'avance. N'oublie pas qu'on est seulement en 1908. Imagine-toi le marchand avant-gardiste. Je les aime de même. En plus, c'était déjà un as de la réclame.

— Comment ça ?

— Notre devise, disait-il : « Haute qualité et bas prix ne se sont jamais démentis. » Un slogan qui n'a rien à envier à celui de notre « Tapis Suprême ».

— En 1908 !

— Le « Magasin de la satisfaction ». Pas étonnant que Josaphat ait été capable de payer le monument à la mémoire de Jean de Brébeuf.

Bob Vaillant tourna les pages de son livre.

— Certaines réclames insistent sur l'exclusivité du produit. Par exemple :

Jean Lacroix, seul agent à Hull pour les phonographes Edison et gramophones Columbia. Bicycles et accessoires, « In good company », rue Principale, Hull, P.Q. En face du Bureau de Poste.

— « Edison » ! ne put s'empêcher de prononcer Vincent, rêveur.

— Quoi, Edison ?

— Le plus grand inventeur de tous les temps. Pas seulement du gramophone, mais aussi de l'ampoule électrique et du cinéma.

— Du cinéma ? Attends un peu, j'ai vu une annonce qui parle du cinéma, fit Bob.

L'athlète feuilleta les pages du *Hull industriel* à toute vitesse, puis releva sa tête souriante et dit : « Je l'ai ! »

LE PARC ROYAL DE HULL

Capital, $20.000.00
Avenue Laurier, Hull, P. Q.
Vaudeville, VUES ANIMÉES,
Comédies, Musique, etc.

Terrain spacieux. — Auditorium, 179 X 80 pieds. —
Capacité, 2,000 sièges. — Théâtre, 20 X 36 pieds. — Hauteur,
35 pieds — Population, 15,000 âmes. — 5 minutes d'Ottawa
par tramways électriques. — Population d'Ottawa, 85,000. —
Hôtels de première classe, $1 à $1.50 par jour.

— C'est là qu'y a eu les premières vues à Hull, faut croire.
— Du cinéma sur l'avenue Laurier ?
— Oui.
— Mais c'est proche de chez moi.
— Tu restes à la tour Port-de-Plaisance ! C'était en face de chez toi.
— *Life of an American Fireman, The Great Train Robbery, Maniac Chase*, en face de chez nous, dit Vincent enthousiaste.
— Coudon, toi, suis-tu des cours de cinéma ?
— Assez pour te dire qu'Edison n'était pas tout seul, lui, comme ton marchand de gramophones. Le cinéma, on le doit autant aux Français qu'aux Américains, Edison a inventé la caméra, Louis Lumière, le projecteur.
— Et les Hullois, les allumettes, ajouta Bob.
— C'est vrai ?
— Pas tout à fait, mais, quand même, Hull a été pendant longtemps la capitale mondiale des allumettes. Dans mes annonces, ici, on parle des « Silencieuses » d'Eddy.

Silencieuses comme le Sphinx ! Ce sont les meilleures
des allumettes. Tous les bons épiciers vendent les allumettes
d'Eddy.

— Ezra Eddy avait le sens de l'apropos, continua Bob. Tu devineras jamais le nom qu'il a déjà donné à l'une de ses marques d'allumettes.

— Dis-le.

— Tiens-toi bien : « Lucifer ». Allumes-tu ? demanda Bob à Vincent.

— Penses-tu que ce sont des « Lucifer » qu'on prenait pour allumer les réverbères du « Hull by Night » ? dit Vincent en riant.

Bob Vaillant tapa dans la main de Vincent Rossignol. Il appréciait cette présence toute pétillante qui donnait à sa recherche un air de gaieté.

— Toutes sortes d'affaires dans tes annonces, as-tu dit : charbon, assurances, liqueurs, gramophones... et corsets, je pense.

— Des corsets, petit vlimeux, tu veux entendre l'annonce.

Vincent souriait. Bob feuilleta de nouveau son livre, puis, au bout d'un moment, lança fièrement :

PERFECT FORM ET CORSET SAHLIN COMBINÉS
* pas d'Agrafes
* pas de Fermoirs
* pas d'Oeillets
* pas de Cordons
* pas de Baleines Pesantes

Le seul vêtement qui, sans attaches artificielles, produit le buste et la taille élancée que requièrent les styles actuels. Pas de pression sur le cœur, les poumons ou l'estomac, ce vêtement rejette, d'une façon naturelle, les épaules en arrière et développe la poitrine.

Il faut que j'en parle à Rachelle. Qu'en penses-tu, Vincent ?

— En 1908 ?

— Oui, mon ami, à l'époque de ton arrière-grand-mère. C'est-tu assez fort pour toi ?

— Continue.

— T'aimes ça, hein ? À qui tu penses, là ?

Vincent rougit.

— Tu mérites la suite :

Nous l'avons dans deux styles-à-buste haut et bas. Il est fait en satin blanc ou drab, ainsi qu'en batiste blanche. Donnez la mesure réelle de votre taille et la mesure de buste que vous désirez ainsi que la longueur depuis l'aisselle jusqu'à la taille.

Les meilleures qualités, $1.25.

Le prix d'une chambre d'hôtel de première classe. Tu parles d'un corset, toi ! T'aimes-tu ça ? Oui, hein ! Sois pas gêné, Vincent, Hull, c'est aussi ça.

Après cet intermède agréable, les deux jeunes gens plongèrent chacun dans leur recherche. Vincent trouva dans cette salle de l'Outaouais bon nombre d'articles sur l'art et les artistes hullois. Il tomba même sur une œuvre qui devait à sa façon lui être utile dès le lendemain.

38

La journée du vendredi fut particulièrement chargée. Le professeur aborda le sérieux sujet de l'industrialisation de Hull et du Québec au tournant du siècle. Les rattrapeurs furent enchantés d'apprendre qu'à la fin du XIXᵉ siècle et au début du XXᵉ siècle, jusque dans les années vingt, même, Hull était déjà à la fine pointe de la technologie et contribuait, à sa façon, à l'entrée du Québec dans une nouvelle ère. Or, ce qui s'annonçait un cours magistral sur l'esprit d'entreprise hullois se transforma en un bouillant plaidoyer contre les patrons d'entreprises. Et ce qui est encore plus surprenant, c'est le plus conciliant de tous les élèves, Bob Vaillant, nul autre que lui, qui, sans le vouloir, mit le feu au poudre, le mot n'est pas trop fort. Le professeur avait été particulièrement éloquent sur les scieries, les pâtes et le papier quand Bob lui dit :

— Vous oubliez les allumettes d'Ezra.

— T'es bien bon, fit Rachelle, qui regarda son athlète avec des yeux enflammés.

— « En 1919, disent les historiens, l'usine en produisait soixante-dix millions par jour », mon colibri.

— À quel prix ! dit Mathieu Couture.

— Au prix de bien des sacrifices humains, en effet, ajouta Constance Larocque.

C'est précisément ce petit bout de femme, avec laquelle François Desjardins aimait bien badiner, qui nourrit la scène qui suivit avec un sens aigu pour les événements dramatiques.

Constance se leva dans la classe. Elle était émue. Les avanceurs et les rattrapeurs, eux, étaient en attente. Ils avaient hâte d'entendre ce qu'elle allait dire. Ils ne furent pas déçus.

— Je veux bien qu'Ezra Buttler Eddy ait été le plus grand industriel de la ville de Hull qui employait des milliers d'employés. Je veux bien qu'il ait été maire et député de Hull. Je veux bien encore que son usine de pâtes et papier ait été une des plus modernes au Canada. Cet Américain d'origine apporta avec lui sa fougue et son esprit inventif. J'ai beaucoup lu sur lui, professeur, moi, Donalda Charron qui fut allumettière à son usine. Petite, le sifflet de la E. B. Eddy me sortait du lit. Petite, ma mère l'entendait aussi. Quant à ma grand-mère, c'est la voix d'Ezra lui-même qui la réveillait au petit matin. L'homme passait à cheval dans les rues de Hull et criait pour réveiller la ville. La ville était son employé. Les conditions des travailleurs étaient terribles. Saviez-vous qu'il y a eu une grève aux usines Eddy en 1891 ?

— Non, firent Bruno et Pedro.

— Je vais emprunter la parole à l'historienne Latrémouille, la même que le professeur a cité sur les noms de rues de Hull. Cette historienne est aussi poète à sa façon, soit dit en passant.

On a peu parlé jusqu'à maintenant des femmes de Hull. Mais moi, Donalda Charron, j'ai une aussi bonne mémoire que Mathieu Couture et Abigail Meers.

— Envoie-nous ça ! dit Bob avec enthousiasme.

— Oui ! reprirent les autres. Envoie !

— Dans son livre *Hull entre mémoire et histoire* qu'elle consacre à l'œuvre hulloise du peintre Jean Alie — né à Maniwaki, soit dit en passant (Bruno Langevin et François Desjardins dressèrent tous deux le corps) — elle écrit au sujet des usines Eddy et je cite : « Sorte d'angélus profane, le sifflet de la E. B. Eddy rythmait lui aussi la vie de la population. Le bruit des billots tombant dans la cour à bois berçait le sommeil des voisins et l'odeur occasionnelle de soufre émanant de la pyramide jaunâtre annonçait la pluie, aussi sûrement qu'un baromètre. »

— Que c'est bon ! dit Bruno.

— En 1891 ? disais-tu, fit Abigail.

— L'une des premières grandes grèves de l'histoire du Québec.

— Comme Asbestos.

— Comme Asbestos, les sbires de Duplessis en moins, répondit Constance. Trois mille ouvriers étaient impliqués. « Les 3 000 ouvriers des scieries Eddy, Booth, Mason, Perley et Pattee, Buell, Or et Hurdman, Bronson et Weston et de la briqueterie Wright, dit Latrémouille, revendiquaient un salaire plus élevé et la journée de dix heures. Les commerçants appuyèrent les grévistes, leur offrirent du pain ou des dons en argent, et le député Rochon, qui avait été maire en allégua que, dans la plupart des pays occidentaux, la journée de travail était de dix heures. La grève menée par Napoléon Fauteux qu'on surnomma le « Bonaparte des Chaudières »...

— Tout un nom pour un syndicaliste ! ne put s'empêcher de dire Bob.

— Laisse-moi finir mon histoire, Bob. Je disais, avec mon historienne, que la grève dura un mois. Il y eut des coups de part et d'autre et Eddy fut blessé en tentant d'interdire l'entrée de son usine.

— Bien bon pour lui, dit Bob Vaillant.

Jeff Verner et Jim McConnery lui firent des gros yeux.

— C'est pas tout. Je vais vous parler maintenant de l'autre grève, celle qui me concerne, moi, Donalda Charron.

— Une autre grève ! s'exclama Aurélie.

— Cela s'est passé en 1924. Nous, les femmes, n'étions syndiquées que depuis 1919. Mais avant, il faut que je vous dise : en 1915, le syndicalisme des hommes avait été consacré au Sacré-Cœur de Jésus, plus précisément le 15 juin, lors d'une manifestation ouvrière. Seulement les catholiques, pas de protestants, dit la petite Constance, en jetant un coup d'œil rapide à Jeff, Jim et Abigail. En 1919 naît l'Union des allumettières de Hull. La même année, les ouvrières font la grève. Résultat ? Le salaire augmente substantiellement.

— De dix-huit cennes à vingt-quatre cennes de l'heure, je suppose, dit Bob.

— T'es ben bon. En plein ça.

— Beau « guess » ! dit Albert Guertin à Bob Vaillant.

Bob roula de l'épaule, content de lui-même.

— Mais le 2 septembre 1924, la compagnie, sans consulter qui que ce soit, baisse les salaires.

— Et c'est là que t'interviens, Donalda, dit Mathieu Couture.

— Pas tout à fait. Le 6 septembre, Eddy ferme ses portes.

— Un *lock out* !

— Oui un *lock out*. Le premier de l'histoire du Québec.

— À Hull ! dit fièrement Albert Guertin.

— Y a pas de quoi pavaner, mon grand, fit Aurélie Concalvez.

— La compagnie rouvre le 23 septembre en promettant des salaires meilleurs aux contre-maîtresses pourvu qu'elles renoncent au syndicat.

— Et que font-elles ? demanda Rachelle.

— Elles refusent, dit superbement Constance Larocque. C'est la grève !

— Bravo ! fit Abigail.

Toutes les jeunes filles de la classe étaient solidaires.

— Mais le 20 octobre...

Constance s'arrête. Elle est encore plus émue. Elle essuie même une larme.

— Quoi le 20 octobre ? reprend Rachelle d'une voix presque maternelle.

— « *Run through the bunch !* » crie le surintendant de la compagnie à son chauffeur qui fonce sur la ligne de piquetage des jeunes filles.

— Tu parles d'un tarla, dit Bruno Langevin qui, profondément offensé, s'était levé comme s'il avait voulu protéger Constance.

— Calme-toi Bruno, dit Constance. Heureusement, il y a un passant qui saute sur le marchepied de la voiture et applique les freins.

— Ça me soulage, fit Bruno qui avait encore les poings fermés.

— Et le 20 novembre une entente est conclue. Mais la compagnie ne tiendra pas sa parole. Une vingtaine d'employés ne seront pas réengagés. Et Donalda Charron sera sacrifiée.

Bruno Langevin prit la main de Constance. Les avanceurs et les rattrapeurs, de même que leur professeur, gardèrent un silence fébrile que Mathieu Couture brisa au bout d'un moment en lançant une phrase qui eut le don d'augmenter la fébrilité.

— Constance n'a pas tout dit, monsieur le professeur.

— Je sais, répondit François Desjardins.

— Il faut le dire.

— Dis-le.

— T'as raconté, Constance, que la grand-mère de Donalda Charron avait empaqueté des allumettes pour Ezra. Bien des allumettières du siècle dernier, avant qu'on trouve la fameuse formule du « sesquisulfure » sont mortes d'une affreuse maladie.

— Je sais, fit Constance Larocque.

— Laquelle ? demandèrent Rachelle Ouimet et Aurélie Concalvez.

— La nécrose maxillaire, répondit François Desjardins.

— Qu'est-ce que c'est ça ? demanda Jim McConnery.

— Dans ta langue, Jim, on appelle ça le « phossyjaw ». Et c'est pas beau à voir. Heureusement, cette maladie industrielle est disparue aujourd'hui, fit remarquer Mathieu Couture.

— Le mot « phossy » est une contraction du mot « phosphorus », dit Vincent Rossignol.

— Hein ? firent tous les élèves d'une voix admirative. Celle d'Abigail Meers l'était encore plus.

— Je veux pas paraître savant, dit Vincent, j'ai lu ça pour ma recherche.

— Es-tu en train de nous dire que ton exposé va porter sur la chimie à Hull ? fit la petite Constance.

— Non, moi, je m'intéresse à l'art.

— L'art du feu ? suggéra malicieusement Bob.

— Tu sais, Bob, dit Vincent, après que je t'aie rencontré, hier, dans la salle Outaouais de la bibliothèque...

— Bob Vaillant, petit cachottier, tu m'as dit, hier, que t'allais t'entraîner dans le parc et voilà que j'apprends que tu es allé te cacher dans la salle Outaouais de la bibliothèque municipale, intervint Rachelle Ouimet.

— Fâche-toi pas, mon colibri, j'voulais te faire une surprise pour notre exposé. Te montrer mon petit côté intellectuel.

— Qu'est-ce que t'es allé lire ?

— Des annonces.

— Des annonces de quoi ? demanda Rachelle Ouimet.

— Des annonces de corset, si tu veux tout savoir, ma belle rose sauvage.

Bob Vaillant ne laissa pas Rachelle répliquer, il ajouta d'emblée :

— Tu disais, Vincent, qu'après m'avoir rencontré, hier, dans la salle Outaouais de la bibliothèque...

— J'ai emprunté un roman écrit à Hull en 1938.

— Un roman écrit par un Hullois en 1938 ? dit Jeff Verner, incrédule.

— Francophone à part ça, répondit avec humour Vincent Rossignol.

— *Attaboy*, Vincent, bienvenue dans le groupe !

Abigail Meers était toute surprise de la fermeté du propos de Vincent, lui qui avait été si réservé jusqu'à présent.

— *Magdal*.

— Quoi, Magdal ?

— C'est le titre du roman de Louis LeBel. Et c'est très beau. Il parle des allumettières comme toi, Donalda Charron, dit Vincent en se retournant vers la petite Constance. Celles qui sont mortes à cause de l'acide phosphorique. « La mort gluante qui se répand dans la bouche », écrit le romancier.

Vincent s'arrêta un moment puis ajouta :

— Je n'ai pas la mémoire de Mathieu ni celles d'Abigail et de Constance, mais je peux, si vous voulez bien, vous lire un extrait de cette œuvre.

— T'as apporté le roman avec toi ?

— Bien sûr. Tenez, le voici.

— Il est bien petit.

— Certes, mais bien bon. Et d'une précision chirurgicale.

La nécrose est aux os, ce que la gangrène est aux parties molles du corps, écrit-il. C'est la mort des os, en les attaquant par leurs molécules. On reconnaît cette mort cellulaire aux parties malades qui baignent dans des liquides purulents, riches en microbes variés.

— Mais c'est écœurant, dit Aurélie.

— T'imagines-tu, Aurélie Concalvez, que Hull s'est faite uniquement dans la joie. Sais-tu combien de travailleurs sont morts aux usines Eddy entre 1858 et 1888 ? dit Mathieu Couture.

— Une trentaine, proposa Aurélie, se croyant audacieuse.

— Cinq cent soixante-deux !

— Cinq cent soixante-deux ? firent les élèves auxquels se joignit même le professeur.

— Bien des accidents. Beaucoup de morts rapides. Mais la nécrose, elle, c'était la mort lente.

— Très lente, ajouta Vincent :

> *Car, ce virus suppurant vous mange, sans vous craindre, écrit encore Louis LeBel, et il bave dans votre bouche, comme pour vous empêcher de gémir. Si vous attendez, de peur de vous défigurer en vous laissant couper les os, pour extirper cette pourriture, votre délai peut être fatal. Si, croyant guérir, vous soignez le monstre, il vous punit en prenant vos remèdes sans cesser de vous arracher les dents.*

— Seigneur, c'est gai ! dit Rachelle.

— Tout ça à cause de votre révolution industrielle, dit Bob.

— Coudon, Vincent, c'est bien la première fois que t'arrives au cours à l'heure ! fit remarquer Rachelle.

— C'est vrai ! dit François Desjardins qui se mit à applaudir.

TREIZIÈME PARTIE

La fleur blanche

39

Le lendemain matin, un chaud soleil caressait la pergola du cégep.

— Il est sept heures, dit le professeur. On ne peut pas demander plus beau temps, vous avez tous votre bicyclette, votre sac au dos et votre lunch pour la journée, tout le monde est là, sauf un.

— Il arrive, professeur, dit Abigail.

Vincent Rossignol fonçait vers la pergola à la vitesse d'un contre la montre au Tour de France. C'est tout juste si, en freinant, il ne passa pas par-dessus les tables.

— Voilà une entrée remarquée ! dit François Desjardins.

— Et remarquable ! ajouta Abigail dont les cuissardes de cycliste et le T-shirt ajusté mettaient en relief la somptueuse beauté.

— Je suis heureux que vous ayez accepté de vous libérer pour la journée. J'espère que vous êtes en forme, car nous avons tout un programme. D'ailleurs, le voici.

Le professeur tira de la sacoche de sa bicyclette des brochures dont il remit un exemplaire à chacun en disant :

— Voici *Au cœur des collines* ; vous aurez rarement lu un guide touristique aussi bien fait.

— Hé, Jeff, dit Jim, c'est bilingue ! *In the Heart of the Hills*.

— Merci, professeur, fit Jeff Verner.

— Il n'a pas fait exprès, répondit Mathieu Couture.

— Cimetière protestant de Old Chelsea, Belvédère Champlain, Domaine Mackenzie-King, Chutes Luskville, Pont couvert de Sainte-Cécile-de-Masham, La vallée du ruisseau Meech, Le village de Wakefield, La Ferme des deux mondes, La Caverne Laflèche, Église de Perkins. Tout un programme, en effet, dit le grand Albert.

— Cent soixante-six kilomètres, sans compter sept autres pour se rendre à Old Chelsea, dit Bob. Il y en a à soir qui vont avoir mal au cul.

— Parle donc comme du monde, Bob Vaillant, dit Rachelle. C'est impossible de faire ça en une journée, protesta-t-elle.

— T'as raison, appuya Aurélie.

Les garçons n'osaient pas protester ; ils avaient leur orgueil, mais on lisait sur leur visage la satisfaction à chaque intervention des filles.

— Du calme. Je n'ai pas dit que nous ferions ce long circuit. Je vous propose de visiter les quatre premiers sites. Après la chute de Luskville, nous reviendrons à Hull en passant par la marina d'Aylmer. Tout au plus quatre-vingt-dix kilomètres.

— Ah, ça c'est mieux dit Bob.

— Je serai jamais capable de faire tout ça, fit Rachelle Ouimet.

— Si, si, mon colibri. Le pire, ça sera la côte de Camp Fortune. Après ça, mon bel oiseau, je te promets que tu vas t'envoler.

— Bob a raison, dit le grand Albert Guertin. Les derniers cinquante kilomètres, on les fait sur le plat. Puis rouler en groupe, c'est beaucoup plus facile. Je suis certain qu'on va tous pouvoir conserver une moyenne de vingt-deux kilomètres-heure !

— Sur le plat, dit Aurélie.

— Je vous garantis qu'à dix-neuf heures, nous sommes de retour.

— *Let's go*, dit Bob.

Tel que l'avait prévu le grand Albert, le groupe roula sans encombre sur le chemin de la Mine, puis sur les chemins Notch et Kingsmere à la vitesse approximative de vingt-deux kilomètres-heure puisqu'une vingtaine de minutes plus tard, ils débouchèrent joyeusement dans le vieux cimetière de Old Chelsea.

— Première station : prenez vos guides, dit Bob en riant.

— Parle moins fort, on est dans un cimetière, après tout, fit Rachelle.

— Ici est enterré le célèbre Asa Meech, que Pedro a personnifié lors de la traversée à la nage de la Grande Rivière. À toi l'honneur, Pedro, lis ce qui est écrit sur le guide, dit le professeur.

— Certainement, monsieur le professeur.

You may find it a little strange and a little sad a tour with a visit to a cemetery.

— Tu le lis à l'envers, Pedro, dit Bob qui voyait que Mathieu Couture fulminait.

— C'est bien trop vrai, dit Pedro avec humour, je m'en étais pas aperçu.

— Fais pas le finfinaud, le Portugais, tu voudrais tout de même pas que la chicane recommence dans un lieu comme celui-là, dit Constance.

— Je recommence, fit Pedro.

Il peut paraître un peu bizarre, et même lugubre, de débuter un circuit touristique par la visite d'un cimetière.

— Le « guide touristique » a raison, François, quelle est donc ton idée de nous faire commencer notre promenade par les morts.

— C'est parce que le professeur veut que vous preniez conscience que c'est à ces pensionnaires de ce vieux cimetière que vous allez tous ressembler quand vous arriverez à Hull après cent kilomètres de vélo, ce soir, fit Bob.

— Parle pour toi, Bob Vaillant, tu vas voir que je vais être encore fraîche, dit la petite Constance.

— J'ai bien hâte de renifler cette fraîcheur.

— Tu laisseras faire, Bob, dit Rachelle.

— Avez-vous remarqué quelque chose de particulier ? demanda le professeur.

— Des rats des bois, dit Bob.

— Où ça ? fit Rachelle, énervée.

— C'est juste une *joke*, dit Bob.

— Grand fou.

— Avez-vous remarqué quelque chose par rapport à l'emplacement du cimetière ? reprit le professeur.

— Oui, fit Pedro. C'est écrit dans le guide :

> *Dying was a waiting period until the Last Judgement.*
> *That's why...*

— That's why... tu lis encore une fois à l'envers, dit Mathieu Couture, bouillonnant. Il prit son guide et lut avec une célérité digne d'un Bob Vaillant.

> *Étant de confession protestante, le cimetière devait représenter la douleur et la résignation. Pour eux, la vie sur terre était l'occasion de servir Dieu et ainsi éviter les feux de l'enfer. La mort était donc une période d'attente jusqu'au jugement dernier. Cela explique aussi pourquoi le cimetière était situé au centre du village : il devait rappeler quotidiennement le danger qui menaçait les pécheurs.*

— C'est joyeux en titi, ça ! On repassera à l'Halloween !

Si Jeff Verner et Jim McConnery firent de gros yeux à Bob Vaillant, Abigail Meers, elle, ne put s'empêcher de rire.

Les avanceurs et les rattrapeurs remontèrent en selle et suivirent leur professeur sur le chemin Chelsea en direction du parc de la Gatineau. Là, ils s'élancèrent à droite sur la Promenade, décrivirent un demi-cercle de quelques kilomètres pour enfin arriver à l'intersection du chemin du lac Meech et de la montée très abrupte du lac Fortune.

— Deuxième station, dit Bob, en évaluant la raideur de la côte à monter. « Jésus est chargé de la croix ».

Seul François Desjardins ne rit pas du mot d'esprit de Bob Vaillant. Car il savait que l'ascension vers le Belvédère Champlain serait un véritable calvaire pour plusieurs de ses élèves. Il ne leur avait pas dit que la montée du lac Fortune était de trois kilomètres. Une côte de professionnel.

— Ça m'a l'air pas mal à pic, dit Aurélie.

— Y a rien là, dit le grand Albert.

— Qui m'aime me suive, fit Bob.

— On t'aime, firent les garçons en chœur et par bravade.

40

La bravade s'étiola avant que le premier kilomètre de l'ascension ne fût atteint. Bob, suivi de près par Mathieu, Abigail et Vincent, n'avait pas ralenti le tempo. En revanche, les autres commençaient à éprouver de sérieuses difficultés, même le grand Albert.

Rachelle cria à Bob :

— Vaillant, c'est pas parce que t'es athlète que tu ne peux pas nous attendre !

Peine perdue, Bob avait trop d'avance.

Aurélie, qui suait aux côtés du grand Albert, lui dit :

— Une moyenne de vingt-deux kilomètres à l'heure, disais-tu ! La prochaine fois, ma belle grande police, tu tourneras ta langue sept fois avant de parler.

Jeff et Jim peinaient à leurs côtés.

Le professeur François Desjardins, à la queue du groupe, encourageait ses élèves en leur vantant les beautés des lieux. Mais ni Benoît ni Pedro ni Bruno ni Constance n'avaient la tête à savourer les beautés du paysage. Cette montée vers le lac Fortune était devenue un vrai calvaire.

Soudain, la petite Constance, qui n'avançait plus malgré de grands efforts, chuta. Le gros Bruno abandonna rapidement sa bicyclette pour lui venir en aide.

— Tu ne t'es pas fait mal ?

— Juste une éraflure, lui répondit Constance, vraisemblablement humiliée par sa chute.

Le sourire revint facilement à la figure de Bruno, d'autant plus que cette halte non prévue faisait son affaire. Il soufflait fort lui aussi.

— Pied à terre tout le monde ! ordonna le professeur. Seuls le peloton du milieu et les retardataires l'entendirent. Les cyclistes de tête étaient à trop longue distance.

— Écoutez, c'est ma faute, dit François Desjardins, j'ai présumé de votre expérience à vélo. Nous allons continuer à pied jusqu'au lac Fortune.

— Toute une fortune, en effet. Voilà un lac bien nommé, ne put s'empêcher de dire Constance, caustique.

— Ça me rassure, dit le professeur, tu n'as pas perdu ta vivacité d'esprit.

Les retardataires rejoignirent bientôt le groupe du milieu.

— C'est autre chose que de draver de la pitoune, hein, mon Jos ! dit le grand Albert à Bruno, quand ce dernier arriva à sa hauteur.

— Tu peux bien parler, Albert Guertin, dit Aurélie, ça fait bien ton affaire de continuer à pied ; tu pompais pas mal, toi aussi.

Elle sortit une serviette de la sacoche de sa bicyclette, s'approcha d'Albert et lui essuya la figure.

— C'est à quelle station, professeur, qu'une femme essuie le visage de Jésus ? demanda Constance qui avait repris toute sa bonne humeur.

— La sixième, je crois.

— C'est pas si pire, dit le grand Bruno. On était à la deuxième en bas de la côte avec Bob. Y en reste combien ?

— Huit autres, dit François Desjardins en riant.

Bruno Langevin fit la grimace.

— Si c'est comme ça, on est aussi bien de se donner un peu de bon temps. Voulez-vous apprendre un autre couplet de ma chanson ?

— Pourquoi pas ? dirent-ils tous de bon cœur.

— Cette fois, je vous ai préparé une feuille. Comme vous connaissez la mélodie, vous ne serez plus obligés de répéter.

— On va marcher lentement, dit le professeur. Commence, Bruno !

Le grand gaillard entonna l'hymne au draveur d'une voix magnifique. Et tous chantèrent avec lui.

Sautons chutes et rapides, nageons adroitement
Courons sur la lisière, qui suit le grand courant
Arrivés au Désert, Saint-Denis nous attend là
Dessus le gazon vert, c'est lui qui traitera
C'EST LUI QUI TRAITERA

— Hein ? fit Rachelle, en arrêtant de marcher. Il me semble reconnaître la voix de Bob.

— On ne peut rien te cacher, mon colibri, fit Bob Vaillant, en sortant d'une allée de verdure, suivi par Mathieu, Abigail et Vincent.

— Tu joues encore à cachette à ton âge, toi !

— Qu'est-ce que je ferais pas pour mon bel oiseau sauvage !

41

Ils arrivèrent au Belvédère Champlain une heure plus tard que prévu. Bob, Mathieu, Abigail et Vincent étaient frais comme des roses. Les autres, à l'exception du professeur, ressemblaient à des fleurs flétries.

— Pedro, veux-tu lire la brochure touristique ? demanda le professeur.

— À l'envers ou à l'endroit, professeur ? dit Bob. De toute manière vous allez devoir ranimer Pedro d'abord.

Il désigna le Portugais recroquevillé sur la pelouse.

— D'accord. On va passer à un autre. Vincent ?

— Moi ? dit Vincent surpris.

— Oui, toi.

— Très bien, professeur.

Créé par l'érosion de chaînes de montagnes massives et de glaciers il y a 500 millions d'années, l'escarpement forme la frontière de l'actuel Bouclier canadien. La mer de Champlain, qui fut le résultat de la fonte des glaciers, s'arrêtait au pied des Collines-de-l'Outaouais. Le plus bel exemple de cette lente métamorphose géologique se situe au Belvédère Champlain.

— Hé, une buse à queue rousse ! dit soudain Pedro, qui s'était levé comme un ressuscité.

— Une quoi ? dit Rachelle.

— Une queue rousse. Un oiseau écossais, mon colibri, dit Bob.

— Écossais, mon œil !

— Trêve de plaisanterie, une queue rousse, c'est le nom de c't'oiseau-là en abrégé, comme si j't'appelais mon petit coli.

— Que je te prenne pas à m'appeler de même, toi.

— Écoutez son cri, dit Pedro, galvanisé par l'apparition de la buse glissant le long de la crête.

Ils entendirent un affreux cri qui fit dire à Rachelle :

— Ouache, tu parles d'un cri primaire !

— Primal, mon colibri. Primal !

Pedro se mit à imiter le cri de l'oiseau et, bientôt, tout le monde fit comme lui. Ce fut un défoulement en règle. Des touristes qui admiraient l'extraordinaire paysage des plaines du Pontiac et de la Grande Rivière détournèrent momentanément leurs yeux du panorama précambrien pour regarder la joyeuse tribu « d'oiseaux à queue rousse » qui prenaient de plus en plus de vigueur au fur à mesure de leurs cris répétés, leurs jambes bien solides sur les couches de gneiss et de feldspath.

— Si vous continuez de même, on va vous entendre jusque dans l'état de New York, dit François Desjardins qui, pince-sans-rire lança, lui aussi, un superbe cri primal.

Cette halte au Belvédère Champlain joua dans la vie des avanceurs et des rattrapeurs le rôle d'une charnière qui les propulsa dans un état d'excitation, car les autres lieux prévus au programme furent visités dans la vivacité et l'emportement. Les ruines du Domaine Mackenzie-King, où ils dînèrent, furent le lieu d'une saynète romantique où Bob, inspiré, semble-t-il, par les « quatre-vingt-quinze espèces d'oiseaux », les « cent espèces de fleurs sauvages » et les « soixante-cinq essences d'arbres » du Parc de la Gatineau, dont le petit guide touristique faisait mention, se prit pour William Lyon Mackenzie King, premier ministre du Canada et seigneur de Kingsmere. Il fit faire le tour avec fantaisie de ses propriétés pour le plus grand plaisir de ses camarades, particulièrement de son colibri. Ils visitèrent donc allègrement les jardins anglais et les ruines de Moorside et de Kingswood. Il termina en disant : « William, somme toute, aimait domestiquer la nature. »

Mais c'était un mot de trop sur lequel Benoît Lapointe se jeta avec férocité.

— Il aimait domestiquer pas seulement la nature sauvage.

— Et encore ?

— La nature canadienne-française ! lança Benoît Lapointe, caustique.

— Qu'est-ce à dire ?

— C'est ce premier ministre, propriétaire de Moorside, de Kingswood et de je ne sais plus trop quoi, qui a fait voter la Conscription en 1942, obligeant des milliers de jeunes Canadiens français, dont des Hullois, à aller servir de chair à canon pour la Couronne d'Angleterre.

— Et pour sauver aussi la France, ajouta Jeff Verner.

— M'aimes-tu toujours, ma rose sauvage, demanda Bob avec un accent anglais.

— Après ce que je viens d'entendre, je n'en suis plus sûre.

— Embrasse-moi quand même, mon colibri.

Contre toute attente, la rose Rachelle embrassa le jeune lion Bob, provoquant ainsi les éclats de rire qui rendirent caduque le nouveau débat politique qui montait en herbe dans le fol décor de Kingsmere.

Juste avant de quitter le jardin aux ruines, Mathieu Couture s'approcha du groupe d'Abigail et dit :

— Saviez-vous que le grand-père de William Lyon Mackenzie King, qui s'appellait William Lyon Mackenzie, était un sépara-tiste, mort à Toronto en 1861 ?

Mathieu ne leur laissa pas le temps de répondre, il enfourcha sa bicyclette et dévala la pente.

42

La halte suivante, celle de la chute de Luskville, devait être bénie entre toutes. La route pour s'y rendre fut enchanteresse, si bien que les avanceurs comme les rattrapeurs reprirent des forces comme si le magnifique panorama qu'offre le chemin de la Montagne, tapi au bas des falaises de l'escarpement d'Eardley, les grandissait. Cette équipée en vélo, dans ce qui avait été autrefois la mer de Champlain, imprima dans leur âme une noblesse pélagique. Ils eurent l'impression de rouler au fond d'un océan géniteur. Ils ressentirent, grâce au savoir de François Desjardins — faut-il ajouter — l'âge incroyable de leur ascendance. Leur généalogie indienne, française, anglaise, africaine, irlandaise, portugaise s'était en quelque sorte unifiée dans la plaine océane qui clamait à travers ses fossiles la seule généalogie véritable, celle de l'eau et du limon, où un jour l'homme avait pris naissance. Ce n'était donc plus des avanceurs et des rattrapeurs qui se rafraîchirent au pied de la chute de Luskville, mais de lumineux mammifères à vélo dont les gouttes de sueurs tombant du front à la bouche avaient un goût de sel quaternaire.

Inspirés par tant de profondeur, Bob et Rachelle, Albert et Aurélie, Bruno et Constance allèrent chercher refuge en couple dans la forêt avoisinante, chacun de leur côté, bien sûr, pour mémoriser à leur façon la leçon océane.

Les autres demeurèrent près de François Desjardins qui, tel un philosophe, continua à leur raconter à la Démocrite l'incroyable prégnance de cette lointaine banlieue naturelle de Hull.

Certes, Vincent Rossignol écoutait le professeur, mais il jetait aussi des regards à Abigail, qui les lui rendait bien. Lui aussi vivait dans son corps les transformations d'une chimie maritime, mais il n'aurait pas osé, comme Bob et Rachelle, chercher refuge dans la nature sylvestre pour donner libre cours à l'ivresse des sens.

Abigail s'éloigna momentanément du groupe en marchant lentement vers un chêne centenaire. Sa marche altière exprimait, à chaque pas, un désir. François Desjardins fit un rapide clin d'œil à Vincent. Timide, le garçon s'excusa auprès de ses camarades et alla rejoindre, oh ! bien prudemment, bien sûr, la belle Anglaise qui s'était penchée pour cueillir une sorte d'herbe.

— Tu sais ce que c'est, dit-elle à Vincent avec un sourire de ravissement. Son cœur battait très fort elle aussi.

— Non.

— C'est du gingembre sauvage. On l'appelle aussi l'asaret du Canada. C'est une plante pubescente. Touche, vois comme c'est duveteux.

Vincent Rossignol posa ses doigts sur la plante avec la même délicatesse qu'il aurait mise à toucher Abigail.

— Cette plante-là donne une jolie fleur au printemps.

— Ma mère adore les fleurs, répondit maladroitement Vincent, ne sachant comment trop s'y prendre avec une jeune fille pour laquelle il ressentait un océan d'émotions.

— Je viens souvent dans le parc, dit Abigail. J'adore ses fleurs et ses plantes. Par exemple la claytonie si vivace, dont les rhizomes sont tubéreux.

La belle Anglaise l'impressionnait avec ses grands mots de botaniste. Vincent n'aurait su dire ni d'Ève ni d'Adam ce qu'étaient des rhizomes. Il apprit d'Abigail que cela avait à voir avec des racines protubérantes. Non seulement Abigail l'impressionnait, mais elle l'intimidait aussi. Lui, qui était peu bavard, ne voulait plus parler dans la crainte de paraître ignare et, surtout, de peur de brouiller l'aura de bien-être qui flottait sur lui lorsqu'il était aux côtés de la jeune fille. Son instinct, cependant, vint à sa rescousse en lui dictant un geste qui le surprit lui-même et dont sa mère aurait été fière. Il se pencha vers le sol et cueillit une jolie petite fleur blanche des bois dont il n'aurait su dire, toutefois, ni le nom ni l'espèce. Il la donna à Abigail d'une main légèrement tremblante.

— C'est gentil, dit-elle en posant ses lèvres sur la fleur.

Ce geste d'une sensualité exquise, où se lisaient la reconnaissance et l'affection, troubla Vincent Rossignol. Une rougeur affleura sur son visage. S'il n'en avait tenu qu'à lui, il serait resté dans cette pose, sorte de tableau vivant et intemporel. Pour la première fois de sa vie, il avait l'impression de s'abreuver à la source.

« Venez-vous-en, on part ! », dit Jeff Verner en passant à côté d'eux. Les deux jeunes personnes ne réagirent pas tout de suite, tant cette parole leur sembla venir d'un autre monde. Mais ils reprirent pleinement contact avec la réalité lorsqu'ils entendirent Jeff crier en direction du sentier : « Bob, Rachelle, Albert, Aurélie, Bruno, Constance, on s'en va ! »

Jeff Verner dut renouveler son appel plusieurs fois avant qu'on ne vit poindre les joyeux couples dont les vêtements, légèrement froissés et parsemés de brindilles, semblaient protester contre ce départ d'Éden.

Quand toute la troupe des avanceurs et des rattrapeurs se fut reformée autour du professeur, ce dernier leur dit :

— Aylmer, c'est loin !

— Loin du paradis, en effet, répondit Bob.

— Peut-on rester encore un peu ? demanda Rachelle.

— Un tout petit peu ? ajoutèrent Constance et Aurélie.

— On est tellement bien ici, fit Abigail.

Vincent Rossignol rougit à nouveau. Jeff Verner et Jim McConnery avaient la figure contrariée.

— Il est déjà tard, et il nous reste une quarantaine de kilomètres à faire pour rentrer à Hull. Alors, tout le monde à cheval, dit le professeur.

— J'ai mal au...

— Au quoi, mon colibri ? dit Bob, guillerettement.

— Ne me fais pas dire ce que je ne veux pas dire, Bob Vaillant.

— Très bien, ma rose sauvage.

43

Les cyclistes enfourchèrent leur monture en protestant. Au reste, le retour vers Aylmer en fut un « protestataire ». Comme il y avait pas moins de quatre églises protestantes le long du parcours qui devait les conduire jusqu'à la marina d'Aylmer, François Desjardins en profita pour faire à ses élèves une leçon sur le protestantisme dans l'Outaouais. Baptistes, presbytériens, méthodistes, congrégationalistes, toutes les communautés y passèrent. Les catholiques furent bien surpris d'apprendre que, même chez les anglicans, il y avait plusieurs églises, la *High Church*, la *Low Church* et la *Broad Church*. Cette dernière appellation suscita, du reste, les railleries de Mathieu Couture, que Jeff Verner n'apprécia guère. L'ironie fut encore plus notoire quand François Desjardins résuma l'anglicanisme en disant que, somme toute, c'était une sorte d'idéologie doctrinaire de la Couronne britannique.

— C'est un peu court, professeur ! fit remarquer sèchement Abigail. Elle ajouta : « Vous oubliez la Bible et l'épiscopat. »

— Très juste ! se contenta de dire le professeur qui orienta ses commentaires davantage sur le grand livre.

— T'es quoi, toi, Jim ? demanda soudain Bruno, sans ironie.

— Baptiste !

— Ça, Bruno, c'est des protestants qu'on plonge dans une piscine, dit le grand Albert qui se pensait drôle.

— T'as entendu ça, Vincent, ajouta Bob, j'espère que t'as pas envie de devenir baptiste parce qu'il va falloir que tu apprennes à nager.

— Maudit que t'es fou, Bob Vaillant.

— Je suis pas fou, je suis juste non conformiste, mon colibri.

— Les non-conformistes, Rachelle, c'est aussi une sorte de protestants, dit Abigail.

— Comment ça ? fit Bob.

— Les non-conformistes, Bob, ce sont les protestants qui n'obéissent à aucune doctrine.

— Et les congrégationalistes comme Asa Meech, professeur ? demanda Constance.

— Ce sont des non-conformistes comme Bob, dit François Desjardins en riant.

— Penses-y, Constance, Asa a eu trois femmes.

— J'espère que ça ne te donne pas des idées, Bob Vaillant ? ronchonna Rachelle Ouimet.

— Une femme, c'est assez, mon colibri.

— Tu as de la méthode, Bob, et les méthodistes, reprit François Desjardins, pince-sans-rire, habitaient le long de la Grande Rivière.

— Ils y habitent toujours, j'en suis un, fit Jeff Verner.

— Méthodiste, toi, Verner ? dit la petite Constance, la tête allongée comme un bull terrier.

— Méthodiste et fier de l'être. Je fais partie de L'Église unie du Canada, formée de méthodistes, de congrégationalistes et de presbytériens.

— Ces derniers sont d'ascendance écossaise, dit Abigail Meers.

— Comme les buses à queue rousse ? demanda Bob.

Cette saillie rassura momentanément Vincent, qui se sentait perdu dans ce cocktail protestant.

Lorsque les avanceurs et les rattrapeurs arrivèrent à la marina d'Aylmer, vers six heures du soir, tout le monde, même Vincent, courut sur la plage, entraîné par la savoureuse voix de Bob qui disait : « Tous dans le lac Deschênes ! »

44

Heureusement pour Vincent, il n'y avait aucun risque à courir, puisqu'il fallait faire plus de trois cents pieds avant d'avoir de l'eau par-dessus la tête. En revanche, la joie de se rafraîchir dans les eaux du lac qui, en fait, est un élargissement de la rivière des Outaouais, fut assombrie par la cour incessante que Jeff Verner et Jim McConnery firent à Abigail Meers. Vincent ne retrouva pas cet instant de grâce qu'il avait connu à la chute de Luskville, quand Abigail avait accepté avec une souveraine délicatesse la jolie fleur des bois.

Après le bain, François Desjardins amena son groupe dans le parc de l'Imaginaire, près de la maison Symmes. Là, les avanceurs et les rattrapeurs soupèrent. Là, aussi, ils apprirent qu'Aylmer avait son importance dans l'histoire de Hull, puisque celle-ci était née d'un coup de tête du neveu de Philemon Wright, Charles Symmes. Ce dernier, devant l'intransigeance de Philemon à ne céder aucun terrain, s'était chicané avec son oncle et avait fait bande à part. Il était allé chercher un royaume à l'ouest des Wright, inspiré par les idées du grand géographe Joseph Bouchette.

Le lac Deschênes, qui avaient été autrefois le théâtre d'une grande navigation à vapeur quand les bateaux partaient de l'hôtel Symmes pour se rendre aux rapides des Chats, fut cette fois le lieu d'un théâtre animé par un groupe d'avanceurs et de rattrapeurs bien décidé à demander des comptes à l'histoire.

Jeff Verner, qui voulait en mettre plein la vue à Abigail Meers pour la séduire, partit le bal.

— C'est chez nous, ici, commença-t-il. Le 27 août 1820, Lord Dalhousie...

— Comme la rue Dalhousie ? dit Bob.

— Oui.

— *My Lord* ! s'exclama l'athlète en riant.

— Lord Dalhousie et sa comtesse vinrent ici. Ils se rendirent même jusqu'aux rapides des Chats. Ils y rencontrèrent C. Sheriff, le fermier de la place.

— Le fermier ou le shérif ? demanda Benoît Lapointe.

— Le fondateur.

— Mon œil, dit Mathieu Couture. C'est Joseph Mondion, le fondateur. Il était aux rapides des Chats bien avant ton Sherrif.

— Puis moi, j'étais là bien avant eux! dit Aurélie Concalvez.

— Toi, l'Indienne, tais-toi. Je suis chez nous ici, reprit Jeff Verner.

— Qu'est-ce que t'as dit ? fit le grand Albert, qui s'était dressé sur ses jambes comme un bouvier des Flandres.

— Le *fun* est pris, fit Bob.

Jeff s'était levé, lui aussi. Mais comme un coq écossais. Mathieu, lui, comme un coq bandy.

— Le Dr John Bigsby, en 1821, dit Jeff, fit un repas mémorable, ici même, devant le lac Deschênes.

— Je suppose que tu vas nous dire qu'il a pris « des vins de Porto et de Madère, du brandy, du rhum, de la saucisse, des œufs, une immense tarte de veau et de faisan, du rosbif froid, du bœuf salé, des jambons, des queues de castor... », hein ?

— C'est mieux que ma sandwich au beurre de « peanut », ça, dit Bob.

— Tu vois que je sais lire aussi, Jeff Verner, dit Mathieu Couture. T'as lu ça dans Boutet.

— J'ai rien dit encore.

— Laisse faire, Verner, je le sais que tu vas nous dire que ton Bigsby était médecin, géologue, botaniste et tout le reste, et qu'il a décrit les rapides des Chats en écrivant qu'à l'exception des chutes Niagara, « nous avions là devant nous le plus beau torrent d'eau que j'ai vu en Amérique ».

— Il a aussi écrit : « Je m'estimerais heureux s'il m'était donné de finir mes jours dans le murmure des rapides des Chats. » Je suis chez nous ici ! répéta Jeff Verner.

— On le sait que tu es chez vous, dit Constance, mais c'est chez nous aussi.

— Vous autres, les Anglais, vous prenez possession de tout ce que vous voyez, fit Rachelle.

— Ils ont la panse encore plus grande que les yeux, ajouta Mathieu.

— Charles Symmes s'établit le premier à Aylmer, en 1816, dit Jeff.

— Un franc-maçon, répliqua Mathieu.

— Qu'est-ce que t'as contre les francs-maçons, toi ? fit Jim, menaçant.

— Une gang d'occultes !

— C'est mieux qu'une gang d'incultes, répondit Jeff.

— Et clac, dans les dents, mon adjudant, dit Bob.

— Écoute bien, mon « Veurneux », veux-tu insinuer qu'on est des sans-dessein ? dit le grand Albert.

— 1823 ? demanda Verner.

— L'église anglicane à Aylmer, répondit Couture.

— 1830 ?

— Le nom d'Aylmer. Comme tes ancêtres manquaient d'imagination, ils ont emprunté le nom du Gouverneur général du Bas-Canada.

— On manque d'imagination, tu dis ?

— Oui, puis pas seulement de ça. Vous manquez de mémoire.

— « Je me souviens », dit Bob.

— Nous autres aussi, fit Abigail.

— 1832 ? dit Mathieu.

— Le *Lady Colborne*, premier bateau à vapeur construit ici même par le capitaine Grant.

— 1836 ?

— Le *George Buchanan*, répondit toujours Abigail. Elle ajouta : « 1840 ? »

— Je suppose que t'aimerais que je te réponde l'*Emerald* et l'*Oregon*, deux autres vapeurs, mais je vais faire mieux que ça, ma petite Anglaise. 1840 est la date mémorable de l'implantation des catholiques dans ce faubourg de Hull.

— Faubourg de Hull, que tu dis ! cingla Jeff. Tu sauras, le souverainiste, qu'en 1842, une première cour de justice se tient à Aylmer, et que, dès 1845, les avocats et les juges de ton « Hull » doivent venir plaider au palais de justice d'Aylmer, car Aylmer devient le centre juridique du comté de Hull.

— Pas le palais de justice « Jos-Montferrand » ? demanda Bruno en toute candeur.

Jeff Verner ne répondit pas à Bruno, mais continua sur sa lancée :

— Aylmer, FAUBOURG DE HULL, dis-tu ? Il y en a, ici, qui n'ont pas le sens des réalités historiques. Sache, Mathieu Couture, que les Taylor, Egan, Symmes, Wadsworth, Beaudry...

— Pas l'ancêtre de celui qui gouverne la Commission de la capitale nationale ? intervint Bob.

— Foran, Edey, Conroy, continua Jeff, faisaient parti du conseil d'Aylmer au moment de l'établissement d'un péage entre Hull et Aylmer. Alors, il faut avoir un certain culot pour parler d'Aylmer comme du FAUBOURG DE HULL.

— Péage, hein, as-tu dit ? Et c'est toi qui me traites de séparatiste, Verner !

— 1850 ? demanda le professeur d'une voix très forte.

Il ne laissa pas le temps à ses élèves de répondre. Il donna lui même la réponse.

—1850, mes petits amis, c'est l'inauguration du nouveau « Chemin d'Aylmer » reliant Aylmer à Hull que nous allons prendre immédiatement.

45

Les avanceurs et les rattrapeurs suivirent pendant un certain temps le fameux Chemin d'Aylmer, puis ils s'engagèrent sur la piste cyclable qui longe la Grande Rivière, histoire de refroidir leurs sangs. Vincent Rossignol eut beau vouloir suivre Abigail, Jeff Verner et Jim McConnery manœuvrèrent de manière à lui barrer la route. Heureusement, le parcours enchanteur qui longe l'Outaouais ramena temporairement le calme dans le groupe. Lorsqu'ils arrivèrent au pont rouge qui traverse un paysage ténébreux et marécageux dont la scénographie fantastique est digne de l'imagination de Pœ, ils le passèrent en silence à la queue leu leu. Chacun fit un désir. L'endroit qui est déjà ténébreux en plein midi, leur sembla encore plus magique dans le silence piqueté par le croassement des grenouilles. Plus loin, près des rapides Deschênes, le professeur ordonna qu'on mit pied à terre. Il n'essuya aucun refus. Les rattrapeurs comme les avanceurs étaient contents de prendre un peu de repos.

— Je vais vous faire une confidence, dit le professeur.

— Pas une autre ! dit Pedro en riant.

— Vous venez plus de Maniwaki, fit Bruno, inquiet.

— Non, il vient de Farm Point, dit Bob, gouailleur.

— Rassure-toi, Bruno, je suis Maniwakien d'origine, Hullois de cœur, et ...

— Outaouais d'esprit, suggéra Constance.

— Tu m'arraches les mots de la bouche, jeune fille... Mais trêve de plaisanterie, je tiens à vous dire que c'est la plus belle excursion qu'il m'ait été donné de faire avec un groupe d'étudiants. Aussi, pour vous remercier toutes et tous, j'ai quelques annonces à vous communiquer. Premièrement : l'examen oral aura lieu mercredi prochain de dix heures à quatorze heures.

— Pas un examen oral ! fit Bruno.

— C'est tout un remerciement que tu nous fais là, François, dit Rachelle Ouimet.

— Comment ça, de dix heures à quatorze heures ? Pourquoi pas de midi à quatorze heures tant qu'à y être, plaisanta Bob.

— Un examen oral de vingt minutes chacun.

— Vous pigerez un sujet dans un chapeau.

— C'est toute une confidence, dit Pedro. Y a-t-il autre chose ?

— Ne nous dites pas que notre exposé aura lieu le vendredi suivant, on le sait déjà, s'écria Benoît Lapointe.

— Je sais que vous le savez. Mais ce que vous ne savez pas et que je sais, c'est que mercredi après-midi, après votre examen, nous allons tous prendre le train.

— Hein ? firent-ils tous en chœur.

— Pour Wakefield.

— Pas le petit train de la Gatineau ?

— Le train du maire Ducharme ? ajouta Aurélie.

— Et c'est moi qui paye. T'amèneras ta guitare, Pedro.

— Maudit que t'es fin, François, quand tu veux, dit Rachelle. La gaieté était revenue.

— Pedro ! dit le professeur.

— Quoi ?

— Sors ton guide et lis la page quatre.

— Pas à l'envers, Pedro, à l'endroit! prévint Bob.

Or Pedro lut admirablement. Il est vrai que le texte de la page quatre intitulé « Une page d'histoire en Outaouais » complétait à merveille la journée que la classe de François Desjardins venait de vivre. Les avanceurs et les rattrapeurs comprenaient encore mieux que la très grande région de Hull était

un territoire où se marient les paysages contrastés, où la tranquille assurance des montagnes mille fois millénaires

assiste aux égarements d'un réseau hydrographique tour-
menté et à la course de la vallée de l'Outaouais qui s'étire tel
un trop étroit ruban de terre.

Mais il aurait été surprenant que Pedro put lire les vingt-trois lignes de cette page du guide touristique sans qu'on ne l'interrompît. Quelques instants plus tard :

— T'as sauté un bout, Pedro Da Silva. Et ce bout-là me concernait plus particulièrement, dit soudain Aurélie Concalvez. Relis.

En effet, Pedro, pressé d'arriver à la fin, avait sauté le passage sur les ancêtres des Amérindiens. Il reprit donc sa lecture avec une tendresse toute particulière pour Aurélie, ce qui déplut au grand Guertin.

— Tu ronronnes un peu trop à mon goût. C'est-tu clair, le Portugais ? dit le grand Albert.

— Qu'est-ce que t'as contre les Portugais, toi, ma belle grande police. As-tu oublié que j'en étais une aussi.

— Qu'est-ce que je fais, professeur ? demanda Pedro.

— Le professeur te dit de continué, fit Bob, en allumant sa lampe de poche et en l'approchant du texte de Pedro.

— Que plus personne ne m'interrompe cette fois, dit le Portuguais.

Mais peine perdue, car eut-il aussitôt évoqué l'arrivée des Européens et l'appauvrissement des ressources fauniques que Jeff Verner éclata :

— Ca, c'est vous autres, la gang de Français, qui avez fait ça !

— Jeff, veux-tu te taire ! dit François Desjardins. Continue, Pedro.

Dans les années suivantes, ce sera l'image même de
l'Outaouais qui se métamorphosera. D'abord tomberont les
grands pins et les plaines se quadrilleront de clôtures.

— Philemon Wright et sa gang ! dit Mathieu Couture.

— Mais allez-vous laisser Pedro lire jusqu'à la fin ? dit le professeur. Continue.

> *Puis seront harnachées les rivières et se soustrairont au regard des chutes jusque-là qualifiées d'exceptionnelles.*

— La gang à Eddy et à Booth ! ajouta Benoît Lapointe.

> *Au même moment seront extirpées des entrailles du sol des richesses enfouies depuis toujours.*

— Un autre gang d'Anglais ! dit Mathieu Couture.

— Continue, Pedro, souffla Bob à son oreille.

> *Enfin, se profileront à l'horizon des tours de verre et de béton cherchant, dans le paysage, à concurrencer la montagne. Autant de transformations qui correspondent à autant de phases socio-économiques de l'histoire de l'Outaouais, une histoire rythmée en quatre temps...*

— Tu me le dis que c'est une histoire « rythmée en quatre temps » ! dit Bob moqueur.

— Maudit, Pedro, que tu lis bien, dit Constance.

— On a jamais dit le contraire, fit Bruno, agacé par le compliment de sa Constance à un autre.

— Je sais pas si ça aurait été aussi beau si tu l'avais lu à l'envers, Pedro ? dit Bob.

— À l'envers ou à l'endroit, Bob Vaillant, ce texte a été écrit par Chad Gaffield, un Anglais, répliqua Abigail.

Jeff et Jim dressèrent la tête comme des bulldogs.

Les avanceurs comme les rattrapeurs eurent bien de la difficulté à remonter en selle. Mais ils tinrent tout de même le coup jusqu'au collège. Presque tous remisèrent leur bicyclette dans le gymnase, François Desjardins s'étant proposé avec Bob, Abigail et Bruno pour aller les reconduire à cause de la noirceur. Seul Vincent Rossignol déclina l'offre. Il prit la direction de la piste du Mont-Bleu non sans avoir souhaité, cependant, une bonne nuit à ses camarades, en particulier à Abigail, à qui il donna une poignée de main vive qui trahissait l'immense impression que lui faisait la jeune fille. Jim et Jeff furent bien heureux de monter seuls dans la voiture d'Abigail.

Quand Vincent Rossignol arriva chez lui, tard ce soir-là, sa mère l'attendait dehors, inquiète. Elle courut vers son fils pour l'embrasser.

— Ça été la plus belle randonnée de ma vie, maman. Connais-tu la fleur blanche de Luskville ?

— Non, mon chéri.

— Elle s'appelle Abigail.

La journée avait été déterminante. Vincent se sentait une énergie incroyable. Le parcours des collines l'avait placé en état de germination. Hull coulait dans ses veines. Plus rien de cette ville ne lui paraissait figé. Tout, depuis les fossiles antédiluviens jusqu'à l'alsphate de la rue Principale, remuait en lui comme un goût de vivre et d'apprendre, une pulsion de raconter, un désir d'aimer. Deneb, Véga et Altaïr brûlaient amoureusement dans la nuit de Hull quand Vincent Rossignol s'endormit.

QUATORZIÈME PARTIE

La communion

46

Très tôt, Vincent scrutait le *Dallaire* que sa mère lui avait offert. Il se sentait énergisé. On aurait dit que la jeunesse du peintre coulait dans ses veines. Il avait le goût lui aussi de s'exprimer. La vivacité des œuvres reproduites lui indiquait la féconde aventure de l'art, cette liberté de l'esprit, l'heureuse faculté de l'artiste à prendre la clé des champs et à refaire le réel. À l'aube, donc, Vincent Rossignol tournait les pages du *Dallaire* de Guy Robert et il avait l'impression de faire une belle excursion, cette fois à travers les formes. Il passa ainsi des instants magiques à voyager dans les tableaux du peintre hullois, de la désinvolture de son premier *Autoportrait* à *L'ange dernier* en passant par sa grande peinture historique de *Québec sous le régime français*, son *Cadet Roussel avait trois maisons* et, surtout, sa *Daphné*, cette nymphe aimée d'Apollon, le dieu de la lumière. Le soleil jetait ses rayons fraternels sur la tour Port-de-plaisance quand Vincent décida de quitter l'appartement pour se rendre à un lieu qu'il lui tenait à cœur.

Il était à peine huit heures lorsque le portier du Collège des Dominicains vint ouvrir à un jeune homme à vélo qui demandait à voir le père archiviste.

— Heureusement pour vous, mon jeune ami, notre archiviste est aussi matinal que vous. Entrez votre bicyclette et laissez-la dans mon bureau. Cela sera plus prudent. J'appelle le père.

Quelques minutes plus tard, une vieille tête joyeuse apparaissait dans le parloir.

— Je l'ai, dit-il à Vincent en guise de bienvenue.

— Vous l'avez, fit Vincent le cœur gai.

— Tenez, la voici. Cette fois, c'est la bonne clé.

En effet, la vieille porte au vasistas du cinquième étage s'ouvrit toute grande, comme le cœur de Vincent Rossignol lorsqu'il vit le *Crucifié* de Dallaire. Ce fut le coup de foudre. Ce *Crucifié* était cloué sur une croix faite de deux billots semblables à ceux qu'on retrouvait dans les cours à bois de Hull. Le poteau vertical était une véritable bille de bois. Le sang dégoulinait sur les pieds du Christ et tachait le bas du billot dont l'écorce était arrachée. La partie transversale de la croix était une poutre qui semblait avoir été équarrie par un raftsman. Notre Seigneur avait les bras étirés. Deux gros clous étaient plantés dans les poignets. On pouvait discerner la rondeur de la bille verticale à la jonction de la poutre transversale. La tête du Christ était barbue, mais cette tête était extraordinairement jeune. Les yeux du Seigneur regardaient à droite. Des marques de blessures striaient ses avant-bras. Le linge qui lui ceignait les hanches était légèrement mauve. Quelques taches de sang le maculaient çà et là. Les pieds étaient affreusement suppliciés. Le sang les sillonnait et la douleur les crevassait. On aurait dit deux immenses souffrances. Le fond de la toile était piqueté de taches rectangulaires. Elles étaient blanches et grises sur un fond verdâtre. Tout le corps était enrosé par le sang. Et la couronne d'épine donnait à Notre Seigneur un air punk.

Vincent Rossignol l'avait enfin devant lui, le Christ de Dallaire, et ce Christ avait son âge. L'âge de ses camarades. Cela aurait pu être tout autant Bob ou Albert, Mathieu ou Benoît, Bruno ou Pedro, Jeff ou Jim, cela aurait pu être lui ou n'importe quel autre Hullois de leur âge.

Notre Seigneur avait une tête de l'an 2000. L'incarnation. Un Christ concret qui se levait à cinq heures pour aller bûcher les concessions de Gilmore, celle des Booth ou celle des Eddy, un

Le Crucifié

Ce *Crucifié* était cloué sur une croix faite de deux billots semblables
à ceux qu'on retrouvait dans les cours à bois de Hull.

[Jean Dallaire, *Le Crucifié*, 1938, Collection Collège dominicain.
© Jean Dallaire / SODRAC (Montréal) 1999.]

Christ travaillant de six heures du matin à six heures du soir à la
Canada Match, à l'Iron Steel, à la Weston, un Christ de *freight* du
CP et du CN, un Christ d'abattoir, un Christ de Canada Cement,
un Christ de demi-lot et de maison allumette, un Christ d'allu-
metterie et d'allumettières qui avait l'âge de Rachelle et d'Aurélie,
de Constance et d'Abigail, un Christ de « phossyjaw » et de doigts
coupés, de bouche coulante et de mains brûlées.

Vincent Rossignol resta dans le capharnaüm du cinquième
étage du Collège dominicain pendant plus de deux heures. Lorsqu'il en redescendit, l'émotion l'étreignait toujours. Il reprit son
vélo et il retourna lentement vers Hull en empruntant le pont des
Chaudières. Mais quand il croisa la rue Principale, une force
qu'il n'aurait su définir avec précision le fit tourner à droite.

La rue Principale était calme, seules quelques automobiles
étaient stationnées devant l'église St. James. Du chant choral
sortait des fenêtres de l'église comme une flopée de papillons
sonores. Vincent passa et repassa plusieurs fois devant le sanctuaire anglican, puis, décidé, il appuya son vélo contre les vieilles
pierres du mur de la façade et entra dans l'église. La grande nef
était vide. La petite communauté était debout dans le chœur. Elle
se préparait à l'offertoire. Vincent s'assit discrètement dans le
dernier banc, comme un païen. Depuis le temps qu'il avait
entendu parler de cette première église de Hull, mais surtout
depuis le temps qu'il savait que c'était la demeure sacrée
d'Abigail, enfin, il osait y entrer. Il chercha sa fleur de Luksville
du regard. Elle était là et elle lui faisait dos. Lorsqu'il l'aperçut,
son cœur s'éleva comme le Christ du magnifique vitrail qui sur-
plombait les fidèles placés en cercle autour du célébrant. Ce vitrail
représentait l'ascension de Notre Seigneur. Le Christ crucifié,
qu'il avait quitté rue Empress au Collège dominicain, s'élevait
maintenant dans l'anglicane lumière outaouaise. En quelques
heures à peine, Vincent passait de la Crucifixion à la
Résurrection. Soudain, l'officiant lui fit signe de venir lui aussi
dans le chœur. Il ne bougea pas. Tous les fidèles qui lui faisaient

dos se retournèrent. L'une d'entre eux rompit le cercle et marcha
d'un pas altier vers lui. Le cœur du jeune homme battait comme
celui du crucifié lorsqu'Abigail Meers lui tendit sa main en disant :

— Joins-toi à nous, Vincent.

Les deux jeunes personnes marchèrent vers le chœur où les
attendaient les orants. Il y avait là des vieux hommes mais aussi
de jeunes enfants avec leur mère. Au moment du Notre Père, tous
se donnèrent la main. Abigail donna la sienne à Vincent qui, lui,
tendit l'autre vers une petite fille noire au sourire ensoleillé.
Vincent Rossignol goûtait profondément à une douce allégresse.
Quand la communion arriva, le prêtre remis une hostie à chacun
des paroissiens. Vincent la reçut avec dignité. Il la posa dans sa
bouche en fermant ses yeux. Quand il les rouvrit, il s'aperçut que
tout le monde, sauf lui, tenait encore l'hostie dans la main.
Abigail lui sourit. Elle fit un signe de tête à Vincent en lui disant
de regarder le célébrant qui faisait de nouveau le tour de l'assemblée, cette fois avec le calice dans lequel chaque fidèle trempa son
hostie. Lorsque le prêtre arriva à Vincent, le jeune homme fut
bien embêté de ne pouvoir lui aussi tremper la sienne qu'il avait
déjà avalée. Mais le prêtre s'arrêta, essuya le calice avec un linge
et présenta la sainte coupe à ses lèvres. Le rattrapeur de la
classe d'histoire les mouilla sous le regard lumineux de la belle
Abigail.

Quand la messe fut terminée, les fidèles vinrent spontanément serrer la main de Vincent Rossignol. Lorsque vint enfin le
tour d'Abigail, celle-ci, contrairement aux autres, garda sa main
dans celle du jeune homme et, ainsi, alla le reconduire vers le
porche de l'église non sans lui avoir auparavant fait faire le tour
de son sanctuaire pour montrer à son camarade de classe, pour
qui elle éprouvait plus qu'une amitié de collégienne, les splendeurs de son lieu de recueillement. Elle lui parla du révérend
Amos Ansley, le premier curé de St. James, qui devait couvrir les
cantons de Hull, d'Onslow, de Gloucester, de Lochaber, enfin
tout le territoire de l'Outaouais québécois et ontarien, et du

révérend Burwell qui avait baptisé, semble-t-il, beaucoup de monde. Elle lui montra des registres et des lettres, dont celles des Wright. Elle lui expliqua le sens de la truelle d'argent exposée sur le mur du fond, une truelle franc-maçonne. Elle lui parla même du rôle des femmes dans sa communauté, des nombreuses collectes de fonds qu'elles avaient faites pour la réfection de l'église, de l'école du dimanche, des corvées en temps de guerre, tout cela sans retirer une seule fois sa main de celle du jeune homme.

Le vélo de Vincent était toujours là, même s'il ne l'avait pas cadenassé.

— Je dois me rendre au musée des civilisations, tu marches un peu avec moi, dit Abigail.

— Bien sûr, répondit Vincent, en rougissant.

— Nous allons prendre la piste cyclable.

Ils marchèrent jusqu'à la rue Laval, puis descendirent en direction du pont du Portage. Ils traversèrent le boulevard Maisonneuve et prirent lentement la piste cyclable. Vincent tenait son vélo de la main gauche, Abigail, elle, la main droite de son camarade. Le gaucher Vincent Rossignol était devenu droitier. Il n'osait pas tourner sa tête vers la jeune fille de peur de briser le charme exceptionnel de cette marche. À leur droite, la Grande Rivière accompagnait solennellement ce pas de deux affectueux où l'univers fait la divine part au non-dit. Ce n'est seulement que lorsqu'il débouchèrent près de la tour que Vincent appelait maintenant son campanile qu'Abigail brisa le silence :

— Ici, c'est le parc Laurier. Nous marchons sur un site qui a toujours été habité. Tiens voilà Jeff, Jim et Pedro, dit-elle. Nous nous étions donné rendez-vous ici pour notre travail. Nous allons au cinéma Imax voir *Chronos*.

— *Chronos*, le film de Ron Fricke ? dit Vincent.

— Tu connais ?

— Stonenge, Karnak, Luxor, Athènes, Pompéi...

— Ne le dis pas à personne, mais on veut s'en servir dans notre exposé. Tu veux venir le voir avec nous ? demanda Abigail.

Vincent hésita pendant un long moment, il voyait Jeff, Jim et Pedro.

— C'est très gentil de m'inviter, mais... moi aussi, j'ai un exposé à préparer.

Vincent Rossignol avait eu toutes les difficultés du monde à refuser ce plaisir de se trouver assis aux côtés de sa blanche fleur de Luskville sur les banquettes confortables du célèbre amphithéâtre du musée des civilisations. En revanche, l'arrivée intempestive de Jeff, Jim et Pedro l'avait aidé à prendre sa décision.

QUINZIÈME PARTIE

Le funambule

47

« Comment se portent vos derrières, ce matin ? » demanda joyeusement François Desjardins, dès la première minute du cours du lundi matin.

— En fleurs, dit Rachelle.

— Tu veux dire en choux-fleurs, mon colibri, ma rose sauvage ?

— Bob Vaillant ! fit Rachelle, insultée.

— Entre, Vincent, dit le professeur.

Les avanceurs et les rattrapeurs applaudirent le retardataire.

— Tu n'as plus ta planche à roulettes ?

— Je suis venu à vélo.

— Et ton cul, ça va ? dit Bob.

Vincent Rossignol rougit. Il n'osa pas regarder la belle Abigail. Mais il se permit tout de même un mot d'esprit.

— Il est frais comme une rose... sauvage, Bob !

Les avanceurs et les rattrapeurs applaudirent à nouveau, à l'exception de Rachelle et de Bob, qui aurait bien voulu le faire lui aussi, mais il était en garde à vue, surveillé par son colibri.

— Mes enfants, ce matin nous allons aborder un sujet extraordinaire : « La Révolution tranquille »!

— Ouais ! firent Mathieu, Benoît et Constance.

Bruno Langevin, Pedro Da Silva, Aurélie Concalvez et Albert Guertin, eux, ouvrirent les yeux grands. Jeff Verner, Jim

McConnery et Abigail Meers se placèrent la tête droite. Vincent, lui, regardait Abigail, Bob, son colibri.

— Vous aurez votre après-midi pour peaufiner vos exposés de vendredi prochain. Ici même, au collège, s'entend.

— On a compris, firent-ils tous en chœur.

— Qu'est-ce que la Révolution tranquille ?

Mathieu Couture voulut répondre, mais François Desjardins lui fit rapidement comprendre que sa question était avant tout rhétorique. C'était en quelque sorte son entrée en matière.

L'exposé qui suivit fut de haute voltige. François Desjardins aurait marché sur un fil de fer au-dessus des Chaudières, comme l'avait fait Signor Farini, un acrobate italien, le 9 septembre 1864, que cela n'aurait pas suscité plus vif intérêt. Certes, il n'avait pas treize mille spectateurs ou presque pour assister à sa performance, comme cela avait été le cas pour Signor Farini, mais treize avanceurs et rattrapeurs ravis par l'éloquence de leur maître et par son à-propos. Ils assistaient à un spectacle intellectuel. Leur professeur les initiait au vertige cérébral.

— Les mots « Révolution tranquille », dit-il, à un moment fiévreux de son funambulisme, portent en eux cette contradiction que la rhétorique classique désigne sous le nom d'oxymore.

— OXYMORE ? crièrent-ils tous, comme si François Desjardins, à la manière du Signor Farini sur son câble de « deux cents vingt-deux mètres », avait volontairement mais momentanément simulé une perte d'équilibre au-dessus du Trou du diable pour donner une émotion au spectateur.

— Une révolution ne peut pas être tranquille, mes amis, car la révolution est essentiellement transformation brutale, changement brusque, bascule d'un monde. Les révolutions américaine, française, russe se sont faites dans le sang. Le mot révolution implique brisure, cassure, éclatement. La révolution, ce n'est pas l'ouverture maximale des vannes, mais plutôt la rupture fracassante de la digue sous la trop forte pression des eaux. Rien de tel ne s'est produit dans ce que l'on appelle la « Révolution tranquille » québécoise. Pas de sang versé, pas de renversement de régime par la force, pas de tumulte, pas de grande chute...

— Comme celles du « Trou du diable », dit Constance.

— Comme tu dis, jeune fille, pas de grande chute comme aux Chaudières, mais, au contraire, la clarté, l'ordre, la planification, la domestication des contradictions. La Révolution tranquille n'est donc pas une brisure, c'est une continuité. Notre « Révolution tranquille », c'était en quelque sorte le passage de la ligne du risque.

— Comme celle de Pierre Vadeboncœur ? dit Mathieu Couture.

— Comme celle de Vadeboncœur qui écrit et je le cite de mémoire : « Une ligne, je le souhaite, divisera désormais notre petit monde ; ce sera celle de l'affirmation, la ligne du risque, la ligne du parti net, la ligne de la réponse sans ambages. » C'est là sans doute, dans l'horizon de ce texte majeur de l'essai québécois, qu'il faut placer l'émergence épistémologique de la Révolution tranquille.

— Maudit que tu parles bien, François ! dit Rachelle.

— Je n'y suis pour rien. C'est Vadeboncœur qu'il faut féliciter. Il écrit *La ligne du risque* en plein cœur des années 60. Il place ce texte dans l'interstice de cette fracture qu'a causée la parole fracassante du *Refus global*, quinze ans auparavant. Selon lui, entre la chute des Patriotes en 1837 et l'avènement du *Refus global* en 1948, le Canadien français s'est replié dans l'obéissance aux règlements et dans l'exécution des ordres, il a repoussé pour longtemps la révolte et il a enduré en silence l'envahisseur, bref, il s'est délibérément et consciemment aliéné. Le Canadien français était un homme paradoxal. Il appelait en lui les contraires auxquels il demandait de cœxister en harmonie. C'est par choix qu'il s'était aliéné. Ainsi en avait décidé son élite d'alors, le clergé.

— Est-ce à dire, professeur, qu'il existe dans notre histoire une « Aliénation lucide » comme il existe une « Révolution tranquille » ?

— Les différentes constitutions depuis l'Acte d'union, en 1840, rendent compte de cette volonté québécoise d'accepter dans sa logique intellectuelle un masochisme moral. Car qu'est-ce qu'un masochiste sinon celui qui accepte consciemment de s'assujettir ? Sans parler explicitement de masochisme, Pierre Vadeboncœur a pointé cette déviation de la raison du Canadien français qui, à force de plier, l'échine, en est venu à ne plus rien risquer. C'est sur ce fond de scène plutôt sombre et terne que montera le soleil Borduas dans l'une des plus belles aurores que la conscience québécoise ait connue. Depuis Vadeboncœur, plusieurs commentateurs de l'histoire politique du Québec ont fait intervenir l'astre Borduas.

— L'astre Borduas ! dit Mathieu Couture. Quelle image !

— L'astre Dallaire, ne put s'empêcher d'ajouter Vincent.

Abigail le regarda avec des yeux admiratifs.

— Oui, l'astre Dallaire, l'un des nôtres qu'on mettra beaucoup de temps avant de reconnaître, reprit le professeur enthousiaste. « On avait désaffecté la liberté de l'esprit ! Nous étions comme des enfants qu'un père autoritaire écrase : bientôt l'enfant perd jusqu'au désir de s'affirmer », écrit encore Vadeboncœur

— Mais il s'affirmera, dit Mathieu Couture, Borduas, le premier.

— Dallaire aussi, dit Vincent Rossignol.

— C'est de la même étoffe, enchaîna François Desjardins, inspiré. Comme les Gélinas, les Miron, les Dubé, les Groulx, les Perrault, les Carle, les Brault, les Tremblay. Comme Vadeboncœur qui disait, au sujet du grand peintre automatiste : « Borduas fut le premier à rompre radicalement. Sa rupture fut totale. Il ne rompit pas pour rompre ; il le fit pour être seul et sans témoin devant la vérité. Notre histoire spirituelle recommence à lui. Il a tout donné ce qu'il avait reçu. »

— Et notre histoire tout court, à nous, Hullois, commence au père Reboul, dit Mathieu Couture.

— À Philemon Wright ! répliqua Abigail.

— « Le choix d'une liberté, dans n'importe quelle direction, est toujours un haut exemple pour l'esprit », nous révèle *La ligne*

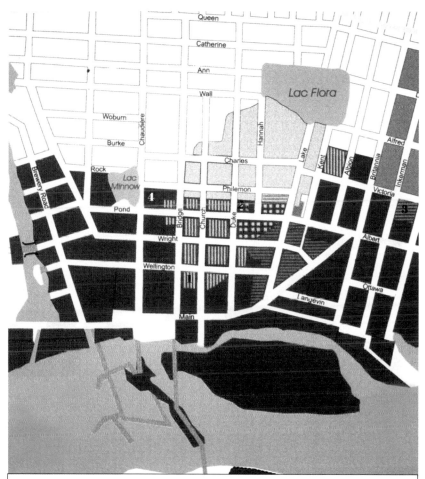

Le grand feu

Hull brûlait comme une hérétique cathare.

[Carte réalisée par Éric Bolduc, élève de François Lahaie. Collège de l'Outaouais. 1998.]

du risque, ajouta le professeur, stimulé par l'ardeur de ses avanceurs et des ses rattrapeurs.

— Dallaire a choisi la liberté, dit à nouveau Vincent Rossignol, l'œil allumé.

— Vive Dallaire ! dit Bob en souriant à Vincent.

— Hourra pour Dallaire ! reprit la classe en chœur, même Jeff et Jim.

— Vive aussi Jean Despréz ! dit Constance.

— Qui c'est ça ? demanda Bruno.

— La plus grande dramaturge hulloise.

— Jean, c'est pas un nom de femme ça.

— Je le sais. Son vrai nom c'était Laurette Larocque.

— Larocque comme toi ? dit Bruno tout fier.

— Larocque comme moi.

— Ne me dis pas que tu as un lien de parenté avec elle ? demanda Bruno, affectueux comme un gros saint-bernard.

— J'ai presque envie de te dire oui.

— Affirme-toi, lança Mathieu Couture.

— Oui, affirme-toi, cria Vincent.

Tous les rattrapeurs et les avanceurs se tournèrent vers lui, surpris mais en même temps heureux de voir avec quelle énergie le « retardataire », le silencieux, le taciturne, s'affirmait lui aussi. On aurait dit à ce moment qu'il était, lui aussi, un signataire du *Refus global*.

— Affirmez-vous comme les grands artistes que Hull a non seulement vu naître mais qui ont vu naître Hull, reprit Vincent.

— Donne-z-y la claque, mon Vincent.

— Affirmez-vous comme les grands comédiens, les Ernest Saint-Jean, les Léonard Beaulne, les Raoul Déziel, les René Provost, les Guy Provost, les Gilles Provost...

— De la même famille ?

— De la même famille, peut-être pas, mais de Hull, oui !

— Comme Yolande Leduc, la célèbre pédagogue de la danse, comme Antonio Desjardins, le grand poète oublié, comme Louis

LeBel, le romancier de *Magdal ou Ta vie sera ton châtiment*. Et
comme tous les héritiers du courage dans l'art, le peintre Guy
Lafortune, le sculpteur Luc Paris, le muraliste Daniel Riel, le
vidéaste Jean-Yves Vigneau, les musiciens Claude Bélisle et André
Massicotte, les poètes Serge Dion et Jean-Guy Paquin, les comé-
diennes Micheline Marin et Lucie Vigneault, les chanteurs Robert
Grégoire, Guy Perreault, Micheline Scott et Serge Taillefer, les
bâtisseurs André Couture, Gilles Gagné, Nicole Patry, Jacques
Poirier, Pierre Schnobb, les pédagogues Gaston Adam, Daniel
Bernard, les frères Calvé, Marc Carbonneau, Armand Ducharme,
Michel Lavoie, Paulette Rondeau, Claude St-Denis, Walston
Vachon, René Vianna, les archivistes comme Benoît Thériault, les
animateurs comme Jean Belleau, André Fortier et Marc Senécal,
les sportifs comme Robert Guertin, Hélène Grégoire et Albert
Cholette, le réalisateur Roger Lord et l'écrivain Jacques Michaud.

— Ces deux-là viennent d'Abitibi, fit remarquer Mathieu
Couture.

— C'est pas grave, on les aime quand même ! dit Bob.

— Hull, dans les années soixante, verra de grands boulever-
sements, enchaîna le professeur. Dans la foulée de la Révolution
tranquille, on rédige des rapports. On projette dans les officines
gouvernementales des plans de réaménagement du territoire. À
la Commission de la capitale nationale, une idée de l'urbaniste
Gréber, on répond par la commission Dorion, et voilà que naîtra
la Société d'aménagement de l'Outaouais d'Antoine Grégoire. Et
c'est grâce à des travailleurs comme les D'Amour, les Séguin, les
Rocheleau, les Légère que des tours de verre pousseront comme
des champignons à Hull. Hull n'a plus le vertige. Des milliers de
personnes viennent maintenant y travailler. Trente mille grim-
peurs y montent quotidiennement.

— Comme Spiderman ? dit Bob.

— Exagère pas, Bob, tu me donnes le vertige. Mais c'est
pourtant un véritable vertige. Car si l'on examine ce qu'est devenu
Hull depuis le *Refus global*, la population a doublé, celle de sa

voisine Aylmer de même. Quant à Gatineau, sa nouvelle rivale, elle a quintuplé. Pendant la Révolution tranquille, deux nouveaux ponts enjambent la Grande Rivière. Le pont Macdonald-Cartier...

— Cartier-Macdonald, reprit Mathieu Couture.

— Et le pont du Portage.

— Ça brasse de partout. Le fédéral a besoin de visibilité à Hull avec la fonction publique et le provincial a intérêt à faire de Hull la capitale de l'Outaouais.

— Les Anglais ont peur de nous perdre, ils nous envahissent, dit Mathieu Couture.

— C'est une façon de voir les choses, répondit le professeur.

— Comment ça, c'est une façon de voir les choses ? dit Abigail Meers. La pire de toutes. C'est un esprit de partage qui préside à ces transformations.

— Partage, mon œil, ma belle Anglaise.

— N'est-ce pas ton Wilfrid Laurier qui, déjà, à la fin du siècle dernier, désirait faire d'Ottawa-Hull la Washington du Nord ?

— D'abord, ce n'est pas mon Wilfrid Laurier comme tu dis, Abigail Meers, je n'ai jamais été libéral, mais que cet homme comme tu le supposes ait eu ce désir ne m'étonne pas. Moi je veux faire de Hull l'île de Malte du Québec, symbole de l'esprit d'entreprise et d'indépendance, symbole de résistance.

— À t'écouter, mon petit souverainiste, tu remplacerais l'étoile du blason de Hull par la croix de Malte.

— J'ai trop de respect pour ton étoile pour la remplacer. Je ne ferais qu'ajouter la croix.

— Dois-je prendre ça comme un compliment ?

— Prends-le comme tu voudras, mon Anglaise d'origine américaine. J'ai, moi aussi, dans ma famille des ancêtres qui ont sué sang et eau pour faire marcher l'industrie de la Nouvelle-Angleterre. Hull doit appartenir aux Hullois.

— Nous n'avons jamais dit le contraire, firent Jeff et Jim.

— Vous connaissez mal votre histoire.

— Parle pour toi, dit Abigail.

— Ah oui ! 1938 ?

Abigail fut prise au dépourvu. Elle rougit même. Vincent l'enveloppa d'un regard chaleureux. Mathieu Couture, lui, craillait maintenant comme une corneille.

— Eh bien je vais te le dire moi. C'est la date où la Commission du district fédéral commence à acheter des terres dans ce qui est aujourd'hui le parc de la Gatineau.

— Pas le parc qui t'a donné mal au... mon colibri.

— J't'avertis Bob, parle pas mal.

— Oui, Rachelle, le parc que tu as grimpé à vélo et qui t'as donné mal au... bref...

— Je te ferai remarquer, Mathieu Couture, que c'est aussi à cause d'un Français que le prolongement faunique et naturel de Hull qu'est le parc de la Gatineau est devenu propriété d'Ottawa. Ce n'est pas de ma faute moi, si Mackenzie King a suivi les conseils de l'urbaniste Jacques Gréber,

— Je te ferai savoir, Abigail Meers, qu'il n'y a pas de boulevard Gréber non plus à Hull.

— Non, mais il y en a un à Gatineau, dit Rachelle.

— Sur lequel il y a bien des clubs « d'oiseaux rares », mon colibri, dit Bob.

— Des clubs de danseuses ! fit Bruno.

— Dont la clientèle principale provient d'Ottawa, reprit le professeur. D'ailleurs, le rapport Gréber suggérait ni plus ni moins l'intégration de Hull dans le grand tout ottawen.

— Professeur, c'est quoi, exactement, le rapport Gréber ?

— Prenez tous votre *Gaffield* à la page 469.

— Ah non, dit Pedro. Il est trop pesant, ce livre-là.

— Justement, mon Pedro, tu vas le lire.

— Pas encore moi.

— Ça va y mettre du plomb dans la tête, dit Bob.

— Tu te trouves drôle ?

— Oui.

— Lis, Pedro.

Pour les parcs et les espaces verts, le rapport Gréber recommande plusieurs changements importants du côté du Québec : agrandissement du parc de la Gatineau, création de promenades entre Aylmer et Hull, enlèvement graduel de tout édifice industriel nuisible entre l'avenue Laurier et la berge de la rivière et « le rétablissement des îles de la Chaudière dans leur beauté sauvage primitive ».

— Ce qui s'est fait, dit Jim McConnery.
— En grande partie, en effet, répondit François Desjardins.
— Je vais continuer à lire, Pedro, dit Mathieu Couture.

Dans son rapport, Gréber reconnaît l'Outaouais comme partie intégrante de la capitale, mais avec des fonctions particulières. Le côté québécois de la rivière doit jouer un rôle minimal quant à l'emploi au gouvernement fédéral, mais un rôle maximal dans le domaine de la récréation.

Heureusement qu'il y aura des D'amour, des Séguin, des Rochelcau, des Légère et des Ducharme, ajouta Mathieu Couture.
— Et des Migneault, des Nadon et des Cholette, ajouta Benoît Lapointe.
— Heureusement aussi qu'il y aura la Révolution tranquille, ajouta le professeur.
— Et sa commission Dorion, poussa Benoît Lapointe.
— Et une compétition sans frein entre fédéralistes et souverainistes sur le territoire même de l'île de Hull, ajouta Constance Larocque alias Donalda Charron. Elle ajouta d'une bouche toute syndicaliste :
— Entre les événements d'octobre 70 et l'avènement du Gouvernement du Parti Québécois en 1976, tout un quartier d'ouvriers disparaîtra. Plus de mille maisons de l'île de Hull seront démolis, dans un souffle presque aussi ravageur que ne

l'avait été le grand incendie de 1900. Quatre mille personnes doivent être relocalisées.

— Quatre mille personnes ? s'exclama Aurélie Concalvez.

— Oui.

— Remplacées par trente mille fonctionnaires « spiderman », dit Bob.

— « Dans l'intérêt de l'unité nationale » ! ajouta ironiquement Mathieu Couture.

— En fait, et je conclurai avec ce point, reprit François Desjardins, la Révolution tranquille marque la fin de la prépondérance du secteur industriel dans Hull. La *Hull Iron and Steel Foundries* fermera ses portes, les manufactures de vêtements comme *Woods Manufacturing Co.*, *M. A. E. Hanson*, *S.S. Holden*, *Sparks Harrison*, ainsi que la *Canada Cement*...

— Une usine de prêt-à-porter, ça, je suppose ? dit Bob.

— J'adore tes arguments bétonnés, Bob Vaillant, répliqua le professeur. Le nouvel Hull, au sortir de la Révolution tranquille, c'est le tertiaire en chantier, le pas de deux forcé du fédéral et du provincial. Une danse du samedi soir qui aimerait pourtant virer en *set* carré comme le « Brandy » de Masham mieux connu sous le nom de « Frotti-frotillon ». Mais à se frotter seulement le vous savez quoi, la progéniture ne reste que virtuelle. Il faut, sans mauvais jeu de mots, une nouvelle « technologie de pointe ». Je vous laisse sur cette réflexion. Bon après-midi. Peaufinez, mes amis. J'ai tellement hâte d'entendre vos exposés, vendredi prochain.

SEIZIÈME PARTIE

Le grand feu

48

Pendant que le groupe d'Abigail allait vers l'audiovidéo-
thèque, que celui de Bob descendait au Café-Contraste, et que
Vincent partait pour la bibliothèque, Mathieu Couture, Benoît
Lapointe, Constance Larocque et Bruno Langevin se dirigèrent
sans tarder vers l'auditorium du collège où, déjà, ils avaient mis
en place sur la scène une chorégraphie peu banale. « Allumettes,
feu, gibet ! » tel était leur mot de passe pour leur exposé. Ils
avaient travaillé pendant toutes leurs heures disponibles à la mise
en place de ce que Mathieu Couture appelait : « Les trois grandes
attractions de Hull ». Elles l'étaient en effet. La stratégie de ce
groupe souverainiste reposait sur le concept de la « passion ».
Hull, pour eux, était combustible. C'était la ville de l'ardeur qui
se consume.

Leur chasse gardée était la scène de l'auditorium du collège.
Ils avaient travaillé d'arrache-pied pour que les objets de leur
spectacle, non seulement parlent, mais aussi offrent aux spectateurs la prégnance de l'histoire hulloise. La prégnance dans le
sens du mot anglais « pregnant ». Leur scène était enceinte de
toutes les bonnes volontés du monde. Mais elle était aussi un
immense laboratoire. Rien n'échappait à l'avanceur Couture. Il
avait tout lu sur Hull. Et particulièrement sur la chimie allumettière de cette ville. Il avait expliqué à ses camarades l'urgence
historique de faire entrer le « sesquisulfure » dans l'histoire du

patrimoine. Pour se faire une meilleure idée, il faut s'imaginer une immense scène sur laquelle trône un bac à sulfure, une carte gigantesque du Hull de l'an 1900 et une potence. La carte du groupe de Mathieu donnait une vue d'ensemble de Hull et d'une partie de la ville d'Ottawa depuis le pont des Chaudières jusqu'au Collège dominicain. La ville de Hull ressortait bien, en jaune. Leur carte de six mètres de haut sur douze mètres de large, faite de multiples cartes à l'échelle qu'ils avaient fait acheter aux services topographiques du Canada, était recouverte d'une pellicule ininflammable à l'exception de la zone du grand feu de 1900 recouverte, elle, d'une poudre inflammable. Comme ils avaient prévu deux essais, ils avaient acheté trois jeux de cartes à l'échelle, représentant la grande zone sinistrée. Un premier essai avait réussi. La carte géante rendait bien l'horreur incendiaire. Certes, cette carte avait de la gueule, mais un autre objet sur la scène en avait encore plus : la potence, en modèle réel, que Bruno Langevin, habile menuisier, avait pu reproduire grâce au plan que lui avait fourni Constance. Sa potence était surélevée de manière à ce que les spectateurs puissent voir aussi l'agonie de l'exécuté. Ainsi en avait décidé Mathieu Couture. La corde elle-même faisait peur. Mathieu avait tenu à ce qu'il y ait une véritable exécution. Mais comme personne ne s'était porté volontaire pour faire le pendu, il avait décidé d'être lui-même le condamné. Et quel condamné ! Pas le moindre. Louis Riel. Oh ! bien sûr, on lui avait objecté que Louis Riel n'était ni un Hullois ni même un pendu de Hull. Il avait rejeté les objections d'un revers de la main :

— Les Hullois l'ont beaucoup aimé et ils l'ont défendu. Vous lirez Boutet et Ouimet. La tête du grand chef métis, père du Manitoba, était mise à prix pour la mort de l'orangiste Thomas Scott. Comme il est élu député, Riel se rend à Ottawa, mais la police de l'Ontario, devenue folle de rage, veut à tout prix mettre le grappin sur le grand homme. Le docteur Joseph Beaudin, un digne Hullois, va le cacher chez lui. Cela se passe au printemps 1874.

— Oui mais pourquoi une potence ?

— Tout simplement, Bruno, parce qu'on l'a pendu.

— La potence comme symbole d'injustice, Bruno, dit Constance. Bien pensé, Mathieu.

— Et puis la potence pour faire d'une pierre deux coups.

— Comment ça ? fit Bruno.

— Pour donner une bonne idée à toute la classe de ce qu'a été la dernière exécution publique à Hull. Elle a eu lieu le vendredi 21 mars 1902.

— Qui est-ce qu'on a pendu ?

— Un dénommé Stanislas Lacroix.

— Un orangiste ?

— Non, celui-là, c'était plutôt un passionné. Double meurtre à Montebello. Il a tué sa femme et un vieillard qu'il soupçonnait d'être son amant.

Mathieu Couture tourna autour de la potence l'air ravi. Il est vrai que Bruno s'était surpassé dans le réalisme. Le gibet était rouge sang.

— Voilà ce qui s'appelle du beau travail, mon Jos. Tu vas voir que le professeur va en avoir pour son argent. T'as bien testé le harnais spécial, mon grand ?

— Inquiète-toi pas, tu vas avoir l'air d'un vrai pendu.

— « Allumettes, feu, gibet ! » On est prêt ?

— Oui ! firent Constance, Benoît et Bruno.

— Bruno, installe-moi le harnais. Benoît et Constance préparez-vous à allumer la carte.

Bruno passa la corde au cou de Mathieu, puis il mit la main sur le levier activant la trappe. Pendant ce temps, Benoît et Constance s'apprêtaient à manipuler précautionneusement le phosphore blanc. Ce corps simple et insoluble était tellement inflammable qu'il pouvait même prendre feu au contact de l'air. Ils attendaient l'ordre de Mathieu. Celui-ci vint, mais en même temps survint quelque chose qu'aucun membre de l'équipe n'avait prévu. La partie de la carte recouverte d'une pellicule ininflammable, contrairement au premier essai, se transforma en brasier qui projeta ses flammes sur les rideaux. Or, les rideaux touchaient à la potence. Quelle scène horrible ! Constance et Benoît se précipitèrent sur les seaux d'eau pour tenter d'éteindre le feu, le grand Bruno descendit à toute vitesse de la potence pour aller détacher le condamné Mathieu. Et pendant que la ville de Hull brûlait à nouveau sur la carte topographique, les alarmes-incendies se firent entendre dans tout le collège. François Desjardins et le reste des avanceurs et des rattrapeurs arrivèrent presque en même temps que les pompiers. Vincent Rossignol, Bob et Abigail se précipitèrent sur la scène. Hull brûlait comme une hérétique cathare. Le spectacle était ahurissant. Du petit lac Minnow aux scieries des Chaudières, tout n'était que flammes irruptives dans le hurlement des alarmes et des sirènes de pompiers. Mathieu Couture gesticulait comme un supplicié, criant à Bruno de faire vite. En effet, la potence rouge sang était devenue rouge flamme. Vincent Rossignol s'empara d'une hache à incendie et grimpa au sommet des rideaux. Debout en équilibre vertigineux comme un Signor Farini au-dessus du Trou du diable, il frappa de toutes ses forces sur les attaches du rideau afin que celui-ci tombe de manière à tuer la flamme. Pendant ce temps, l'état major du collège arrivait. Le feu était pris à la corde de Riel, de Stanislas, de Mathieu. Jeff et Jim allèrent prêter main-forte à Bruno et Bob. Enfin Mathieu Couture fut libéré.

Et si les troupes de la caserne Mont Bleu ne purent sauver le Hull de Mathieu Couture de la catastrophe, ils purent du moins circonscrire le feu de scène, et le collège s'en tira avec quelques dégâts mineurs. On ne prit pas de risques, cependant, on alla reconduire le pendu au Centre hospitalier des vallées de l'Outaouais. Le directeur général monta même avec lui dans l'ambulance. Heureusement, Mathieu avait eu plus de peur que de mal. En fait, des braises avaient roussi son toupet frondeur et marqué son cou. Mais il avait quand même subi tout un choc.

L'équipe de CHOT en profita pour faire un reportage. Bob Vaillant se porta volontaire pour résumer la situation. Il eut ce mot sublime.

— Louis Riel, messieurs, cette fois s'en sortira !

49

Le soir même, à l'hôpital où le médecin avait décidé de garder Mathieu sous observation pour la nuit, les avanceurs et les rattrapeurs accompagnaient leur professeur pour rendre visite au sinistré. Par chance, il y avait une chambre de libre. On l'avait donnée à Mathieu.

Le « pendu » reposait dans son lit. Il était à l'affût quand Constance Larocque et Bruno Langevin entrèrent, suivis de tous les autres. Il dit sans s'arrêter en guise de parole de bienvenue à ses visiteurs :

— Bienvenue dans la chambre 730 du Centre hospitalier des vallées de l'Outaouais, anciennement appelé Centre hospitalier régional de l'Outaouais, plus anciennement encore Hôpital du Sacré-Cœur, réclamé dès 1885, fondé en 1911 sous la mairie du docteur Archambault, et administré par les sœurs de la Providence au mois d'août de la même année. Quatorze lits au début, plus de deux cents maintenant. Du boulevard Laurier, on est passé au boulevard Gamelin en 1958. Ce boulevard est l'un des rares qui portent un nom de femme : mère Émilie Gamelin, fondatrice de l'ordre de ces religieuses infirmières. Le médecin m'a dit que je sortirai demain.

— Wo ! Wo ! fit Bob. Calme-toi, le pendu, l'examen oral, c'est juste après-demain. Content de te voir quand même, mon Mathieu.

— Tiens, ces fleurs-là, c'est pour toi, dit Constance. On s'est tous cotisés. Même Jeff et Jim ont contribué.

— Mets ça dans ta pipe, mon Louis Riel, c'est pas à tous les jours qu'un souverainiste reçoit des fleurs de loyalistes.

Mathieu était touché par ces marques d'affection, mais il retenait son émotion ou, plutôt, il la camouflait dans les méandres de la raison.

— Vous savez que cet hôpital accueille les stagiaires de l'un des meilleurs programmes de techniques infirmières du pays ?

— On le sait, dit le grand Albert. Tu pourrais même ajouter que ce sont les plus jolies étudiantes-infirmières du Québec.

— Flatteur, dirent Aurélie et Rachelle.

Aurélie Concalvez et Rachelle Ouimet étaient toutes deux inscrites en techniques infirmières au cégep.

Comme Mathieu allait continuer à disserter sur la santé à Hull, Abigail Meers coupa court en lui disant :

— Ton idée des allumettes, de la carte géante de Hull et de la potence était tout simplement géniale.

— Et fumante aussi, poursuivit Bob. Mais on a toujours eu de bons pompiers à Hull.

Bob Vaillant venait de prononcer le mot qu'il ne fallait pas, car Mathieu Couture, qui adorait les pompiers depuis son enfance, se lança dans une envolée dithyrambique où caserne, incendie et pompiers jaillirent de sa bouche comme un feu d'artifice. Il évoqua même la fameuse caserne de la rue Leduc qui, le soir du grand incendie de Hull, le 26 avril 1900, avait brûlé. « Mais tel un phœnix qui renaît de ses cendres, sur les lieux même de l'incendie fleurit aujourd'hui le centre culturel Jacques-Auger », dit Mathieu.

Le jaillissement de la parole de Mathieu Couture retombait encore comme une pluie de feu sur ses camarades quand une jolie infirmière entra dans la chambre 730 et dit à son patient.

— Il y a des policiers qui demandent à vous voir.

— Des policiers, fit Mathieu, inquiet. Faites-les entrer.

Quelle ne fut pas la surprise de voir entrer dans sa chambre les deux policiers qui les avaient arrêtés, lui et son groupe, sur le boulevard Cité-des-jeunes. Cette fois, les deux hommes avaient le sourire aux lèvres. Le plus jeune des deux portait un paquet dans sa main droite.

— On a appris la nouvelle à CHOT. Il ont montré ta carte de Hull et ta potence. Puis toi, entrant dans l'ambulance avec ton DG. On s'est dit, mon collègue et moi : « Mais c'est le jeune père

Reboul, ça ! » Ton discours nous avait pas mal impressionnés même si on ne l'avait pas laissé voir. Ça fait qu'on a pensé t'apporter quelque chose pour te dire que nous autres, dans la police, on a aussi le sens de l'histoire. Tiens, prend ce paquet. Ouvre-le.

Mathieu était tout intrigué. Les avanceurs et les rattrapeurs tout autant que lui.

— Qu'est-ce que t'attends pour l'ouvrir, ça te brûlera pas les mains, dit Bob.

Mathieu ouvrit et s'exclama :

— La nouvelle édition de *Une ville en flammes* de Raymond Ouimet ! Si vous saviez comme vous me faites plaisir.

— Ça, mon Mathieu, c'est ce qui s'appelle avoir de l'à-propos, dit Bob. Mets ça dans ta pipe. Mais brûle-toi pas.

Lorsque tous les visiteurs de la chambre 730 sortirent du Centre hospitalier des vallées de l'Outaouais, ce soir-là, une jeune Anglaise s'approcha de Vincent Rossignol et lui glissa à l'oreille :

— Lorsque je t'ai vu grimper pour aller détacher les rideaux aujourd'hui, j'ai eu peur pour toi, mais, en même temps, j'étais tellement fière. Tu seras du voyage en train, mercredi soir, n'est-ce pas ?

DIX-SEPTIÈME PARTIE

La potence

50

Le professeur François Desjardins sourit de toutes ses dents lorsqu'il vit entrer Mathieu Couture dans la classe, le mercredi matin.

— « Allumettes, feu, potence ! » dit-il à Mathieu d'une manière espiègle mais toute chaleureuse.

— T'as bien un beau chapeau, François, fit remarquer Rachelle Ouimet.

En effet, pour la circonstance, le professeur portait un joli chapeau en laine tressée par les Indiens des montagnes mexicaines.

— C'est un souvenir d'un lointain voyage que j'ai fait sur le pouce aux pays des Aztèques, leur dit-il. Il ajouta : « Je vais procéder maintenant à la grande cérémonie du chapeau. »

— Veux-tu dire que tu veux jouer à « si le chapeau te fait, mets-le donc » ? demanda Rachelle.

— Rassure-toi, ce chapeau-là va t'aller comme un gant, mon colibri, glissa affectueusement Bob.

— Pis à moi ? dit Jeff Verner.

— Je le sais pas, c'est un chapeau rond, puis toi tu as une tête...

— ... carrée, c'est ça que tu veux dire, hein, Bob Vaillant ? C'est ça ?

— T'es trop perspicace, toi, je ne te dis plus rien. À chaque fois, tu m'enlèves les mots de la bouche, fit Bob en riant.

— Mes amis, je devrai encore une fois vous demander de rester calme. C'est jour d'examen oral, aujourd'hui, et, dans quelques instants, je procéderai à la distribution des oiseaux du savoir.

— Qu'est-ce que tu dis là, François, pour l'amour du saint ciel ? fit Rachelle Ouimet.

— Regardez bien ce que je vais sortir de ma grosse valise.

Le professeur se pencha et tira d'abord un objet conique qui fit s'écrier Constance.

— Mais c'est pas un oiseau ça, c'est un sablier.

— Tu as raison jeune fille et je te dirai que ce sablier a une autonomie d'exactement mille deux cents secondes, pas une de moins, pas une de plus. Vingt minutes. Vingt minutes d'oral, ou, si tu préfères, vingt minutes d'envol.

— Et qu'est-ce qui arrive si on s'écrase, professeur ? demanda Pedro.

— Tu demandes à ton oiseau une autre question.

— Vas-tu nous les montrer, ces oiseaux, à la fin ?

— Certainement, les voici.

— Mais ils sont donc beaux, dirent les filles.

— Ils sont bien petits, constata le grand Albert.

— On dirait des colibris, fit Jeff.

— Comme la Rachelle de Bob, dit Jim McConnery.

— Je les ai achetés dans les Adirondacks, reprit le professeur.

— Ils sont empaillés, fit remarquer Bruno.

— Tu voudrais toujours bien pas qu'ils s'envolent avec nos questions ? dit la petite Constance.

— J'aimerais ça, fit Bruno, qui détestait à en mourir toute forme d'examen.

— Écoutez bien ce que je vais vous dire, maintenant. Chaque oiseau, qu'il soit moineau, jaseur des cèdres, paruline ou colibri, qu'il soit de couleur jade ou jaune ou rose ou bleue, cache sous son plumage deux questions. Si l'une ne vous fait pas lever, vous aurez une autre chance de décollage.

— Il me faut une longue piste, moi, professeur, je suis comme l'albatros.

— À pattes noires sans doute, Bob Vaillant ? cingla Jeff Verner.

— Ne vous inquiétez pas, ces variétés de petits oiseaux peuvent toutes décoller verticalement, dit le professeur, taquin. Ça grimpe vite, comme Rachelle.

— François !

— Quand est-ce qu'on pige ? demanda Constance.

— Immédiatement, répondit le professeur, qui plaça les oiseaux dans son chapeau.

— Mais Vincent Rossignol n'est pas encore arrivé, dit Abigail Meers, inquiète.

— J'ai treize oiseaux, Abigail ! Vincent aura le sien.

— On commence ? dit Constance.

— Oui, Constance... Les filles d'abord.

Rachelle, Aurélie, Constance et Abigail eurent l'embarras du choix. Rachelle porta son dévolu sur un joli colibri à plumes jade, Aurélie choisit un bleu, Constance s'amouracha d'une tête blanche, Abigail, elle, lova dans ses mains une belle paruline à tête rose. Quant vint le tour des garçons, ils ne prirent pas cent détours. La couleur et la forme importaient peu pourvu que les questions leur permettent de s'envoler avec de bons points. Vincent Rossignol arriva essoufflé au moment où Bruno Langevin hésitait entre les deux oiselets qui restaient. L'un était noir et l'autre blanc.

— Tu veux que je t'aide à faire ton choix, lui dit Vincent, en voyant tous les autres avec un oiseau à la main. Si tu veux, je peux bien prendre le noir, je ne suis pas superstitieux pour ce genre de chose.

— Très bien, Vincent, je prends le blanc.

— Vous trouverez votre question sous l'aile droite des oisillons.

— Moi, je suis gauchère, dit Aurélie.

— C'est la même chose. Ça n'a rien à voir avec les droitiers et les gauchers.

— Et l'autre question ?

— Elle est ailleurs dans l'oiseau. Seul je sais comment la trouver. Mais c'est seulement au cas où vous seriez dans l'impossibilité de répondre à la première. Il est neuf heures quinze. L'examen commence à dix heures. Je vous laisse le choix de l'ordre de l'audition. D'ici là, vous pouvez étudier.

— Est-ce qu'on peut s'échanger les questions ?

— Impossible. Chaque question porte la couleur de votre oiseau et j'ai noté l'oiseau que vous avez choisi. Par exemple le colibri jade de Rachelle, la tête rose d'Abigail et l'oiseau blanc de Bruno. Alors, étudiez.

Chacun des avanceurs et des rattrapeurs retourna à son pupitre. Le silence régna pendant quelques instants jusqu'à ce que, çà et là, fusent des « Oh, oui ! » des « Oui, oui, oui ! » des « Wé », et aussi, hélas ! des « Ah non ! »

En fait, il n'y avait que deux « Ah, non ! ». C'était ceux de Pedro Da Silva et de Bruno Langevin.

François Desjardins se leva et dit :

— J'attends le premier oralisé à la pergola à dix heures sans faute. Les autres se succéderont à chaque vingt minutes. C'est compris ?

— C'est compris, monsieur le professeur, firent-ils tous, à l'exception de Pedro et de Bruno.

51

Quand François Desjardins fut parti vers son bureau au demi-étage, Mathieu Couture alla devant la classe et prit les choses en main.

— Si je sais bien compter, il n'y en a que deux d'entre nous qui sont insatisfaits de leur question. Les autres, ça peut aller.

— Attends un peu, le *nerd*, c'est pas parce que tu m'as entendu dire « Oui oui oui ! » que ça va passer comme du beurre dans la poêle, dit le grand Albert Guertin.

— Qu'est-ce que t'as comme question ? lui demanda Mathieu.

— « Parlez-moi du règne de la police à l'époque d'Adrien Robert ».

— T'es bien chanceux, ma belle grande police, fit Aurélie, affectueuse.

— C'est un sujet que tu connais bien, tu passeras le deuxième juste après moi, reprit Mathieu. Comme ça, tu pourras aider Bruno.

— Et toi, Mathieu, qu'est-ce que t'as comme question ? demanda le grand Albert.

— « Quelles sont les grandes caractéristiques de l'odonymie de la ville de Hull au XIXe siècle ? » Une question à laquelle je peux répondre les deux doigts dans le nez.

— On le sait bien, le *nerd*, dit Aurélie Concalvez.

— Et toi ?

— Moi, c'est « Faites un portrait de la vie du père Reboul. »

— T'es bien chanceuse, dit Rachelle Ouimet.

— Puis toi ?

— Moi, j'ai : « Quelles sont les grands leviers de l'économie hulloise dans les trente dernières années du XXe siècle ? »

— Chanceuse toi-même, on vient tout juste de l'étudier au dernier cours.

— Avant que tu ne me demandes ma question ou que tu le demandes à tous les autres, j'aimerais bien connaître les questions de Pedro et de Bruno, dit Bob. Envoie, Pedro, dis-nous-la.

— « Parlez-moi de la femme dans l'histoire de Hull. »

— Maudit chanceux, dit Constance.

— On va te donner un coup de pouce, Pedro, firent Vincent et Abigail en même temps.

Les deux jeunes personnes se regardèrent et sourirent.

— Et toi, Bruno ?

— Oui, Bruno, c'est quoi ta question ?

— Mon oiseau est mort, répondit-il.

— Tu veux dire « Ton chat est mort », fit Bob.

— Je veux dire qu'avec la question que j'ai choisie, j'aurais beau être attaché derrière un 747 que je ne lèverais pas.

La figure de Bruno était cadavérique. Bruno Langevin avait besoin de ce cours pour passer son diplôme d'études collégiales en technique du bâtiment. Un travail l'attendait dans sa Haute-Gatineau natale. Bruno était un as dans son domaine, mais l'histoire et le français étaient ses bêtes noires. Il avait pris un an de plus au collège pour réussir son français. Il ne lui manquait plus que ce cours d'histoire. Et, à lui la belle vie.

Constance s'approcha de lui :

— Ne t'en fais pas mon Bruno, on va t'aider.

— Oui, fit Mathieu Couture. Pedro passera l'oral l'avant-dernier et Bruno le dernier, ce qui veut dire que nous avons jusqu'à 13 heures 40 et 14 heures respectivement pour bien les préparer.

— On a pas une minute à perdre, dit Bob en riant.

— Est-ce que tout le monde est partant ?

— Tu parles si on est partant, dirent Jeff, Jim, Benoît et Vincent.

— Abigail, Vincent, Rachelle, Aurélie et Jeff, occupez-vous de Pedro. Les autres vous m'aiderez avec Bruno, dit Mathieu.

— C'est quoi au juste ta question, mon beau Bruno, demanda Bob ?

— Lis-la toi-même.

— Ouache ! fit Bob en grimaçant. Je pense que je vais aller plutôt aider Pedro, moi. Tiens, Mathieu, lis-la.

— « Montrez l'évolution dans le journalisme hullois depuis ses origines jusqu'à aujourd'hui », lut Mathieu Couture, l'eau à la bouche tellement il aurait aimé répondre à cette question.

— Vous comprenez, maintenant, pourquoi même un 747 n'arriverait pas à me faire décoller, dit Bruno.

— Un beau cas pour la NASA, ça, mon Bruno, dit Bob. Puis, je ne suis pas sûr qu'eux aussi arriveraient à te faire décoller avec une question de même.

— On n'a plus une seconde à perdre.

Abigail avait déjà pris les commandes du groupe chargé de préparer Pedro. Du reste, elle leur donnait rendez-vous dans une salle d'étude de la bibliothèque.

— À vos postes, cria Mathieu aux autres qui étaient restés dans la classe. Bruno prend ton crayon et du papier. Constance, cours à la bibliothèque chercher le Jolicœur.

— Quel joli cœur ? dit Bruno soudainement inquiet de voir sa Constance obéir à cet ordre licencieux.

— Jolicœur en un mot, Bruno, pas en deux mots, dit Bob Vaillant. Inquiète-toi pas. Tout ce que ta Constance pourrait vivre avec ce Jolicœur-là, c'est une histoire anecdotique.

— Toi, le grand Albert, va à la réserve chercher le double numéro de mars 1973 de la revue *Asticou*. Les numéros 10-11, trompe-toi pas, le grand. Quant à vous, Jim et Bob, faites comme Bruno, écrivez, ça va lui donner l'exemple.

— Dicte-nous ça, on attend, dit Bob.

Mathieu Couture, en bon *nerd* qu'il était, dicta *aperto libro* l'abc du journalisme en Outaouais.

— D'abord, Bruno, évoque le grand feu de Hull de 1900 pour dire qu'on a perdu bien des documents importants qui t'auraient permis de mieux cerner la question aujourd'hui.

— Tant qu'à y être, ajouta Bob, évoque aussi le « feu de Richer » du 30 juillet 1878, le « feu de Sabourin » du 21 avril 1880 et le « feu de Landry » du 10 mai 1886, ça va faire effet.

— T'es bien bon, Bob ! fit Mathieu.

— Normal. Je me suis bien préparé. Et comme je savais qu'il y aurait une question sur les feux, j'ai pris les devants. Et qu'est-ce que tu penses, le souverainiste, que j'ai trouvé sous l'aile de mon oisillon ?

— Les grands feux de Hull.

— Non, la liste des maires et leur contribution.

— Je vois pas le rapport, dit Bruno.

— C'est une question aussi incendiaire, répondit Mathieu avec humour.

— Tu parles, c't'une belle « gang » ! J'peux même les « rapper » en octosyllabiques !

— Envoie donc, dit Mathieu.

— Marston, Richer, Brigham, Graham, Leduc, Eddy, Rochon, D'Orsonnens, Scott, Champagne, Aubry, Helmer, Barette, Falardeau, Gendron, Thibault, Fontaine, Archambault, Archambault, Archambault...

— T'as l'air à l'aimer Archambault, je te comprends, le plus Hullois d'entre tous ! dit Mathieu Couture.

— Puis après qu'est-ce que j'écris, demanda Bruno, encore plus confus.

— T'écriras qu'il s'est publié dans Hull et sa grande banlieue, depuis 1844, plus d'une soixantaine d'hebdomadaires et deux quotidiens.

— Hein, tant que ça ? dit Jim.

— C'est vrai, fit Mathieu. Ajoute qu'en juin 1871, le *Courrier d'Outaouais*, fondé l'année précédente à Ottawa, transporte ses pénates sur la rue Principale de Hull.

— C'est quoi « ses pénates » ? demanda Bruno.

— Ça, Bruno, ce sont ses « bons esprits ».

— Qui n'y sont pas restés longtemps d'ailleurs, dit le grand Albert qui arrivait, essoufflé, la revue *Asticou* ouverte à la page 47, où se trouvait un article d'Edgar Boutet intitulé « Les journaux de Hull : des origines à 1955 ».

— Bravo, Albert, on a maintenant de bonnes munitions.

— Où est Constance ? demanda Bruno.

— Avec Jolicœur, répondit Bob.

— C'est vrai, elle s'en vient, ajouta le grand Albert. Tiens, justement la voici.

Quand Bruno vit entrer sa Constance avec un petit livre à la couverture dorée, où était inscrit le nom de Joseph Jolicœur, le sourire lui revint.

— On a maintenant tout ce qu'il nous faut.

52

Bruno Langevin n'écrivit jamais autant que dans les heures qui précédèrent son examen oral. Il en apprit tant sur le journalisme dans Hull que cela lui sortait par les oreilles. Vingt minutes avant son exposé, il savait que non seulement *Le Courrier d'Outaouais* était à l'origine du journalisme hullois, mais encore qu'il avait eu pour premier éditorialiste Gustave Smith, un joueur d'orgue. Il savait également que le plus grand journaliste hullois du XIXᵉ siècle s'appelait Médéric Lanctôt, qui publiera, entre 1875 et 1877, l'*Écho de Hull*. Mathieu Couture avait beaucoup insisté sur ce Médéric qui, pourtant, n'avait été que pendant deux ans citoyen de Hull, les deux dernières années de sa vie, du reste. « Quand tu parleras de Médéric au professeur, Bruno, avait dit Mathieu, n'oublie pas d'insister sur la participation de cet avocat-journaliste à la vie communautaire. C'était un chef de clan. Le chef de la « Potée », il faut que tu t'en souviennes, Bruno. Il avait comme adversaire la « Clique », formée du notaire Nérée Tétreau, le fondateur de Val-Tétreau, et sa gang de conservateurs : Charles Leduc, Olivier Latour, Alfred Lane et le notaire Lebel. Médéric, quant à lui, comptait à ses côtés les vigoureux Charles Dulude, Isaïe Richer et Moïse Trudel. La « Potée » contre la « Clique ». Tu t'en souviendras. Et quel était l'organe officiel de la « Clique » ? L'hebdomadaire le *Canada Central*, fondé par la bande à Nérée. Quant à la « Potée », son organe à lui, c'était l'*Écho de Hull*. Répète après moi : « *Écho de Hull* ».

— *Écho de Hull.*

Pauvre Bruno, on le gava tellement de Lanctôt, de Tétreau, de « Clique », de « Potée », de « Vallée d'Ottawa » — premier quotidien

de Hull —, de l'« Union nationale », de l'« Alliance », de « Dispatch »,
de « Gladiator », de « Courrier d'Ottawa », et même de « Violon »
que, lorsqu'à treize heures trente, on lui donna un repos, c'est d'un
pas de condamné qu'il se rendit à l'extérieur non loin de la pergola
où un autre condamné, celui-là nommé Pedro, attendait son tour.

Les avanceurs et les rattrapeurs avait la gaieté au cœur, sauf
Pedro et Bruno. Vincent Rossignol, qui venait de terminer son
tour, disait à Abigail, qui s'était approchée tendrement de lui :
« Cela a été super bien, mais je n'ai pas de mérite, ma question
portait sur Dallaire. »

C'était au tour de Bob Vaillant et même si les avanceurs et les
rattrapeurs se tenaient à une certaine distance — le professeur
l'avait exigé —, ils entendaient François Desjardins rire. Bob
« rappait » les maires de Hull. Jamais édiles n'avaient été l'objet de
mélodie et de rythme plus joyeux. L'athlète en était à Archambault
et « ça swignait » par là. « Dupuis, Bourque, Cousineau, Thérien,
Lambert, Brunet, Moussette, Moussette, Moussette... » Bob était
poète, il aimait les rimes. Chacun des maires eut droit à un
traitement de faveur syllabique, à telle enseigne que les Gauthier,
Caron, Moncion, Turpin, D'Amour, Séguin, Rocheleau, Légère,
Beaudry et Ducharme voltigèrent vertigineusement, projetés au-
dessus de la pergola cégépienne par la langue fouetteuse de Bob
Vaillant. François Desjardins vécut tous les états du rire, du ricanement au fou-rire en passant par l'éclat de rire et le rire à gorge
déployée. Qu'avait raconté Bob à François sur les maires de Hull ?
Privilège de professeur, il l'emporterait sans doute avec lui. Quant
à Bob, il rapportait avec lui une très bonne note, qu'il confia à
toute la classe.

53

C'était maintenant au tour de Pedro. On aurait dit un
oiseau à qui on avait coupé les ailes. Abigail et son groupe
l'accompagnèrent jusqu'à la pergola. Étrangement, François

Desjardins ne leur intima pas l'ordre de se retirer, comme s'il avait deviné que leur présence inspirerait « l'oralisé ».

— « Parlez-moi de la femme dans l'histoire de Hull », voilà ta question, dit le professeur.

— Oui, voilà LA question, fit Pedro.

— Je t'écoute.

— 1823, lui murmura le groupe d'Abigail.

— Mary de Witt se noie.

— Et qui est cette Mary de Witt ?

— L'une des nombreuses femmes d'Asa Meech, monsieur le professeur.

— C'est bien, Pedro, tu veux parler de la deuxième femme d'Asa Meech qui s'est noyée dans le ruisseau de la Brasserie avec ses deux enfants.

— Ses trois enfants, reprit Pedro, tout fier.

— Bravo, Pedro ! crièrent cette fois Abigail, Vincent et les autres.

François Desjardins leur fit des gros yeux, mais sa bouche souriait.

— Voulez-vous que je vous parle de Victoria Séguin, monsieur le professeur ? demanda Pedro.

— Qui est-ce ?

— La femme d'un seul homme.

— La femme d'un seul homme ?

— Mais de tout un homme par exemple.

— Comment ça ?

— Elle lui a donné dix-sept enfants.

— Toute une femme en effet, dit François Desjardins, qui regardait les filles du groupe d'Abigail choquées de voir que Pedro, dont la question portait sur la femme dans l'histoire de Hull, détournait momentanément l'attention sur une prestation virile.

Pedro Da Silva se sentait de plus en plus en forme.

— Victoria Séguin a été nommée mère de l'année en 1943.

— Dans quel cadre ? demanda François Desjardins.

— Celui de la femme au foyer, monsieur le professeur.

L'oiseau Pedro commençait à prendre son vol. Il parla tant et si bien de la femme dans l'histoire de Hull qu'à la fin de son exposé, il poussa sa virtuosité au point de se permettre une prétérition.

— Je ne vous parlerai pas de Womena, professeur, la princesse du lac des Fées, ni non plus de Zaida Arnold, la femme d'Ezra, la première dans la région à utiliser le poivre de Cayenne pour chasser les huissiers, je ne vous parlerai même pas de Jean Despréz, la grande courriériste du cœur, ni d'Estelle Caron, la cantatrice des « Joyeux troubadours », mais je vais vous parler, par exemple, de Victoire Lachaîne.

— C'est qui ?

Pedro Da Silva se tourna vers ses camarades en leur disant :

— Il me demande qui est Victoire Lachaîne.

Abigail faisait des signes à Pedro pour lui demander de tempérer ses ardeurs, mais rien n'y fit.

— Une sage-femme, monsieur. La plus grande de toute l'île de Hull. À elle seule, elle a mis au monde des centaines d'enfants.

— Tu m'impressionnes, mon Pedro.

— Attendez, vous n'avez encore rien entendu.

— Je t'écoute.

Le groupe d'Abigail fronça les sourcils. Pedro Da Silva avait déjà nommé les principales femmes sur lesquelles ils s'étaient attardés ensemble.

— Maria Pacheco, ce nom vous dit quelque chose ?

— Je ne le connais pas, répondit François Desjardins.

— C'est une veuve portugaise, mère de six enfants et enceinte d'un septième lorsqu'elle quitta Coïmbra au Portugal pour venir s'installer dans le village d'Argentine dans le quartier du Théâtre de l'Île à Hull, en 1982.

— Et qu'a-t-elle fait de remarquable ?

— Maria Pacheco, c'est ma mère, monsieur le professeur, et je suis fier d'être Hullois.

— Bravo Pedro, crièrent Abigail, Vincent, Rachelle, Jeff et Aurélie.

— Bravo, Pedro ! dit aussi le professeur. Je te donne une meilleure note que celle de Bob.

— Hourra ! crièrent-ils tous en chœur.

54

Cet « hourra ! » aurait semblé magnifique en tout autre temps à Bruno Langevin, mais il retentit dans ses oreilles comme un glas. C'était l'appel de l'oral. L'instant fatidique où se jouait son avenir immédiat. Il ne marcha pas comme un oiseau aux ailes coupées, lui, mais comme un supplicié portant sa croix. Cette croix, c'était sa mémoire toute chamboulée d'avoir eu à absorber durant des heures des notions sur le journalisme et les journalistes de Hull.

Cette fois, ce sont tous les avanceurs et les rattrapeurs qui étaient au rendez-vous de la pergola. Le professeur François Desjardins ne s'objecta nullement à ce que sa classe assiste à l'oral.

Mathieu Couture, tel un prêtre au moment de l'exécution, avait précédé d'un pas l'oralisé. Bob Vaillant et Jim McConnery l'escortaient.

— « Montrez l'évolution dans le journalisme hullois depuis ses origines jusqu'à aujourd'hui ». Toute une question, dit le professeur.

— En effet, dit Bruno.

— Eh bien, Bruno, je t'écoute !

— Frédéric...

— Médéric, chuchota Mathieu.

— Médéric ...

Bruno Langevin s'arrêta. Il cherchait le nom. Les avanceurs et les rattrapeurs forçaient avec lui.

— Médéric Lanctôt... reprit Bruno.

Tout le monde poussa un soupir de satisfaction. Ils attendaient maintenant la suite.

— Médéric Lanctôt, professeur, a fondé le journal *Le Droit* en 1875.

— Non, non ! dit Mathieu.

Bruno se tourna vers le *nerd*.

— C'est pas ça ?

— *L'Écho de Hull*, tu veux dire, fit François Desjardins avec la douceur d'un maître qui cherche à rallier dans l'esprit de son élève les « bons esprits ».

— Il a été le grand adversaire du notaire Nérée Lebel.

— Nérée Tétreau, lui souffla Constance.

— Je veux dire Nérée Tétreau, monsieur le professeur, fondateur de Wrightville.

— Tu veux dire de Val-Tétreau, reprit le professeur.

— Je sens qu'il va flancher, murmura Constance à Mathieu.

Bruno leva les yeux à ce moment même sur sa petite Constance. Il avait l'air dépité d'un basset.

Tous les avanceurs et les rattrapeurs regardaient Bruno avec sympathie, même Jim McConnery, son grand rival, qui, à ce moment précis, aurait tout donné pour que l'oiseau de Bruno s'envole.

— Quels ont été les deux seuls quotidiens français de l'Outaouais ? demanda le professeur.

— Le *Spectateur* et *l'Écho de Hull*, répondit Bruno.

— Non, fit Mathieu Couture.

— Je répète la question, dit François Desjardins. Quels ont été les deux seuls quotidiens français de l'Outaouais ?

Bruno Langevin se prit la tête entre les deux mains, prit une grande respiration et dit en regardant intensément Constance :

— Le *Bonjour Dimanche* et *Le Progrès de Hull.*

— Ah, non ! dit Mathieu Couture.

— Lâche pas, mon Bruno, on est avec toi, dit Bob.

— *Le Progrès de Hull* a été l'un des plus grands hebdomadaires de Hull, mais pas un quotidien. Je te pose une dernière question.

Cette fois le silence était bandé comme un violon. On aurait cru entendre la triste et sublime mélodie de *La liste de Schindler*.

— Nomme-moi un grand journaliste hullois autre que Médéric Lanctôt.

Bruno se prit à nouveau la tête entre les deux mains, puis il leva les yeux sur Constance. Les avanceurs et les rattrapeurs bougeaient tous les lèvres, qui pour prononcer Lafferrière, qui pour Jolicœur, qui encore pour épeler le nom de Denis Gratton, mais Bruno, hélas ! ne sut lire sur les lèvres. Il se retourna vers son professeur et, dans un ultime élan, dit :

— Oswald Parent.

Un long soupir des avanceurs et des rattrapeurs accompagna cette réponse.

— Oswald Parent était un politicien, pas un journaliste, Bruno.

— J'ai failli, n'est-ce pas ?

— As-tu ton oiseau ?

— Mon petit oiseau blanc ?

— Oui. Tu as droit à une deuxième question.

Un murmure circula dans la troupe des avanceurs et des rattrapeurs.

— Ça ne sert à rien, professeur. Je n'en saurai pas plus.

— Dis pas ça, Bruno, fit Constance dans un cri du cœur.

— Ton amie a raison. Attends de lire la nouvelle question avant de t'avouer vaincu.

— Où se trouve-t-elle ?

— Pèse sur le bout du nez de ton oiseau.

Bruno s'exécuta. Le corps de l'oiseau s'ouvrit et laissa poindre un bout de papier blanc.

— Lis.

Bruno lut. Il regarda Constance, puis son professeur et dit :

— Je ne saurais pas plus y répondre.

— Je sais que tu pourras.

— Vas-y, répond ! dit Mathieu.

— Qu'est-ce qui y est écrit ? demanda Bob.

— C'est écrit : « Formule une question de ton choix et réponds-y ».

— Parle du grand feu de Hull, suggéra Mathieu. Des mines, dit Jeff. Du père Reboul, dit Benoît. De Jos Montferrand, poussa Jim.

Bruno restait muet. Aucune parole n'aurait pu sortir de sa bouche. Il se résignait.

— Parle avec ton cœur, lui cria Constance, émue.

Cela secoua le colosse.

— Je peux parler de ce que je veux ? demanda-t-il au professeur.

— En autant que ça touche à l'histoire de Hull.

— Eh bien, dit Bruno, j'aurais quelque chose à dire.

Un regain de vie secoua le groupe des rattrapeurs et des avanceurs.

— Cela concerne la potence que j'ai construite et qui a brûlé avant hier sur la scène de l'auditorium.

— Raconte.

— Moi, monsieur le professeur, je n'ai pas de mémoire quand on m'impose un sujet. Par contre, quand j'aime un texte je suis capable de le résumer.

— Et quel texte as-tu aimé ?

— Je ne sais pas si vous allez apprécier, professeur, mais c'est un texte qui a un propos lugubre. Mais moi, je l'ai aimé. Je l'ai aimé aussi parce que Mathieu m'a donné ce texte après que j'aie construit ma potence. Un texte paru dans *LeDroit*.

— Dans *LeDroit* ?

— Oui, un texte de l'historien Ouimet. Vous voulez que je vous raconte.

— Vas-y ! cria la classe.

— Ça s'intitule « Dernière exécution publique ».

— On t'écoute, Bruno.

— L'exécution de Stanislas Lacroix a eu lieu dans la cours du Palais de justice de Hull, à huit heures du matin, le premier jour du printemps 1902.

— Mourir au printemps, soupira Rachelle.

— Inquiète-toi pas, mon colibri, je vais m'arranger pour que cela ne t'arrive pas.

— Le bourreau, John Robert Radclive, n'a pas le geste aussi précis, ce matin-là qu'il ne l'a d'habitude.

— C'est curieux, ça, pourquoi ? demanda le professeur.

— C'est qu'il a sauté une grosse brosse dans une taverne de Hull, la veille.

— Tu veux dire qu'il a pris une cuite.

— Imaginez-vous la scène, professeur : un gros Anglais qui, après avoir bu six, sept grosses bières dans une taverne française, se vante qu'il est bourreau de son métier et qu'il est venu à Hull pour exécuter Lacroix.

— Ça, c'est une situation aussi explosive que les allumettes au phosphore blanc de Mathieu Couture, dit Bob.

— Ça jappait dans la taverne, continua Bruno, mais ça a mordu aussi quand Radclive a dit avec un front de bœuf : « Je viens pendre un Français, j'espère que ça ne sera pas le dernier ! »

— Y a pas dit ça ? dit le grand Albert Guertin en colère.

— Oui, fit Bruno.

— C'est pas si grave que ça, fit Bob.

— Comment ça, c'est pas si grave ? hurla Guertin.

— La coutume quand je prends une bière, moi, c'est de toujours dire : « Une autre que les Anglais auront pas ! »

— Mais t'en mangerais toute une, Bob, par exemple, si tu disais ça dans un bar anglais. Radclive en a mangé une maudite, pardonnez-moi l'expression, monsieur le professeur.

— Je te pardonne, Bruno, fit François Desjardins.

— Ce qui ne l'a pas empêché quand même d'exécuter Stanislas Lacroix, le lendemain, fit Jeff Verner.

— Et comment s'y est-il pris ? demandèrent Aurélie et Rachelle.

— Verriez-vous un inconvénient à ce que je cite l'historien, professeur ? demanda Bruno, en sortant de sa poche une feuille de papier journal pliée en quatre.

— Qu'en pensez-vous, vous autres ? demanda le professeur.

— Qu'il cite ! crièrent-ils tous.

Devant tant de sollicitude, le sourire revint à Bruno. Le gros Jos se mit à lire. L'article tremblait dans ses mains :

À 8 heures exactement, entrent dans la cour de la prison le shérif Wright, en robe officielle, l'épée au côté et le bicorne sur la tête, le père Provost en paletot, le père Forget, en surplis, avec à ses côtés le condamné à mort, et enfin le bourreau, tête nue. Le cortège monte les marches de l'échafaud lentement, avec solennité même. Les prêtres prient avec Lacroix qui se place sur la trappe du gibet. Le bourreau lui lie les jambes, couvre sa tête d'une cagoule noire et ajuste le nœud coulant.

— Mais c'est affreux, dit Aurélie.

— Écoute bien la suite :

Le condamné n'a plus que quelques minutes à vivre. Une cloche de l'église Notre-Dame sonne le glas. Dans la rue, des hommes se découvrent par respect pour celui qui va mourir. L'église paroissiale est remplie de fidèles en prière ; on récite les litanies des morts.

— Mais qu'est-ce qu'il avait fait pour mériter ça ? demanda Rachelle.

— Un double meurtre à Montebello. Tanisse...

— Tanisse ?

— C'est le diminutif pour Stanislas, dit Constance, se portant au secours de Bruno.

— Tu parles d'un beau petit nom, dit Rachelle.

— Pour monter à la potence, tu me le dis, mon colibri.

— Continue Bruno, dit le professeur.

— Tanisse était bien jaloux. Il était séparé de sa femme et de son bébé depuis un certain temps. Comme il a appris que sa femme était de passage à Montebello chez la veuve Commandant, il a commis l'irréparable.

— Raconte l'irréparable, sommèrent Rachelle et Aurélie.

— C'est-tu un bon bout ? dit Bob.

— Tu peux en être sûr :

Tanisse se procura un revolver et 50 cartouches puis se rendit chez la veuve Commandant où séjournait Emma. Il entra dans la maison en coup de vent, empoigna sa femme qui tenait dans ses bras son dernier-né puis, la poussa dehors où il la suivit. Il sortit alors le revolver de sa poche et mit sa femme en joue. Il pressa ensuite sur la gâchette une fois, deux fois, trois fois. Une balle, deux balles, trois balles se logèrent dans les chairs d'Emma qui, enveloppant de ses bras le bébé pour le protéger, tournoya un bref instant avant de s'effondrer au sol, morte. Lacroix revint dans la maison et y abattit Hippolyte Thomas, un vieillard qu'il soupçonnait être l'amant de sa femme.

— Et qu'est-il arrivé après ? se surprit à demander François Desjardins.

— On l'a arrêté. On l'a jugé. On l'a condamné.

— Ben bon pour lui, dit Rachelle.

— Tout doux, mon colibri.

— C'est-tu assez pour mon oral, professeur ?

— C'est bien, mais on voudrait connaître la suite.

— Oh, oui, dit Rachelle.

Rachelle Ouimet, t'as pas honte, dit Bob. Je suppose que si t'avais été Hulloise le 21 mars 1902, t'aurais essayé de faire partie du groupe des cent cinquante invités bien assis dans la cour du Palais de justice ou si, par malchance, tu ne l'avais pas été, t'aurais grimpé dans un arbre ou, qui sait, dans un poteau électrique dans le fol espoir d'entrevoir l'exécution du pauvre Tanisse. Car il y a bien eu cent cinquante invités, n'est-ce pas, Bruno ?

— T'as bien lu Ouimet, toi aussi, Bob, fit Bruno.

— Raconte, Bruno ! dit Rachelle, malgré la leçon de morale de son Bob.

— Vous voulez vraiment, professeur ? dit Bruno.

— Va jusqu'au bout.

— À quel bout ?

— Au bout de la corde, ajouta malicieusement Bob.

— C'est très dur. Je ne sais pas si je devrais. À cause des jeunes filles.

— Va jusqu'au bout ! crièrent les filles de la classe.

— Au bout de Ouimet, monsieur le professeur ?

— Au bout de Ouimet.

Bruno se fit solennel.

Dans la cour du Palais de justice, chacun retient son souffle. Au moment où le père Provost, qui récite le Notre Père avec le condamné, dit : « Délivrer du mal », le shérif lève son épée et le bourreau actionne la trappe. Un frisson parcourt les spectateurs. Le corps de Lacroix tombe lourdement dans le trou béant du plancher de l'échafaud. L'assistance se précipite alors en avant pour se rapprocher du supplicié et le voit mourir dans d'effroyants soubresauts. L'affreuse agonie de Lacroix dure 13 1/4 minutes.

— La tienne a duré plus de 13 minutes et quart, mais je peux te dire, Bruno Langevin, que tu as passé.

Constance Larocque se précipita sur son Bruno, les autres aussi, qui vinrent le féliciter. Le grand Maniwakien était tellement heureux qu'il leva Constance dans le ciel au bout de ses bras. François Desjardins eut du mal à faire entendre dans tout ce brouhaha : « N'oubliez pas que nous avons un train à prendre à cinq heures à la gare de Hull ! »

DIX-HUITIÈME PARTIE

Le train des étoiles

55

Le train à vapeur de Wakefield, appelé affectueusement le petit train du maire Ducharme, venait de traverser le boulevard Saint-Joseph non loin du site de ce qui avait été autrefois la Maison Hammond, une maison de ferme de style néo-gothique, construite au XIXᵉ siècle par l'hôtelier Horace Donnelly. Bob Vaillant et le grand Albert Guertin criaient sur le balcon à l'extérieur du wagon de queue :

— Cours, Vincent, tu vas y arriver.

En effet, Vincent Rossignol, qui n'avait ni vélo ni planche à roulettes, courait tellement fort qu'il réussit finalement à s'accrocher à l'escalier du wagon, aidé par ses deux camarades qui, verre d'orangeade à la main, semblaient déjà fêter la fin des cours.

— Il y en a une qui va être contente de te voir, Vincent Rossignol, dit Bob. Si tu savais comme elle était déçue que tu n'aies pas été sur le quai de la gare, au moment du départ. Regarde par la fenêtre de la porte. Elle est là, seule sur sa banquette juste au cas où tu arriverais. Tu veux un peu de jus ?

— Bien sûr.

Bob jeta un coup d'œil rapide sur le grand Albert lorsque Vincent posa ses lèvres sur le verre.

— Elle est bien forte, ton orangeade, dit Vincent après en avoir pris une gorgée.

— Tu peux être sûr qu'elle est forte, mon Rossignol, dit le grand Albert. Tu viens de boire « l'Orange Blossom Special » de Bob Vaillant. Son mélange de vodka et de jus d'orange.

— Oui, de Bob Vaillant, à qui tu dois dix piasses pour la gageure que tu as perdue, Albert Guertin, reprit Bob.

— Quelle gageure, demanda Vincent ?

— Le grand m'a gagé dix dollars que tu manquerais le train.

— Il l'a manqué aussi.

— Dis pas de conneries, Guertin. J'ai pas gagé sur le fait qu'il serait en retard, c'était prévisible, j'ai juste gagé sur le fait qu'il ne manquerait pas le train. De toute manière, garde ton dix piasses, tu nous payeras une bière lorsque nous débarquerons à Wakefield. Bienvenue à bord, Vincent Rossignol !

Les trois garçons regagnèrent l'intérieur du wagon non sans avoir pris chacun une dernière gorgée de l'Orange Blossom Special de Bob.

Un tonnerre d'applaudissements accueillit les arrivants. Abigail Meers, toute souriante, dit à Vincent :

— Je t'ai gardé une place.

On aurait donné à Vincent Rossignol la meilleure note à l'oral qu'il n'aurait pas été plus heureux qu'à ce moment précis. Ce voyage en train le long de la Gatineau, il ne l'aurait pas manqué pour tout l'or du monde. Le retardataire était heureux.

François Desjardins, qui connaissait bien les propriétaires du petit train touristique, avait fait les choses en grand. Il avait obtenu de la compagnie le privilège rare de l'exclusivité du dernier wagon, de manière à ce que ses rattrapeurs et ses avanceurs aient l'entière liberté de leurs gestes. Comme la locomotive à vapeur devait mettre plus d'une heure pour se rendre à Wakefield, il avait commandé à un traiteur hullois un repas spécial. En outre, il avait demandé à Pedro Da Silva de s'occuper de la musique et à Bob Vaillant de jouer au contrôleur. Inutile de vous dire que ce dernier s'acquittait à merveille de sa tâche.

— Mesdames et messieurs, nous sommes présentement à Ironside. La prochaine gare sera celle de Chelsea. « Ladies and Gentlemen... »

Bob prononça son boniment en anglais pour le plus grand plaisir de Jeff Verner et de Jim McConnery. Il regarda au même moment la figure de Mathieu Couture pour y traquer des signes d'impatience, mais le *nerd* affichait un sourire affable. Un physionomiste, toutefois, aurait su lire, sur cette figure souverainiste, une légère teinte d'ironie. Mais Bob avait consommé tant d'Orange Blossom Special que c'est tout juste s'il aurait pu faire la différence entre un ricanement et un éclat de rire.

— Dans le temps, le contrôleur ne parlait qu'en anglais, dit Mathieu Couture. Toi, au moins, t'as fait du progrès.

— Mathieu a raison, dit François Desjardins. D'ailleurs, c'est simple à comprendre. Cette ligne de chemin de fer a été construite par une compagnie anglaise, l'Ottawa and Gatineau Railway, pendant la dernière décennie du XIXe siècle. En 1892, elle se rendait déjà à Wakefield. Dix ans plus tard, elle arrive à Maniwaki.

— Ai-je entendu « Maniwaki » ? cria Bruno, qui partageait euphoriquement son banc avec la petite Constance.

— Maniwaki, c'était surtout pour le transport des marchandises, reprit François Desjardins. Le « freight », comme on dit par chez nous. Mais entre Ottawa et Wakefield, c'était pour les villégiateurs. Bientôt, nous passerons à Kirks Ferry, où nombre de touristes descendaient pour pratiquer les sports d'hiver.

— Le bain sous la glace, je suppose, dit Benoît Lapointe, caustique.

— Un glaçon dans votre Orange Blossom peut-être ? dit Bob qui transportait sur son buffet roulant un assortiment de rafraîchissements.

Il servit Benoît, puis, s'adressant à tout le monde :

— Comme vous avez pu le remarquer en entrant dans le wagon, quatre tables de quatre personnes ont été gratuitement mises à notre disposition par la vénérable compagnie grâce à la sympathique ambassade de notre professeur. Comme nous sommes quatorze, un couple devra se sacrifier et s'asseoir seul à une table.

— Je t'aime, Bob, dit Rachelle, qui venait d'avaler une gorgée de son Orange Blossom.

— Je sais que tu m'aimes, mon colibri. Mais toi, tu vas manger à la même table qu'Aurélie et le grand Albert.

— Puis toi ?

— Avec toi, ma rose sauvage. Veux-tu un autre glaçon ?

— Pourquoi pas ?

— Jim et Jeff s'assoiront avec Mathieu et Benoît.

— Deux souverainistes avec deux orangistes, veux-tu que le train déraille ? dit le grand Albert.

— Pourquoi pas ? répondit Mathieu.

— Quant à vous, professeur, Pedro, Constance et Bruno vous tiendront compagnie, dit Bob.

— Abigail et Vincent seront tout seuls ? fit Bruno.

— Les malchanceux ! répliqua Bob.

Abigail, qui portait une jupe de soie rose et une jolie chemise blanche échancrée où descendait sur sa gorge une délicate chaîne zodiacale, fit un splendide sourire à Bob Vaillant, qu'heureusement Rachelle ne vit pas, car c'est toute la réserve d'Orange Blossom Special de son athlète qui y aurait passé.

À Kirks Ferry, tous les avanceurs et les rattrapeurs se mirent à table. Bob, en grand seigneur, alluma les chandelles et remit à chacun des convives le menu que François Desjardins avait fait imprimer spécialement pour le repas.

— Un repas de même, t'as dû commander ça chez « Henry Burger », François ? dit Rachelle après avoir lu le joli carton.

— Pour être franc, oui. Qu'est-ce que vous en pensez ?

— *Saumon mariné et crème fraîche*, dit Aurélie.

— *Médaillons de cerf Grand Veneur* ! fit Mathieu.

— Le cerf, je connais, dit Bruno, mais le Grand Veneur, lui ?

— C'est le cousin du grand Albert, dit Bob.

— Fais pas ton *smart*, Bob Vaillant ! répliqua Albert Guertin.

— *Gratin de pommes douces* ! Mmmm que ça doit être bon ! dit Constance.

— *Crème brûlée au gingembre et bleuets* ! Je commence par ça, moi, argua Pedro.

— Mais c'est un vrai repas d'ambassade ! fit Benoît.

— Notre professeur a de bonnes relations, répondit Bob.

— Le tout arrosé d'un *Bourgogne Aligoté* et d'un *Clos du Moulin*, s'exclama Rachelle.

— On va être pas mal gorlot quand on va revenir, dit le grand Albert.

— Parle pour toi, ma belle grande police, fit Aurélie.

Tout le monde se mit à table. Deux jolies préposées de la compagnie ferroviaire vinrent servir. L'une s'appelait Anne et l'autre Karine. Rachelle et Aurélie les surveillèrent. Bob et le grand Albert burent. Le saumon mariné et le Bourgogne Aligoté se fiancèrent à merveille, si bien que, lorsque vint le temps de servir le Grand Veneur accompagné d'un Clos du Moulin, tous les rattrapeurs et les avanceurs convinrent que les traiteurs de Hull étaient dignes de la grande réputation culinaire de cette ville, qui avait déjà accueilli à sa table d'aussi prestigieux noms que Jacques Brel et Alfred Hitchcock.

Il n'y a rien de mieux qu'un Aligoté pour délier la langue. On n'avait pas encore attaqué les *Médaillons de cerf Grand Veneur* que, déjà, Bruno chantait à tue-tête. On aurait dit qu'il se sentait libéré de tout le poids du monde. Et c'est d'un élan fraternel que son professeur et ses camarades, même Abigail et Vincent, qui s'étaient regardés pendant un long et merveilleux moment dans les yeux, chantèrent avec lui le dernier couplet des *Draveurs de la Gatineau*. D'autant plus qu'il y était question de boire.

Buvons mes camarades
À la santé de Saint-Denis
Trois ou quatre rasades
Et donnons-lui le ris
Dravons la Gatineau
Dravons-la jusqu'en bas
Et nos barges sur l'eau
Vont mieux qu'un rabaska
Vont mieux qu'un rabaska

Cette fois, Bruno s'arrêta après le *vers* « trois ou quatre rasades » et tout le monde vida son *verre*. Ce dernier couplet de la célèbre complainte fut tellement apprécié que Bruno le recommença à plusieurs reprises, chaque fois en respectant la halte des trois rasades, si bien que Karine et Anne, les mignones serveuses, durent ouvrir plusieurs Clos du Moulin.

56

On n'était même pas rendu au dessert lorsque le train entra en gare de Wakefield. Personne ne pensa, cependant, à débarquer, car à ce moment précis, François Desjardins racontait à sa classe comment le petit train de la Gatineau dans lequel ils prenaient place avait été autrefois un acteur important de l'une des actions les plus dramatiques à s'être produites en Haute-Gatineau. Il leur racontait la fameuse expédition de Low de novembre 1895 quand l'armée canadienne, à l'époque la milice, avait été dépêchée à Low par le train à vapeur pour mater les Irlandais récalcitrants.

Ce « haut fait d'armes » avait échappé à Mathieu Couture et même à Abigail Meers.

— Mais pour quelle raison la milice avait-elle été dépêchée à Low ? demanda Rachelle.

— C'est bien simple, les cultivateurs irlandais de Low refusaient de payer leurs taxes depuis une vingtaine d'années, dit

François Desjardins. À plusieurs reprises, l'affaire avait rebondi devant les tribunaux. Mais les Irlandais avaient fait fi des jugements. Ils ne craignaient personne, surtout pas les huissiers qu'on leur envoya.

— Y a pas à dire, ce sont mes ancêtres ! dit Jim McConnery, tout fier.

— Un peu d'Orange Blosson Special, Jim ? demanda Bob.

— Remplis aussi mon verre, fit Jeff.

— Toi, l'Écossais, t'en manques pas un, dit le grand Guertin en tendant son verre, lui aussi.

— J'suis pas un coton, moi non plus, dit le gros Bruno.

— Racontez la suite, professeur, s'exclama Constance d'une voix de maîtresse d'école qui ramena momentanément l'ordre.

— On emprisonne l'un des huissiers venu exprès d'Aylmer, dit le professeur.

— Si je ne m'abuse, Aylmer, c'est chez toi, ça, Jeff, fit Mathieu Couture, caustique, un verre de Clos du Moulin à la main.

— Un dénommé Flatters, continua le professeur.

— Un autre bon Écossais, dit Bob, en s'envoyant une gorgée d'Orange Blosson Special dans le gosier, sous l'œil vigilant de Rachelle.

— On le prive de nourriture pendant quarante-huit heures. Les pasteurs ont beau protester, rien à faire. Quand les Irlandais ont quelque chose en tête, il ne l'ont pas ailleurs.

— Un autre glaçon, professeur ? fit Bob.

— Les choses empirent. On envoie de nouveaux huissiers, cette fois accompagnés de policiers. La population se fait menaçante. Les policiers se font chahuter. Ils ne sont pas les bienvenus, c'est le moins qu'on puisse dire. Low est fière. Low est digne. Low est souveraine.

— Low est têtue ! ajouta Mathieu Couture.

— Vive Low ! fit Jim.

— Voulez-vous de l'eau dans votre Orange Blossom ? dit Bob.

On ignora le jeu de mots de l'athlète, on était trop préoccupé par le sort des huissiers.

— Qu'est-ce qui arrive par la suite ? ordonna Constance.

— C'est la déconvenue, reprit le professeur. L'affaire, cette fois, va en haut lieu. Le 16 novembre 1895, un conseil de guerre se tient dans des locaux en face de Hull. L'honorable A. R. Dickey, ministre de la Milice, ordonne au quarante-troizième bataillon de se mettre sur un pied de guerre. La nouvelle se répand comme une traînée de poudre.

— La poudre à Mathieu ? dit Bob.

— Les journaux s'emparent de la nouvelle. « At the Front », écrit-on en page frontispice.

— Quels journaux ? demanda Mathieu.

— Demande à Bruno, dit Bob.

— Tais-toi donc, Vaillant, fit Rachelle.

— Encore un peu de vin, mon colibri ?

— Partout, à Ottawa et à Hull, on ne parle que de l'expédition punitive qui doit partir par le train à vapeur, le lendemain matin. Il y a veillée d'armes. Les tavernes de Hull se remplissent pour saluer les combattants. On boit jusqu'aux petites heures. À huit heures, le dimanche matin, une tribune d'honneur assiste au départ des valeureux combattants. Les soldats précédés d'une fanfare font leur entrée dans le petit train.

— Un petit train comme le nôtre? dit Aurélie.

— Exactement, reprit le professeur. Le ministre de la Milice, M. Dikey, recommande à ses hommes d'avoir du courage. Le soleil flotte au-dessus de la Grande Rivière quand le train s'ébranle. Les jeunes amoureuses cherchent une poitrine paternelle pour cacher leurs larmes. Leurs hommes sont partis au combat dans la Haute-Gatineau.

— Viens près de moi, mon colibri, dit Bob.

— Toi aussi, mon Aurélie !

— Essaie-toi pas, ma belle grande police, dit cette dernière.

— Serre-moi dans tes bras, Bruno, dit Constance.

Vincent regardait Abigail, Abigail, Vincent.

— « The girl I left behind me », chanta Pedro.

— Selon l'historien P. Brunet, le convoi « comprend neuf wagons dont trois sont occupés par les troupes et quatre par les chevaux de la cavalerie et de l'artillerie. Il y a aussi trois wagons chargés de bagages. » Deux heures plus tard, l'armée est à Low. Elle s'installe près d'un ruisseau.

— Ils ont soif, dit Rachelle.

— Un peu d'Orange Blossom Special ? proposa Bob.

Les verres se remplissent à nouveau. François Desjardins en prend lui aussi.

— Ils ont soif, en effet, et le temps est doux. Devant cette arrivée massive, la population irlandaise se calme, refait ses calculs, suppose, suppute, supprime.

— Supplie, dit Bob.

— D'une certaine façon, oui, l'athlète. Le siège de Low ne dure pas. Oh, bien sûr ! l'armée restera pendant trois jours, mais il n'y aura aucun coup de feu d'échangé. Les seuls éclats que le ciel de Low entendra, ces jours-là, sont ceux des chansons de bivouac improvisées par la gent milicienne. Le lundi matin, tous les récalcitrants, à l'exception de deux, se présenteront à l'hôtel Brooks pour payer leur dû.

— C'était qui, les deux récalcitrants ? demanda Constance.

— Des McConnery et des Verner, je suppose ? dit Bob allègrement.

— Le major Bliss se chargera de les rappeler à l'ordre.

— Bliss, dites-vous ? fit Constance. Quel beau nom !

— C'est tout ? demanda Rachelle.

— C'est tout, mais c'est une belle histoire quand même, n'est-ce pas ? fit le professeur.

Tous les rattrapeurs et les avanceurs acquiescèrent, à l'exception de Vincent et d'Abigail, qui s'étaient envolés dans le ciel étoilé de Wakefield.

57

Jamais la Voie lactée ne fut témoin d'une marche aussi lumineuse que celle d'Abigail et de Vincent. On aurait dit deux nébuleuses perdues en Haute-Gatineau. Tous les astres étaient au rendez-vous de leur désir. Les deux jeunes gens s'étaient rendus à la rivière, dans laquelle brillait la constellation de la lyre.

Vincent avait pris la main d'Abigail et il la serrait comme si elle avait été à elle seule plus précieuse que toute la galaxie. À ce moment précis, le réservé, le timide, le retardataire ressentait une émotion jovienne. Abigail, elle, avait l'âme d'une Vénus. Il y avait là, près de la Gatineau, une conjonction planétaire où la germination adolescente éclatait en une déhiscence radieuse. Un rattrapeur aimait profondément un avanceur.

La lune fut témoin d'une témérité avortée, celle des lèvres de Vincent Rossignol qui à peine effleurèrent la tendre bouche d'Abigail, séparées, hélas ! par les cris répétés des avanceurs et des rattrapeurs qui hurlaient qu'il fallait rentrer.

Ce sont les mains tendues d'un Bob Vaillant, penché au balcon du petit train, qui agrippèrent celles des deux amoureux des hautes rivières.

58

Le voyage du retour ressembla à une caresse. Seule la voix du professeur ramena le troupeau à la réalité lumineuse hulloise, quand, de l'autre côté de Chelsea, il dit :

— Par-delà les montagnes, les lumières de la ville !

— Que c'est bien dit, François, dit Rachelle.

— Ce n'est pas de moi, c'est de mon père. Quand j'étais petit et que nous venions visiter nos cousins de la ville, papa utilisait toujours cette expression pour décrire Hull.

Lorsque le train entra en gare de la plus belle ville du monde pour les rattrapeurs et les avanceurs, pas un élève ne voulut se séparer. François Desjardins comprit que les jeunes voulaient continuer à fêter. Il se fit discret en leur souhaitant une bonne fin de soirée.

Les étudiants prirent des taxis et se rejoignirent sur la terrasse des Raftsmen. Là, on fraternisa. Là aussi on mit au point une stratégie pour la journée du vendredi, jour des exposés. Or, contre toute attente, ce ne fut ni Mathieu Couture, ni Abigail Meers, ni même Bob Vaillant qui dirigea le conciliabule, mais Vincent Rossignol, que la marche sous les étoiles de Wakefield avait à ce point inspiré qu'il se manifesta avec un aplomb qui rendit Abigail admirative.

DIX-NEUVIÈME PARTIE

Le pédagogue

59

Quand François Desjardins arriva dans sa classe, le vendredi matin à huit heures, il ne trouva âme qui vive. Il attendit une dizaine de minutes à son pupitre avant de se retourner et de lire au tableau un message aussi court que sibyllin :

> *Nous vous attendons, ce soir à 22 heures, au musée des civilisations. Arrivez par la piste cyclable, côté cour.*

C'était signé : « Vos rattrapeurs et vos avanceurs ».

Avec tout autre groupe, François Desjardins se serait formalisé. Mais ce groupe-là, il l'avait dans le sang. Avec eux, il avait vécu pleinement la joie de donner. Ces êtres, aussi différents étaient-ils, métis, anglais, africain, français, portugais, irlandais, écossais, lui avaient permis de vivre Hull comme jamais, lui, le Maniwakien, n'aurait pu espérer la vivre. Ses avanceurs et ses rattrapeurs avaient été comme un bel été ensoleillé quand l'eau des lacs moule les corps heureux des baigneurs. Jamais François Desjardins n'avait autant aimé son métier que dans ces moments passés dans les obstinations et les affections de ses jeunes fleurs prêtes à la déhiscence. Il les avait aimées avec leurs hésitations et leurs certitudes. Ce groupe lui avait fait comprendre que son métier était le moins inutile du monde parce que gratuit, parce que près des veines de l'affection. Ses avanceurs et ses rattrapeurs étaient ses oiseaux du paradis, sa miséricorde, ce filet de voix pour s'excuser, cette trombe sonore pour en imposer, une possibilité de concorde, une envolée d'oies hyperboréennes. Il n'avait pas besoin de leurs exposés pour leur dire que le firmament de Hull avait brillé avec eux, leur soif d'apprendre avait rendu hommage à la pédagogie, la réussite avait fait son nid. Ces garçons et ces filles lui avaient confirmé sa place d'enseignant dans l'anonymat de la vie féconde. Ses élèves avaient fait en sorte que le monde soit droitier-gaucher-gaucher-droitier, et que la vie tienne dans l'amorce d'un sourire et vive dans la solidarité fraternelle. Il avait aimé Rachelle du Togo, Aurélie de Val-Tétreau, le grand Albert de la rue Leduc, Jeff d'Aylmer, Mathieu de la rue Doucet, Benoît du boulevard Fournier, Constance de l'île de Hull, Jim de Buckingham, Pedro du village d'Argentine, Bruno de Maniwaki, Abigail de la rue Front, Vincent de la tour Port-de-Plaisance et Bob, son Bob, de la rue Laramée.

60

Quand François Desjardins passa sous le pont inter-provincial à 9 h 55, ce soir-là, il fut étonné de se retrouver dans la noirceur. Toutes les lumières du musée des civilisations étaient éteintes comme s'il y avait eu une panne d'électricité. Même les réverbères étaient éteints. Il eut soudainement l'impression d'être aveugle à marcher ainsi dans la noirceur sur les bords de la Grande Rivière. En revanche des voix le guidaient. À peine avait-il amorcé sa montée de l'autre côté du pont, non loin de l'édifice administratif du musée, qu'il entendit une complainte chantée par des voix toutes jeunes. Or, cette complainte, il en connaissait les paroles pour les avoir lues maintes fois dans un petit livre que son parrain irlandais lui avait donné un jour à sa fête. C'étaient des paroles anglaises qui racontaient l'histoire émouvante de quatre jeunes hommes du début de l'histoire de Hull.

It was on the Grand River, near the falls called the Chaudière
That four young men got in a boat and for them they did steer
Intending for to run them o'er, their course they did pursue.
Their boat ran with swift motion and from it they were threw.

Il avait traduit librement les paroles de cette complainte, en se prenant pour un poète.

Cela se passe sur la Grande Rivière
À la hauteur des Chaudières
Vers lesquels quatre jeunes hommes
Montés à bord d'une chaloupe
se mettent à ramer
Avec l'intention de survoler les grands remous
Afin de soumettre pour la première fois l'amont à l'aval
Mais les grands remous des eaux de l'amont s'emparent de
leur frêle esquif,
Les jeunes gens sont projetés dans l'écume
Benjamin Moore et William Wright et aussi Asa Young
Ces trois jeunes hommes sont projetés de leur frêle esquif
comme un éclair
et ils se noient
Seul James McConnell peut rejoindre la rive à la nage
Or, près des îles où les eaux rugissent
Un petit garçon est témoin de la scène
Il court porter en vitesse la tragique nouvelle
aux parents de Benjamin
Le père, la mère, les frères et les sœurs aussi apprenant la
nouvelle
accourent en vitesse aux Chaudières
Et leur cris agoniques vérifient la nouvelle fatidique
Pendant six jours, ils espèrent, mais les corps de leurs bien-
aimés ne refont pas surface
Pas même leurs cheveux joyeux ni leurs mains généreuses
Jusqu'au jour où, telles des fleurs d'eau,

Ils fleurissent comme
« Nageurs morts courant d'ahan
Vers d'autres nébuleuses. »

François Desjardins avait emprunté les deux derniers vers à Guillaume Appolinaire. Il était ému. C'était les voix de Jim, de Jeff et de Pedro qu'il entendait chanter, mais aussi celles de Mathieu, le souverainiste, et de Benoît, son alter ego, la belle voix de basse de Bruno aussi qui donnait à cette tragédie fondatrice la rondeur affectueuse d'une voix des hautes rivières, celle de Constance s'unissant aux voix d'Aurélie et de Rachelle, et celles de Vincent et d'Abigail. Seules manquaient les voix du grand Albert et de Bob qui, cependant, ne mirent pas beaucoup de temps à se faire entendre, elles aussi.

Cette complainte dans la nuit de Hull, seulement éclairée par des étoiles fraternelles et, il faut bien le dire aussi, les lumières d'Ottawa, François Desjardins la reçut comme une prière. Ses avanceurs et ses rattrapeurs l'appelaient au bivouac d'été comme dans la grande tradition québécoise. François connaissait ce chant écrit par le premier pédagogue de Hull, Robert Chambers, qui avait enseigné ses connaissances aux premiers enfants de Hull entre 1807 et 1810. Cette complainte portait tout le sens de la vie et de la mort. Quel plus bel hommage ses avanceurs et ses rattrapeurs pouvaient-ils rendre au destin d'une ville qu'ils adoraient que de chanter cette complainte de ces garçons noyés dans les Chaudières. Une complainte où l'on pouvait entendre en filigrane les cris de joie de petits êtres autour de la Grande Rivière, les courses effrénées dans le mil sauvage, une audace, une témérité. Un gazouillement d'enfants qui donne son sens à toute la vitalité adulte. Un lieu est habité par la joie et les pleurs, par le jeu et le drame, et c'est ce drame qui guidait François Desjardins dans sa marche d'aveugle. D'autres voix s'unirent aux voix jeunes. Et bientôt, dans le ciel étoilé couvant le musée des civilisations, des milliers de voix chantèrent la complainte des pauvres garçons noyés.

VINGTIÈME PARTIE

Le bivouac

61

Quand François Desjardins déboucha sur la grande place du musée, des milliers d'allumettes s'allumèrent. Hull l'accompagnait maintenant vers la source des voix. Ce furent alors le tonnerre et les éclairs. François Desjardins se retrouva plongé soudain sous des milliers de watts, à ce point que l'aveugle qu'il avait été dans sa marche vers le musée était de nouveau aveuglé. Une musique grandiose flotta sur le musée des civilisations. Puis, soudain, des bras vigoureux le soulevèrent. C'était Bob et Albert. Le grand Albert Guertin portait un chandail aux couleurs du Hull-Volant, la plus grande organisation sportive de l'histoire de Hull. Bob Vaillant affichait, lui, les couleurs de la fierté de la jeunesse hulloise, celles des Olympiques de Hull.

— Bonsoir, monsieur le professeur, entonnèrent au micro avanceurs et rattrapeurs. On a invité nos parents et on leur a dit d'inviter la parenté, puis on a invité nos amis et on leur a dit d'emmener leurs amis, les amis de nos amis ont décidé de venir bivouaquer sur les bords du Kitchisipi.

Les deux athlètes transportèrent leur professeur vers le campanile de Vincent, communément appelé pour certains la « Tour de lessivage » et, pour d'autres, la « Digester Tower ». On y avait échafaudé un magnifique bivouac. Une montagne de bois attendait qu'on l'incendie. C'était une immense pyramide autour

de laquelle des milliers de lumignons éclairaient les protagonistes. Les avanceurs et les rattrapeurs avaient revêtu pour la
circonstance les habits de Hull. Mathieu Couture avait repris la
soutane du père Reboul, Benoît Lapointe, le costume de médecin
d'Urgel Archambault, Constance Larocque, les fringues bohèmes
de la grande dramaturge Jean Desprèz, Bruno, les bleus de
travail d'un menuisier, Jim s'était habillé en chauffeur d'autobus,
Jeff portait le casque blanc de l'entrepreneur, Rachelle s'était
déguisée en mère de famille, Aurélie en infirmière. Quant à
Abigail, elle portait la longue robe d'Abigail Wyman, l'épouse de
Philemon Wright, le fondateur de Hull, et Vincent, lui, avait
passé un habit qui aurait convenu à n'importe quel avocat, juge
ou maire. Seule sa chemise ouverte laissait entendre qu'il avait
l'intention de prendre une liberté de poète. Il avait dans la main
une torche de résine qui n'attendait plus que d'être allumée pour
mettre le feu à la pyramide. Le Hull-Volant et les Olympiques
déposèrent le professeur devant les avanceurs et les rattrapeurs
présidés par Vincent Rossignol.

— Bivouac, bivouac, bivouac ! cria-t-on dans le ciel hullois
au-dessus du site du portage où, pendant des siècles, on avait
bivouaqué.

C'était le mot clé.

Vincent Rossignol, d'une voix téméraire, à la grande fierté
de ses camarades, s'adressa alors à tout le monde.

— Merci d'être venus à la fête de notre ville. Ce soir, on fête
Hull et nous avons pensé le faire en saluant d'emblée deux
pédagogues qui nous tiennent à cœur : le premier enseignant de
Hull, Robert Chambers, qui a écrit la complainte que vous venez
d'entendre, et notre professeur de l'an 2000, François Desjardins.
Ce soir, nous avons fondu nos exposés. Il y a à peine trois
semaines, certains d'entre nous étaient droitiers, d'autres
gauchers. Eh bien ! je puis vous annoncer que nous sommes tous
devenus ambidextres comme Bob, grâce à cet original de professeur que le collège nous a donné pour nous parler d'une ville que

nous fréquentions en aveugle. Je ne connaissais rien de Hull sinon ma tour Port-de-Plaisance, jusqu'au jour où, à la faveur d'un retard délibéré, j'ai pu m'asseoir aux côtés d'une jeune fille aux cheveux incendiaires. Ce soir, toute ma parole tient dans cette rencontre de la lumière et de la beauté. Et quel plus bel hommage, François, pouvons-nous vous faire avant d'allumer notre feu de joie que de dire que, grâce à vous, quand nous passons maintenant aux côtés des vieux murs des anciennes usines Eddy sur la rue Principale, nous entendons des siècles de travail. Nous longeons ces vieilles pierres et elles nous semblent la vitrine du labeur des hommes. Jamais notre ville ne nous est apparue aussi ouvrière. Jamais notre ville n'a eu autant d'écho dans nos cœurs. Ce vétuste édifice, grâce à vous, nous apparaît comme un corps vivant, le corps de nos pères nourriciers qui ont bâti à la sueur de leur front un avenir pour leurs filles et leurs fils. J'entends ma mère me dire : « Grand-papa a travaillé toute sa vie aux usines Eddy. Il y est entré dès l'âge de neuf ans. Il y a travaillé douze heures par jour. Il n'a jamais su lire ni écrire. » Et nous tous ici présents ce soir, vos rattrapeurs comme vos avanceurs, voudrions dire en hommage à votre pensée, à notre parenté et à nos amis, aussi aux amis de nos amis qui sont ici, que nous pensons à ces Hullois qui ne savaient ni lire ni écrire, mais qui avaient à cœur que, dans ce bois qu'ils transformaient en papier, leurs fils et leurs filles, un jour, puissent signer leur nom. Devant cet édifice aux pierres vivantes, nous avons pris conscience que nous avions la chance, nous, de pouvoir écrire et l'agrément de pouvoir lire. Oh ! combien, à cette minute même, l'éducation hulloise tout entière tient dans la noise des machines et des rotatives activées par des analphabètes au grand cœur qui ont fait tout leur possible pour que ceux qui allaient les suivre n'aient pas à suer toutes les Chaudières du monde. Voilà un monument élevé au courage, voilà une fontaine des bâtisseurs que l'un de nos grands artistes, Vincent Théberge, a compris en élevant devant cette usine du labeur, une sculpture haute de soixante pieds, formée de multiples billots à la verticale comme des grandes orgues mais aussi comme un Calvaire. Nous avons souvent passé à côté d'elle sans jamais nous poser de questions. On la trouvait belle et cela suffisait. Mais, aujourd'hui, on y entend des milliers de voix d'ouvriers comme une Neuvième avec, pour orchestre, le fracas des Chaudières.

— Bravo, Vincent ! dit Abigail.

— Bravo ! ajoutèrent ses camarades et, même, son professeur, ému.

— Nous avons appris qu'on voulait détruire l'usine, continua-t-il, jamais ces pierres ne nous ont autant parlé. Aussi, avons-nous pensé à un poème polyphonique pour raconter notre ville. Nous avons convenu d'un commun accord de prendre comme toile de fond notre blason, d'abord la flamme incendiaire. Chante, Bruno !

> *On cria : Au feu !*
> *De chez-soi vite on sort,*
> *Un grand malheur nous menace au dehors,*
> *La cloche sonne,*
> *Partout résonne, un glas mortel,*
> *présage de la mort.*
>
> *C'est une maison de la rue Chaudière*
> *Qui brûle ; puis bientôt tout son quartier,*
> *Ensuite c'est la ville entière*
> *Qui se transforme en immense brasier.*

— Le 26 avril 1900, la moitié de la ville de Hull est détruite par un incendie qui commencé sur la rue Saint-Rédempteur, près du lac Minnow, à 11 heures, dit Aurélie.

— Le 3 avril 1919, à l'angle des rues Principale et Leduc, la mort décime trois membres de la famille Dorion, ajouta Rachelle.

— Le 25 décembre 1928, une religieuse périt dans l'incendie de l'hôpital Sacré-Cœur, lança Jeff.

— Le 15 mars 1933, *l'Allumière Canada Match*, rue Dumas, détruit la vie de six personnes, dont une jeune fille qui venait de se fiancer, tonna le grand Albert.

— Je t'aime, ma belle grande police, ne put s'empêcher de dire Aurélie.

— Moi aussi, fit-il, transporté par la joie.

— Le 24 janvier 1937, quatre enfants de la famille Fournier perdent la vie, renchérit Benoît.

— Le 23 décembre 1943, le feu éclate à l'Hôtel Central. Il y aura six morts, reprit Bob.

— Tu me fais de la peine, Bob Vaillant, fit Rachelle. C'est la première fois que je te trouve pas drôle.

— Veux-tu qu'on te parle de héros d'abord, mon colibri ?

— J'aimerais bien.

— Pas avant que je t'aie dit que le 24 juillet 1955, sept enfants de la famille Laurin périssent dans les flammes.

— Et la roue d'engrenage du blason ? demanda Mathieu Couture.

— « Soyons cœurs francs », répondit Vincent Rossignol avec un aplomb remarquable. Il ajouta :

— Une ville, c'est avant tout des gens qui y croient. Ses héros de l'ombre. Des balayeurs de rues aux urbanistes utopistes. Et entre ceux-là, Roland Arvisais, chauffeur d'autobus, qui sauve les occupants de la rue Hôtel-de-ville, le 23 janvier 1948.

— Et Georges Benoît, chef des pompiers, qui sauve une fillette le soir du 26 avril 1900, dit Pedro.

— Et Claire Bigras, à peine âgée de seize ans, qui sauve sa grand-mère le 5 janvier 1959, fit Constance.

— Et Paulette Lalonde, sauve cinq enfants dont elle est la gardienne.

— Et l'étoile du blason, elle ? suggéra Bob malicieusement.

— L'étoile, c'est Hull que je ne connaissais pas, continua Vincent. C'est Hull comme un boulevard à créer, comme un champ à domestiquer, une promesse d'avenir, c'est toute l'hésitation lumineuse de l'artiste, le pas incertain engagé dans un terrain vague et la vague déferlante des sens qui fait qu'on aime une ville, au-delà des siècles, comme un corps de jeune fille que l'on apprivoise et qui cambre ses reins pour offrir sa souplesse. L'étoile, c'est ce moment magique où se réunissent dans une même phrase, dans un même nom, la destinée d'une ville, la passion de ses filles et des ses fils : « Je t'aime, Abigail ! »

La jeune Anglaise s'avança vers la pyramide qui lui sembla alors plus grande que celle qu'elle avait vue dans le film *Chronos*, et tous les rattrapeurs et les avanceurs firent cercle autour d'elle. Elle s'approcha de Vincent Rossignol et la classe de François Desjardins fut témoin du baiser incendiaire que se donnèrent ces deux grands amoureux de Hull.

Tout se consuma.

La parenté comme les amis, et les amis des amis firent la queue du loup pour célébrer dans une farandole les noces de l'eau et du feu.

FIN

La fontaine des bâtisseurs

Voilà un monument élevé au courage.

[Sculpture de Vincent Théberge, Hull, 1979. Photographie de Pierre Bertrand, 1979.]

Le journal d'*Abigail*

Je t'aime, Abigail ! est un projet fou commencé par un appel téléphonique au milieu du mois de décembre 1998. Richard Blackburn, directeur général du Théâtre de la Dame de Cœur, me demande si je suis intéressé à écrire le texte du spectacle du bicentenaire de la ville de Hull. Un rendez-vous est fixé à la Maison Scott, une maison de campagne du XIXe siècle, sise dans le décor de la ferme expérimentale de Hull, au nord du boulevard Gamelin. C'est le quartier général de la Corporation du bicentenaire de Hull. On me reçoit au grand salon du rez-de-chaussée. Richard Blackburn me serre la main d'une façon énergique. Son sourire est enthousiaste. Il me présente son assistant, Éric Preston, lequel est tout aussi passionné que son patron.

Nous nous assoyons autour d'une grande table en chêne. Il place devant lui un portable Macintosh. C'est déjà un bon départ, je travaille aussi sur un Macintosh.

Il commence à parler du projet. Il en parle avec éloquence. Mais plus il parle, plus je trouve la barre haute. Les mots se bousculent : multimédia, marionnettes géantes, *corroplast*, *scissor lift*. En somme, Richard Blackburn est responsable d'un gros « brassage d'énergie » prévu pour juin de l'an 2000. Nous sommes en décembre 1998. Je suis exsangue comme le froid de l'hiver naissant. D'un côté, le projet m'intéresse parce qu'il est stimulant et rempli de défis. J'enseigne le cinéma. L'écriture scénaristique me passionne. Les techniques d'écriture d'un spectacle multimédia empruntent dans une certaine mesure au cinéma. Ce serait l'occasion idéale de prendre de l'expérience. D'un autre côté, je n'ai jamais écrit de spectacle. Cela me fait peur. En outre, le sujet n'est pas évident. Comment dramatiser deux cents ans de la vie d'une ville en une heure trente de spectacle ? Tout un défi pour un homme qui termine un trimestre qui lui a bouffé son énergie. Je suis inquiet. Je ne veux pas dire non, mais, en même temps, je ne me sens pas la force d'entrer de plein pied dans l'aventure.

Je laisse Richard Blackburn parler. Il est non seulement éloquent, il est aussi apodictique, en d'autres mots il est convaincant. Il réussit, tel un thaumaturge, à calmer mes craintes, si bien qu'au bout de deux heures d'entrevue, nous convenons de nous donner un mois pour sceller une entente. Pourquoi un mois ? Premièrement, je n'ai aucune minute à consacrer au projet avant le 31 décembre. Corrections obligent. Deuxièmement, je lui dis que ma seule façon de savoir si je suis capable de mener à bien l'opération, c'est de m'essayer à écrire un court texte sous forme de conte romanesque, un genre que j'aime travailler. Il est d'accord. Je suggère la date du 15 janvier 1999 pour lui donner une réponse finale. Nous nous quittons sur cette promesse.

Le 31 décembre, je termine mes corrections d'examen, tel que prévu. Je reçois par courrier prioritaire un exemplaire de l'*Histoire de l'Outaouais* de Chad Gaffield et un résumé colligé de ce livre par Éric Preston. Les principales étapes de l'histoire de la région de l'Outaouais sont alignées. C'est très cérébral. *Histoire de l'Outaouais* est un excellent ouvrage réalisé par des spécialistes. Une mine de renseignements documentaires, mais peu d'émotions. En fait, c'est moi qui éprouve les émotions devant la tâche à accomplir. Un moment d'angoisse vite oublié, ou plutôt réprimé par l'arrivée du nouvel an que je m'empresse d'aller célébrer en Haute-Gatineau, chez mes amis. J'y traîne à la fois ce projet à venir et un projet à finir. Car mon éditeur Pierre

Bernier s'apprête à publier *Blisse — Le cycle des conteurs*. Nous en sommes à l'étape finale des corrections d'épreuves.

Ainsi, pendant les premiers jours de janvier, se côtoient *Blisse* et *Abigail*. *Blisse* que je peaufine, *Abigail* que je ne fais que soupçonner. Heureusement, il y a le repas de fête à Maniwaki pour me faire oublier mes angoisses : le lièvre de Bernard L'Heureux, la tourtière de Marc Grégoire, le Champagne de François Brossard. Nous nous couchons à minuit.

Le lendemain, pendant que tout le monde dort, je m'installe sur la table des fêtes de mon ami Bernard. Je commence à écrire. Il est six heures et j'écris, dans d'heureux lieux de mon enfance, une ébauche de mon texte pour le spectacle du bicentenaire. Je suis inspiré. Est-ce l'effet du lièvre, de la tourtière ou du Champagne de la veille, ou encore de l'excellente nuit que j'ai passée avec mon épouse ? Toujours est-il que, d'emblée, j'invente une situation dramatique avec laquelle je peux me sentir à l'aise : celle d'un cours d'été en histoire donné à un petit groupe de rattrapeurs et d'avanceurs. Sur mes premières pages, écrites dans les vapeurs de la fête, s'esquisse une bande d'élèves venus de milieux divers et ayant différentes motivations. Se profilent aussi des caractères bien trempés, des physiques particuliers et une chimie explosive, la rencontre d'un jeune francophone timide et d'une belle anglophone fougueuse. Je donne à mon héroïne le prénom d'Abigail, le même que celui d'Abigail Wyman, l'épouse du fondateur de Hull, Philemon Wright. Quant à mon héros, je l'appelle Vincent. C'est le prénom que Lorraine et moi aurions donné à notre deuxième fils si nous avions eu un autre garçon. Comme nom de famille, je lui choisis « Rossignol », en hommage à Léo Rossignol, le premier à avoir écrit une thèse de doctorat sur l'histoire de Hull en 1941. Abigail, elle, s'appellera Meers parce que j'aime la sonorité de ce nom. Vincent n'a jamais été amoureux ; il le devient pour la première fois. C'est ainsi que naît le titre *Je t'aime, Abigail !* Je crois être sur une bonne piste.

Ce matin-là, j'écris sept pages. Dehors, il fait tempête. À midi, nous dînons chez Marc à Blue Sea. Le soir, Lorraine et moi partageons le repas de nos amis Bernard Lefebvre et Louise Chicoyne en compagnie de deux prêtres que j'aime beaucoup : Philippe Mabiala, un Congolais de Brazzaville, et Jean-Charles Dufour, le curé de la paroisse Notre-Dame de la Guadeloupe. Louise se surpasse dans ses desserts : mousse au chocolat, bûche de Noël, sucre à la crème et fudge, de quoi envoyer en orbite le diabétique que je suis. Nous quittons à dix heures.

Le lendemain, le lundi 4 janvier 1999, j'écris pendant au moins huit heures. *Je t'aime, Abigail !* prend de plus en plus forme. Ma classe commence à avoir une personnalité.

Le mardi, je fais des provisions chez Bureau en gros avec Lorraine. Au retour, je n'écris pas. Je visionne, cependant, des vidéos sur le peintre hullois Jean Dallaire. Le soir, les enfants, Lorraine et moi passons prendre ma mère à la Résidence de l'île pour aller voir *La vie est belle.* Quelle poésie rafraîchissante que ce tête à tête en-dessous de la table entre le sensible comédien Roberto Benigni et une jeune femme qui résume, à elle seule, toute l'humidité féminine.

À mon retour, je trouve une enveloppe contenant des épreuves de *Blisse — Le cycle des conteurs.*

Mais je ne vous ferai pas par le menu le compte rendu de la très sensible conquête de *Je t'aime, Abigail !* Je ne vous dirai pas que le jeudi 7 janvier 1999, je travaille mon texte de 8 heures 30 à 14 heures, ni que le samedi 9 janvier, à 5 heures, je prends un café avant de plonger dans *Abigail.* Qu'à 7 heures, ma douce Lorraine vient me rejoindre. Je ne vous dirai pas qu'à 14 heures 30, je fais le tour de Hull en compagnie de ma mère et de mon épouse. Que nous nous arrêtons aux Chaudières.

Faut-il que je vous dise qu'à 22 heures 5 minutes précises, cette journée-là, je remplace la cartouche d'encre de mon imprimante. Je ne vous dirai pas non plus que le dimanche suivant, à 6 heures pile, je visionne *La Vénitienne* de Mauro Bolognini où les seins de Laura Antonelli me tourmentent. Cela fait aussi partie du processus de création. *Abigail* et *Blisse*, quand deux textes décident de s'envoyer en l'air !

Il y a dans mon écriture le désir de l'oiseau de ne plus jamais s'arrêter de voler, comme une mouette à six heures du matin, dans le vent du nord, au pays de mes hautes rivières. Je crois sincèrement que la création littéraire, c'est le rêve insensé d'un vol éternel. Je navigue maintenant l'illusion de l'éternité, la belle maîtresse qui nous fait faire l'amour au rêve.

Pendant tout ce mois de janvier, période capitale pour l'avenir de *Je t'aime, Abigail !*, j'ai vécu la vertigineuse aventure d'une écriture qui doit fraterniser avec les surprises journalières. Celles du mardi, par exemple, où j'ai reçu en cadeau de Pierre Perrault le grand poème *Le visage humain d'un fleuve* et où j'ai passé ma journée chez Vincent Théberge en compagnie de mon éditeur et ami Pierre Bernier. Nous avons relu *Blisse — Le cycle des conteurs* de 11 heures à 20 heures 30. En me couchant, ce soir-là, j'ai parcouru l'historien Lucien Brault non sans avoir, au préalable, téléphoné à Richard Blackburn du Théâtre de la Dame de Cœur pour lui parler de *Je t'aime, Abigail !*

Une œuvre, c'est des journées fécondes où l'écriture farandole avec les inattendus du jour, qui font qu'on se paye parfois un café avec les camarades, comme ce mercredi 13 janvier, en compagnie de Michel-Rémi Lafond, d'Hervé-Marie Gicquel et de France Lapointe ; qu'on reçoit des coups de téléphone de Richard Blackburn, de Louise Chicoyne et de Jacques Michaud ; surtout, qu'après le plein de fraternité nous sommes gonflés à bloc et d'attaque pour réussir un grand texte.

Je tente de mettre toutes les chances de mon côté. Deux cents ans dans la vie d'une ville mérite que l'on rencontre ses historiens. Aussi, je demande à l'historien Raymond Ouimet de me faire visiter la ville. Nous nous fixons un rendez-vous pour le dimanche suivant.

Le dimanche arrive. Tôt le matin, je lis le livre *Une ville en flammes* de Raymond Ouimet. J'ai rendez-vous avec ce dernier à 9 heures, rue Charlevoix, en face du Parc Fontaine. Ce sera ma première grande visite historique de Hull. Trois heures intenses de conversation. Raymond conduit ma voiture. Je prends des notes. Voyage dans l'histoire intime.

L'auteur d'*Une ville en flammes* me guide amicalement à travers les rues de Hull. Je salue autant sa sollicitude que sa générosité. Visiter la ville avec Raymond est en soi une aventure. Je n'oublierai jamais. J'ai rarement rencontré une personne aussi passionnée par sa ville. Il me parle d'abord de la rue de son enfance, la rue Charlevoix, qui longe le parc Fontaine, du nom de Joseph-Éloi Fontaine, député fédéral très aimé. Au siècle dernier, ce parc était un lac, le lac Flora, où l'on organisait des courses de chevaux sur la glace. Il me parle de l'ancienne porcherie au coin des rues Chateaugay et Frontenac. Un ruisseau déversait le purin dans le lac. Combien d'autres choses me dit-il sur son parc ? Les parties de balle molle qui, de 1947 à 1961, pouvaient attirer plus de deux mille personnes en moyenne. Il n'y avait aucun gradin ; les spectateurs apportaient leurs chaises. En 1948, dans le stadium Graton, érigé dans le parc, Barbara-Ann Scott, la plus grande patineuse de l'histoire canadienne, s'était produite. Soixante-dix ans auparavant, une grande glissoire était aménagée sur la rue Lake, aujourd'hui Laval. Les jeunes glissaient jusqu'au lac Flora. Tant de détails sur ce parc de Hull. Par exemple les Nault qui faisaient de la bière d'épinettes ou encore, rue Kent, Jos Patates, de son vrai nom Romanuk, un Roumain.

Les trois heures passées en compagnie de Raymond dans les rues de Hull furent déterminantes dans l'orientation qu'a prise par la suite mon *Je t'aime, Abigail !* Je ne saurais vous dire, dans ces quelques lignes, tout ce que cette visite guidée m'a apporté. J'y ai appris, entre autres, comment le presbytère de l'église Notre-Dame-de-Grâce était devenu, aujourd'hui, une annexe de l'hôtel Ramada. Que Josaphat Pharand possédait un magasin à rayons et qu'il avait un système ingénieux pour les paiements. La caisse centrale était située au deuxième. Une série de poulies faisaient circuler l'argent dans de petits contenants. L'ancêtre des pneumatiques en quelque sorte. Raymond m'a raconté qu'à l'intersection des rues Victoria et Champlain se trouvait la maison de Basile Carrière, quincaillier. Arthur Rubinstein y aurait joué du piano. Mon historien s'est extasié sur les colonnades et les corniches des maisons à l'italienne de la rue Champlain. Il a louangé le premier propriétaire de la maison Farley, pharmacien inventeur de l'Antalgine, sorte d'aspirine vendue dans le monde entier. Il a conduit ma voiture près de la maison Sanche, à l'intersection de Papineau et de Notre-Dame. Monsieur Sanche, le grand-père de Bobino, a été un grand homme de théâtre de Hull. Devant sa maison : le musée des civilisations à l'emplacement duquel s'élevait autrefois une cours à bois. « Dix-huit mille cordes de bois y ont brûlé en 1946, me dit Raymond. Les moteurs des camions de pompiers ont tourné pendant quatre jours. Ils ont brûlé eux aussi. » Que pouvais-je attendre d'autres de l'auteur d'*Une ville en flammes* ?

Beaucoup d'autres choses, comme l'évocation du Collège Notre-Dame qui était situé là où s'élève, aujourd'hui, l'édifice de Bell Canada. Ce collège était célèbre à travers le Québec pour sa fanfare. « Le frère Alexis la dirigeait ; Lucien Ricard, tambour-major, vit encore », me dit Raymond Ouimet, ému. Tout cela dans notre première demi-heure de visite. Inutile de vous dire combien j'en ai appris cette journée-là. D'ailleurs j'ai tout noté sur des feuilles mobiles. Ces trois heures de visite de Hull avec Raymond m'ont été tellement utiles.

Comme le sont, du reste, les conférences prononcées, le mardi suivant, à la salle « La Désert » du Palais des congrès de Hull. Raymond m'y a fait inviter. C'est dans cet endroit que je retrouve, l'espace d'un repas, Yves Ducharme, mon ancien étudiant, l'un de mes plus chers — le mot n'est pas trop fort. Yves venait préparer les repas à la maison lorsque Lorraine était en couches de notre troisième enfant, Sophie-Laurence. Lorraine et moi avons toujours éprouvé de l'affection pour Yves. Qu'il soit le préfacier de mon livre est une belle coïncidence. Yves avait du talent pour le cinéma. Il aurait fait un bon cinéaste. Il a préféré une autre forme de mise en scène.

C'est dans la salle « La Désert » que j'entends Lucien Ouellet parler des chansons de l'Outaouais, Michèle Guitard nous entretenir sur l'architecture hulloise, Denise Latrémouille argumenter sur les femmes de Hull, et Benoît Thériault présenter Philemon Wright. Benoît, un autre ancien élève, que je retrouvais après plusieurs années. Je devais lui parler par la suite à quelques reprises au téléphone. Cela m'a permis de résoudre des problèmes d'ordre historique. Je salue l'extrême précision de ses remarques et son dévouement. Par exemple, le mardi 16 mars, il m'attendait sur le seuil de l'édifice administratif du Musée des civilisations pour me remettre de superbes illustrations en couleurs de l'histoire de l'Outaouais. C'est à lui que j'ai demandé de faire une révision ultime de mon livre. Je l'en remercie.

Si j'ai tenu un journal sur la création de *Je t'aime, Abigail !*, c'est que je voulais partager ma démarche créatrice avec le lecteur. L'aventure pédagogique de mon roman s'y prête bien.

Le mercredi 20 janvier, à 5 heures du matin, *Je t'aime, Abigail !* dépasse le cap des trente pages. Je suis prêt à faire un premier envoi à Richard Blackburn et Éric Preston. À 14 heures 15, alors que je philosophe sur le « destin » avec mon fils Francis, je reçois un appel téléphonique d'Éric. Il est enchanté par l'humour de mon texte. Richard et lui me donnent rendez-vous le vendredi après-midi 29 janvier, à la Maison Scott. Entre-temps, mon ami Jacques Michaud, directeur de la collection « Passages » à Vents d'Ouest, me demande de travailler à la révision du *Mal du Nord* de Pierre Perrault.

Je dois dire que les soirées qui précèdent ma nouvelle entrevue sont marquées par une lecture intensive du dernier livre de Perrault, mais aussi par d'autres travaux comme ma contribution au livre *Pierre Perrault, cinéaste-poète,* publié à l'Hexagone, sous la direction de Paul Warren, et l'organisation d'un voyage à la Cinémathèque québécoise en compagnie de mes étudiants en cinéma.

Arrive le jeudi 28 janvier. Je me lève à 6 heures 30. Je fais des corrections à *Je t'aime, Abigail !* Je donne mes cours au campus Gabrielle-Roy. Je reçois un appel d'Agathe Alie, de Radio-Canada. Elle me demande des notes biographiques pour une entrevue avec Daniel Daigneault, prévue pour le premier samedi de mars. L'Université du Québec à Trois-Rivières me téléphone au sujet de *Blisse.*

Le vendredi 29 janvier 1999, c'est jour de rendez-vous. Je me lève à quatre heures trente. Mon échéancier est serré. Lecture du *Mal du Nord* avant 7 heures. Télécopie d'un texte sur la francophonie à Jean-Paul Perreault du mouvement Impératif français dans le cadre de la semaine internationale de la francophonie. Cours en avant-midi. Rencontre d'étudiants. Rendez-vous à quatorze heures à la Maison Scott avec Richard et Éric, et, en fin d'après-midi, avec Jacques, au Quatre Jeudis.

À 17 heures 15, quand j'arrive au « Quatre », je suis heureux. Mon entrevue avec Richard Blackburn et Éric Preston du Théâtre de la Dame de Cœur m'a comblé. La grande aventure est bien entamée. Jacques est assis avec l'écrivain Richard Poulin. Nous parlons de marxisme, de trotskisme et de littérature.

J'ai tenu ainsi la comptabilité de l'écriture de *Je t'aime, Abigail !* depuis le 2 janvier jusqu'au 14 avril, date à laquelle je remettais à Marc Senécal, président de la Corporation du bicentenaire, en présence de son conseil d'administration et du maire de Hull, la première version de mon livre et une lettre accompagnatrice où je disais, entre autres, après avoir rappelé les grandes étapes de mon projet :

Qu'est-ce que *Je t'aime, Abigail !* ? Tout simplement l'histoire du jeune étudiant Vincent Rossignol qui, obligé de s'inscrire à un cours d'été en histoire, découvre sa ville en même temps que l'amour. Sur le plan narratif, c'est le parcours qui nous mène d'un manque et d'un refus à l'accession à une connaissance et à un pouvoir. Voilà la trame héroïque. Des épreuves qualifiantes mais aussi des épreuves performantes au sein d'un groupe d'avanceurs et de rattrapeurs bien guidé par le professeur François Desjardins, qui a le sens de l'histoire et de sa prégnance, c'est-à-dire de son passé, de son présent et de son avenir. *Je t'aime, Abigail !*, c'est Hull vue de l'an 2000. Hull comme une enquête, Hull comme un conflit, mais aussi Hull comme un dialogue. Je n'ai aucune prétention sinon celle de vous dire que ce texte porte en lui le désir de la connaissance et la passion amoureuse.

L'écriture du premier jet d'un livre est, pour moi, la partie la plus enivrante parce que souvent libre de toutes contraintes. En revanche, la réécriture, la révision et la correction des épreuves exigent une grande patience et une discipline à toute épreuve.

J'aimerais maintenant remercier les personnes qui m'ont prodigué leur aide en cours de rédaction.

D'abord, saluer le dévouement de mon épouse Lorraine. C'est pour elle et avec elle que j'ai écrit ce livre. *Je t'aime, Abigail !* est un long baiser. On parle souvent de l'atmosphère dans lequel s'écrit un livre. Cette histoire de Vincent Rossignol et d'Abigail Meers qui découvrent leur ville en même temps que l'amour, c'est un peu notre histoire à Lorraine et à moi qui, pendant les trois mois d'écriture de la première mouture du texte, sommes partis amoureusement à la découverte de Hull. Comme en témoigne mon journal des dimanches 7 et 14 février 1999.

Dimanche 7 février 1999

Debout à 4 heures. J'écris une dizaine de pages. Mon *Je t'aime, Abigail !* prend du poil. C'est bien.

À 9 heures 30, Lorraine et moi allons à l'église St. James. Nous arrivons pendant la messe. La petite communauté Bernard-de-Clairvaux est debout dans le chœur. Le marguillier nous invite à les rejoindre. Nous communions sous les deux espèces. J'aime bien le vitrail de l'Ascension.

À 11 heures, nous sommes au musée des civilisations. Visite de l'exposition « Les Mystères de l'Égypte », puis tour rapide des salles réservées à l'histoire du Canada. Le camp de bûcherons m'intéresse. Le vidéo sur le commerce du bois est très écologique. Au reste, l'histoire du Canada racontée par les fonctionnaires du musée est plutôt « politically correct ».

Dimanche 14 février 1999

Je me lève tôt. Je continue mes lectures sur Hull. À 11 heures, Lorraine et moi allons au Collège dominicain. Je veux voir *Le crucifié* de Jean Dallaire.

Le portier n'est pas là. Nous suivons alors un long corridor blanc voûté comme un cloître. Nous entrons dans le réfectoire. Au fond, à notre gauche, une murale représentant Marie, sœur de Lazare, offrant un épis de maïs au Christ. Elle est signée par le peintre français Lecoutey. Au parloir, un prêtre nous suggère de faire demander l'archiviste. Pas d'archiviste. Nous prenons la direction de l'église Saint-Jean-Baptiste. C'est l'heure d'un baptême. Le célébrant nous dit qu'il existe un livre sur la paroisse dans lequel un chapitre est consacré à Dallaire. Entre temps, le portier nous rejoint pour nous dire que le père archiviste va nous recevoir. Quelle chance pour nous !

Nous montons jusqu'au quatrième par l'ascenseur, puis nous prenons un escalier.

Vous connaissez la suite, puisque je me suis inspiré de ces deux visites dans mon livre en inversant, toutefois, l'ordre des séquences.

C'est avec Lorraine, donc, que j'ai écrit ce texte. Avec ses joies, ses inquiétudes, son support, son encouragement. Sans elle, il n'y aurait pas de *Je t'aime, Abigail !* C'est elle qui, tôt le matin, venait me rejoindre pour entrer des données dans l'ordinateur. Données de mes lectures de la nuit. Car je lisais la nuit et j'écrivais au petit matin, avant mes cours. Un rythme infernal. Je mangeais sur le coin de mon bureau. Lorraine me nourissait dans tous les sens.

Il n'y a pas seulement que Lorraine qui m'a encouragé. Je voudrais glisser un mot sur Louise Chicoyne, ma correctrice, à qui je faisais lire mes premiers jets avant de les télécopier au Théâtre de la Dame de Cœur, à Upton. Louise, chaque fois, me faisait des commentaires positifs. Je voudrais aussi parler des encouragements de Richard Blackburn et d'Éric Preston, à qui je télécopiais hebdomadairement des nouvelles pages de mon livre. Ils me téléphonaient pour me communiquer leurs opinions, souvent stimulantes. Ils appréciaient l'intensité de ma dramatique pédagogique. Je leur mets ces derniers mots dans la bouche. Je trouve qu'ils résument bien leurs propos.

Je ne faisais pas que communiquer avec eux par télécopieur et téléphone interposés, je les rencontrais aussi d'une façon ponctuelle à la Maison Scott. Quand ils viennent à Hull, le vendredi 26 février 1999, je leur remets une disquette contenant les quatre-vingt-quatre premières pages de *Je t'aime, Abigail !*

Le dimanche 14 mars, j'arrive à la cent quarante-sixième page. J'écris dans mon journal : « Ce serait merveilleux d'atteindre les cent soixante pages avant la nuit. » Le mardi 16 mars, je rencontre Richard et Éric à l'hôtel Ramada. Richard a l'expression suivante pour qualifier mon inspiration : « Nappe phréatique ». Il faut convenir qu'avec un tel encouragement, j'ai des ailes. Richard Blackburn m'avertit que mon texte dépasse en étendue ce qu'il pourra utiliser, mais plutôt que de me restreindre à la stricte économie dramatique d'un spectacle multimédia, il m'encourage à continuer mon aventure littéraire à bride abattue. Il aime ce texte qui est devenu un roman et m'incite à aller jusqu'au bout. « Tu le publieras ; comme ça, tu pourras dire beaucoup plus sur l'histoire de Hull, et tu regretteras moins ce que nous serons obligés d'abandonner pour le spectacle. »

J'ai bénéficié d'un bon support technique pendant l'écriture de mon livre. Je me dois ici de remercier Marthe Francœur, directrice de la bibliothèque du Collège de l'Outaouais, laquelle m'a été dévouée, Denis Boyer, directeur de la bibliothèque municipale et Louise Poirier, directrice de Télé-Québec, qui ont mis à ma disposition leurs ressources bibliographiques et médiagraphiques. Je remercie également les spécialistes de l'histoire hulloise qui m'ont accordé généreusement de leur temps. J'ai parlé plus haut de Raymond Ouimet, pour lequel j'éprouve du respect et à qui *Je t'aime, Abigail !* rend particulièrement hommage. Au reste, j'ai emprunté les noms ou prénoms, que j'ai donnés à mes avanceurs et à mes rattrapeurs, aux figures dominantes de l'historiographie hulloise. Vous savez déjà pour « Rossignol ». En revanche, je vous dirai que j'ai choisi le nom de « Couture », en l'honneur d'André Couture, le premier grand éditeur littéraire de Hull et, en même temps, mon premier éditeur chez qui j'ai publié *Lettres qui n'en sont pas.* « Lapointe », du nom de Pierre Louis Lapointe, un archiviste important de l'histoire de notre région. Quant au prénom « Benoît », je voulais faire un clin d'œil amical à Benoît Thériault, mon ancien étudiant devenu archiviste. Beaucoup d'autres noms, dont celui de « Ouimet », qui n'a pas besoin d'explication, et celui de François Desjardins, le prénom et le nom de deux de mes anciens élèves du Collège de l'Outaouais, aujourd'hui professeurs d'histoire au même collège. Il s'agit de François Lazure et Geneviève Desjardins.

Les trois mois que j'ai mis à écrire la première version de mon roman ont été trois mois de haute voltige. À telle enseigne que j'ai éprouvé une sorte d'euphorie, stimulée par des événements mobilisateurs. Par exemple, le lundi 8 février, la fête fraternelle des Écrits des Hautes-Terres, organisée par Pierre

Bernier et son directeur artistique, Vincent Théberge. Plusieurs auteurs de la maison, dont les livres viennent de sortir de presse, sont là. Nicole V. Champeau, Jacques Gauthier, Julie Huard, Guy Jean, Michel Muir et Jean-Guy Paquin viennent saluer le beau travail de Michel Bédard, de Laurence Bietlot et d'Anne-Marie Valton, de l'équipe technique des éditions. Journée stimulante aussi que le 24 février, date du lancement de mon livre *Blisse — Le cycle des conteurs*, à la maison de la culture de Gatineau. Et que dire des critiques élogieuses des Claude Rochon, Andrée Poulin et Laurent Laplante ! Je flottais littéralement. Comment redescendre ? J'en profitai même pour écrire un texte dramatique intitulé *La séduction de Sarah* à partir du conte romanesque *Sarah du Caye*, un récit fort érotique que j'avais écrit l'été précédent, et dont je ne sais pas encore si j'oserai le publier.

Mon métier d'enseignant en cinéma et en histoire de l'art est très stimulant. Nous sommes quotidiennement au contact de chefs d'œuvre et nous sommes même, parfois, appelés à présenter les artistes.

Ainsi, pendant que j'écris *Je t'aime, Abigail !*, une collaboratrice de l'Office national du film, Michèle Deshaies, me demande de présenter le cinéaste Gilles Carle, le dimanche 28 mars, à 16 heures, à la Maison du Citoyen, dans le cadre de la Quinzaine culturelle. Au même moment, j'organise un voyage à la Cinémathèque québécoise pour rencontrer le vidéaste Robert Morin. Le 28 mars, c'est aussi la dernière journée du Salon du livre de l'Outaouais. Gilles Carle vient présenter *Moi j'me fais mon cinéma*, son dernier film, un documentaire autobiographique. J'accepte en échange de billets de cinéma pour mes étudiants. Mais j'accepte aussi parce que Gilles Carle est un compatriote de Maniwaki. J'agrée d'autant plus qu'on m'envoie une copie du film et ce dernier me séduit.

J'aurais aimé verser le texte que j'ai écrit sur Gilles Carle dans *Le journal d'*Abigail pour mémoire et pour ostentation. Pour mémoire, surtout, et la chance que j'ai ici de répandre un autre parfum d'autobiographie. Car qu'est-il ce *Journal d'*Abigail sinon une façon détournée de vous dire que j'aime écrire. Cependant, je n'hésiterai pas à citer un passage de ma présentation qui justifie, à mon avis, la démarche que j'ai entreprise dans *Le journal d'*Abigail. C'est le dernier paragraphe.

> À deux pas de la Maison du Citoyen, où vous vous trouvez en ce moment, coule la Grande Rivière. Gilles Carle, lui, a remonté à ses sources, en allant vivre avec sa famille dans l'Abitibi du partage des eaux. Mais par la suite, plutôt que de prendre la route de la Baie James, son œuvre se sera inspirée des méandres, des rapides et des chutes de l'Outaouais qui court sur plusieurs centaines de milles vers un aval extraordinaire. Gilles Carle dans *Moi, j'me fais mon cinéma*, nous a livré en quelque sorte l'amont de l'aval. Il nous a éclairés sur les sources d'une œuvre dont le moins qu'on puisse dire est qu'elle est un immense acte d'amour.

*Le journal d'*Abigail est en quelque sorte l'amont de mon histoire d'amour entre Vincent Rossignol et Abigail Meers.

Je ne devais plus toucher à *Je t'aime, Abigail !* avant le 2 juillet. Trois mois à laisser reposer le texte avant sa réécriture. Mais que d'émotions vécues pendant ces trois nouveaux mois. Je m'arrêterai sur la plus touchante : la mort de Pierre Perrault, le 23 juin 1999 à 9 heures du soir. Je donnais une conférence au « Cercle Jonathan » dans le sous-sol de la Résidence de l'île. Je savais Pierre malade depuis longtemps. Avec Jacques Michaud, nous étions allés le visiter le 8 décembre et le 1er mars pour lui présenter des corrections d'épreuves du *Mal du Nord*. Nous avons assisté en quelque sorte à son lent départ. Je l'ai vu une dernière fois, le 23 avril, à la Maison du Citoyen ; il s'était déplacé pour le lancement de son livre, peut-être la plus intime de ses œuvres. Il est toujours difficile de voir un chêne tomber. J'avoue que la mort de Pierre m'a fait cette impression. J'avais découvert le Québec avec cet homme. Il avait réussi à me communiquer sa grande passion pour le fleuve. J'avais entrepris, à ma façon, de donner corps aux leçons du maître en écrivant sur mon fleuve à moi : l'Outaouais. Mais mon écriture serait fictive et rebelle. Pierre ne croyait pas à la fiction. Or, la fiction pour moi, c'est une terre promise.

Pendant les trois mois de jachère, c'est-à-dire entre avril et juillet, j'ai demandé à des artistes, à des historiens et à des littéraires de lire ma première version. Le jeudi 20 mai, je devais avoir des nouvelles encourageantes du groupe d'artistes choisi par Richard Blackburn pour le spectacle. La metteure en scène Danièle Grégoire, le comédien et graphiste Richard Bénard, les musiciens Louise Beaudouin, Daniel Bouliane et André Mongeon. Ils ont terminé leur lecture. Ils sont tous enthousiastes lorsque je les rencontre au studio d'« Ondes spirales », une heure avant d'aller célébrer, au Collège de l'Outaouais, mon 25e anniversaire d'enseignement. Ils adorent mes personnages. Ce groupe est d'une intensité vivifiante. Cela me donne à nouveau des ailes. La création est ainsi faite que toute nouvelle bouffée de chaleur provoque une ascension. Je me sens comme un albatros en plein vol. Deux jours plus tard, le samedi 22 mai, je reçois un message de Raymond Ouimet sur mon répondeur. Il est rendu à la page soixante. « Je m'amuse comme un petit fou ! » me dit-il. Je plane.

Mais mon vol plané ne devait pas durer. Si Raymond avait aimé ma première version, avec toutefois quelques réserves, sa collègue Denise Latrémouille, elle, en avait encore plus. L'historienne Latrémouille devait lire ma première version au début du mois de juin. Au reste, le mardi 8 juin, je la rencontrais chez elle, dans une jolie demeure dont le jardin rappelle l'*hortus conclusus* de la littérature médiévale des Chaucer et des Boccace. Là, elle m'a fait part de ses remarques très nuancées. En quelque sorte, un rappel à la réalité. Heureusement, tout cela fut servi avec un bon Dubonnet. Elle avait lu mon livre avec un œil de lynx. Même les petits détails ne lui avaient pas échappé. Par exemple « épleuré» au lieu d'« éploré », « Knotch » au lieu de « Notch ». Également, des éléments encore plus importants concernant les noms mal orthographiés dans Edgar Boutet. Denise Latrémouille trouvait mes avanceurs très « surdoués », ce qui lui semblait invraisemblable. Pas à moi. De plus mon portrait du maire Moussette était osé selon elle. Je ne trouvais pas. Je rentrai chez moi à minuit. J'atterrissais en quelque sorte. D'autres contrôleurs aériens se sont chargés de bien m'indiquer la piste. Denise avait souligné les zones d'ombre de mon manuscrit. Je lui en suis très reconnaissant aujourd'hui. Elle ne devait pas être la dernière à signaler les déviations de ma création littéraire.

En juillet, trois mois après avoir fait reposer le sol de *Je t'aime, Abigail !*, arriva l'orage. Mon ami Jacques fut pour moi cet orage. Foudroyant, il me ramenait d'emblée à l'humilité que doit avoir, sans doute, tout auteur qui se respecte. J'ai reçu ses foudres la journée même que mon éditeur m'apportait les siennes au bord du lac Blue Sea, le 13 juillet 1999. Les premières remarques de Jacques portaient sur la langue parlée et la langue écrite que j'entremêlais allègrement, selon lui. Je le lui concède. Je vais passer sous silence ses remarques de standardisation et d'uniformisation qui, somme toute, relèvent de l'édition, remarques que ne manquerait pas de reprendre à son compte mon solide éditeur, sans en avoir parler à Jacques. « L'arrestation du groupe est-elle plausible ? », « Est-il vraisemblable que Vincent Rossignol accède si rapidement à ces connaissances spirituelles et architecturales ? » me demandait Jacques. J'étais coincé. Mon éditeur lui donnait en partie raison.

Mais quelle belle journée quand même quand Pierre Bernier vint me rencontrer au Blisse. J'étais fier de lui montrer le pays de mon inspiration. Cette journée-là, nous avons accompli du bon travail. Pierre Bernier est certainement le plus ferme lecteur qu'il m'ait été donné de rencontrer. Peu de choses lui échappent. Lui et Louise Chicoyne sont mes correcteurs préférés. Avec mon grand ami Jacques, bien sûr.

Pierre Bernier, Denise Latrémouille, Jacques Michaud, Raymond Ouimet et Vincent Théberge, mes collègues du milieu littéraire, insistent tous sur la vraisemblance. Je serais porté à dire qu'ils sont aristotéliciens. Malgré tout, cela ne me déplaît pas. Je crois sincèrement que les remarques de juin et de début juillet que m'ont faites Denise, Jacques, Pierre, Raymond et Vincent ont joué un rôle important dans le travail de réécriture que j'ai terminé le 21 août. Ils avaient raison. Mes avanceurs étaient d'une douance suspecte. J'ai corrigé toutes les fautes qu'on m'avait signalées. C'était déjà un pas. Puis, j'ai passé le rouleau compresseur. Un rouleau fraternel quand même. C'était déjà mieux. Enfin, j'ai sorti ma liste de précautions oratoires. J'ai soumis à l'esprit aristotélicien qui sommeillait en moi l'équation de l'*impossible vraisemblable* et du *possible invraisemblable*. Entre temps, tout de même, j'ai fait lire ma première version à des personnes complètement étrangères au milieu de l'édition. Verdict de Paulette Rondeau et de son époux Philippe Cross, qui est aussi mon cousin : « C'est très bon ! » Il faut parfois savoir choisir ses lecteurs.

Tout ça pour dire que le projet initial de spectacle pour le bicentenaire de la ville de Hull, qui est devenu, au fil de l'écriture, un roman avalisé par le directeur général de la Corporation des fêtes du bicentenaire, Lawrence Cannon et deux illustres membres du conseil d'administration, le président Marc Senécal et le vice-président André Fortier — lesquels m'ont chaleureusement encouragé —, ressemble à une œuvre que j'ai le goût de faire lire à tous les rattrapeurs et les avanceurs des écoles de l'Outaouais pour leur dire qu'ils vivent dans un pays merveilleux.

En terminant, j'aimerais remercier spécialement mes filles Sophie-Laurence et Lilimaude pour leur lecture filiale de mon manuscrit, et ma mère Liliane, âgée de 85 ans, qui m'a dit, après avoir lu *Je t'aime, Abigail !* : « Ça me donne le goût de retourner à l'école ! »

Voilà, c'était le journal d'un défi. Il me reste à souhaiter que cette démarche soit féconde et qu'elle donne à toutes et à tous le goût de célébrer la vigueur des lieux qu'ils habitent.

Stéphane-Albert Boulais

Bibliographie racontée

MES COMPAGNONS DE VOYAGE

AUBIN, V. P. et A. E. BÉRUBÉ, *Hull industriel*, Hull, The Ottawa Printing Co., Limited, 1908, 84 p.

Quel plaisir que de se servir de ce livre publicitaire pour explorer le Hull commercial du début du siècle. Mes personnages Bob Vaillant et Vincent Rossignol s'en donnent à cœur joie. *Hull industriel* rappelle, à sa façon, que l'entreprise éditoriale est une aventure féconde qui sème, çà et là, des perles pour les pêcheurs de l'avenir.

BOUTET, Edgar, *Le bon vieux temps à Hull*, Hull, Éditions Gauvin, 1971, 170 p.

Le lecteur aura beaucoup de plaisir à parcourir les écrits d'Edgar Boutet, ancien journaliste au quotidien *LeDroit* et à l'hebdomadaire *Le Progrès de Hull*. On dit de lui qu'il était un « homme jovial et dynamique ». Je n'en doute pas. Il m'a été un compagnon de voyage agréable. Ses portraits de Signor Farini, de Lord Dalhousie, du Dr John Bigsby et de John McTaggart, entre autres, m'ont été très utiles. Boutet nous donne le goût d'explorer, c'est tout dire.

BRUNET, P., « L'expédition de Low », dans *Le Nord de l'Outaouais*, Ottawa, LeDroit, 1938, p. 144-148.

Ce texte savoureux, qui a d'abord paru dans *Canadian Defense Quaterly*, a le mérite à mes yeux de nous emmener au seuil de la Haute-Gatineau, dans l'une des aventures les plus singulières à s'être passées dans l'Outaouais. Comme je voulais absolument mettre le petit train de la Gatineau dans *Je t'aime, Abigail !*, ce texte arrivait à point nommé. Mon collègue Bernard Monnet m'avait déjà parlé de la fameuse expédition militaire de Low où il était question d'Irlandais récalcitrants qui ne voulaient pas payer leurs taxes à la fin du siècle dernier. Le texte de Brunet devait me révéler des détails qui me ravirent. Entre autres, certains noms de protagonistes comme le major Bliss. Quelle belle coïncidence, car depuis plusieurs années déjà, je travaille à des cycles de contes romanesques intitulés *Blisse.* Le pays du Blisse est ce pays que couvre aujourd'hui la Municipalité régionale de comté de la Haute-Gatineau, dont la porte d'entrée est, justement, le village de Low. Mais le mot « Blisse », je l'ai forgé à partir de la contraction du mot anglais « Blue Sea ». Certaines personnes de Gracefield disent encore : « Ce soir, on va veiller au B-l-i-s-s ». J'ai ajouté un « e » autant pour l'euphonie que pour la calligraphie.

CARRIÈRE, Georges-E., « La peinture religieuse de Jean Dallaire », dans *Asticou*, nº 18, décembre 1977, p. 3-7.

C'est grâce à cet article que j'ai eu le goût de me rendre au Collège dominicain voir *Le crucifié* de Jean Dallaire. La lecture conduit parfois à des chemins bien particuliers. Ainsi, le 14 février 1999, en avant-midi, nous entrions, Lorraine et moi, par le portique de la rue Empress, tout près de l'endroit où Jean Dallaire avait eu son atelier. C'est grâce au père Georges-Henri Lévesque, le célèbre prédicateur dominicain, que le plus illustre des peintres hullois a eu la chance de se lancer. C'est grâce au père Léon Reed, l'actuel archiviste du collège, que Lorraine et moi avons pu contempler le jeune Dallaire religieux.

CARTIER, Jacques, *Relations,* Édition critique par Michel Bideaux, Bibliothèque du nouveau monde, Montréal, Les Presses de l'Université de Montréal, 1986, 500 p.

J'ai eu l'idée de faire intervenir Jacques Cartier à cause du parc qui porte son nom. Mais je dois avouer que c'était un support inespéré pour moi, car j'avais eu l'occasion de faire une longue étude sur Jacques Cartier, en 1982, quand je travaillais comme recherchiste pour le film *Voiles bas et en travers* de Pierre Perrault. J'avais lu dans le texte ces récits du XVIe siècle, ce qui m'avait pris plusieurs mois. Mais quelle lecture ! Le cinéaste Pierre Perrault, que j'ai eu la chance de côtoyer à maintes reprises, tenait Jacques Cartier en haute estime. Il le considérait comme le premier poète du Québec. À juste titre d'ailleurs. Il suffit de lire les *Relations* pour s'en convaincre. Un poète est avant tout celui qui nomme et nous donne une identité. Jacques Cartier a été le premier à nous nommer. Au reste, j'oserais dire que l'œuvre de cet autre grand poète québécois, Pierre Perrault, est un palimpseste des voyages de Jacques Cartier. Pour vous en convaincre lisez *Le Mal du Nord* que Vents d'Ouest, une autre bonne maison d'éditions de l'Outaouais, vient de publier sous la direction de Jacques Michaud et la révision de Colette Michaud.

DAVY, Marie-Madeleine, *Bernard de Clairvaux*, Paris, Éditions du félin, 1990, 214 p.

Les références à Bernard de Clairvaux, je les dois à Marie-Madeleine Davy. Sa monographie sur le grand abbé cistercien m'a enchanté. Je l'ai lue juste avant un voyage littéraire que j'ai fait à La-Chaux-de-fonds en compagnie d'auteurs de l'Outaouais, mes amis Pierre Bernier, Julie Huard, Michel-Rémi Lafond, Michel Lavoie, Richard Poulin et François-Xavier Simard. Nous y représentions l'Outaouais. Je suis parti en avance et j'ai pu visiter, en compagnie de mon épouse, le grand monastère cistercien de Bourgogne, l'abbaye de Fontenay où Bernard de Clairvaux avait séjourné. Cela nous a tellement impressionnés que nous avons beaucoup lu sur la vie de ce saint. Entre autres, ses diatribes avec Pierre le vénérable, le grand abbé de Cluny. C'est avec émotion que j'écris le mot « Cluny ». Cluny est pour moi l'abbaye bénédictine la plus importante de l'histoire. C'est aussi le plus haut lieu de savoir du Moyen Âge. Je rêvais d'en parler dans mon livre sur Hull. La communauté « Bernard-de-Clairvaux » me l'a permis.

GAFFIELD, Chad, (dir.), *Histoire de l'Outaouais*, Québec, Institut québécois de recherche sur la culture, 1994, 880 p.

Un livre incontournable pour celui qui veut étudier Hull et sa région. Chad Gaffield et ses associés laissent ici un document impressionnant sur la vie historique, géographique, économique et culturelle de l'Outaouais. *Histoire de l'Outaouais* est un ouvrage écrit par des chercheurs. C'est le premier livre que j'ai consulté avant d'écrire *Je t'aime, Abigail !* Huit cent quatre-vingts pages de matériaux d'appoint, du pléistocène au Nouvel Âge. J'avoue avoir beaucoup appris, notamment sur la géologie, avec mon collègue du Collège de l'Outaouais, Jean-Marc Soucy, sur les Amérindiens, avec Gérald Pelletier, sur le monde du travail, avec Odette Vincent-Domey et Normand Fortier, sur la politique, avec Caroline Andrew, sur le syndicalisme, avec André Beaucage et Jacques-André Lequin, sur la vie culturelle, avec André Cellard et Jean Harvey. Et c'est avec bonheur que j'ai retrouvé Gaffield cité dans le petit guide touristique de l'Outaouais. Ce n'est pas pour rien que je fais une belle place à cet auteur dans mon livre quand les élèves de François Desjardins écoutent Pedro Da Silva lire un extrait de Gaffield aux rapides Deschênes.

LAROSE, André, « L'implantation des Églises protestantes dans l'Outaouais québécois (1800-1850) », dans *Outaouais*, n° 3, Hull, la Société d'histoire de l'Outaouais, 1994, p. 1-14.

Je connaissais peu de chose sur le protestantisme en Outaouais avant de lire André Larose. Aussi me fait-il plaisir d'inciter le lecteur à consulter le numéro spécial que la Société d'histoire de l'Outaouais a publié sur l'histoire religieuse. Particulièrement l'article d'André Larose sur lequel je me suis permis en quelque sorte de faire des gammes, dans l'épisode de la grande excursion de Luskville. Mon enfance a été imprégnée par la religion. J'ai fréquenté les Spiritains, les Clercs de Saint-Viateur et les Prêtres des missions étrangères, tous de bons catholiques. Or, les protestants ont toujours représenté à mes yeux « l'inquiétante étrangeté ». En face de la maison familiale, il y a une colline sur laquelle trône une église anglicane. Enfants, mes camarades et moi allions jouer sous sa galerie. Jamais nous n'avons osé pénétrer dans le sanctuaire. Il était en quelque sorte, pour nous, l'antre du diable. Quelle libération cela a été pour moi d'inventer une histoire ou un héros catholique rencontre une héroïne anglicane. J'avoue aimer particulièrement le rapprochement que je fais entre la crucifixion du Collège dominicain et l'Ascension de l'église protestante St. James. André Larose, dans son article, nous donne le goût de visiter les autres sanctuaires de notre altérité.

LATRÉMOUILLE, Denise, *Hull entre mémoire et histoire*, [œuvres de Jean Alie; textes de Denise Latrémouille], Hull, Vents d'Ouest, 1995, 91 p.

C'est un très beau livre que *Hull entre mémoire et histoire* de Denise Latrémouille. L'auteure offre des pages uniques sur la ville, ses rues et ses monuments. Elle a une façon bien à elle de raconter la vie hulloise et cette manière donne parfois dans la poésie. J'ai particulièrement apprécié son passage sur l'industriel E. B. Eddy, comme ceux sur l'église Notre-Dame et la librairie Larocque. Denise Latrémouille est certes inspirée par les éloquentes peintures du Maniwakien Jean Alie, mais, plus encore, par le sujet de Hull, qui, sous sa plume, revit d'une manière toute amoureuse. Il y a de la passion dans ses textes. Les âmes ardentes y trouveront une nourriture de gourmets.

Deux autres textes de Denise Latrémouille m'ont beaucoup servi. Il s'agit de « L'évolution de l'odonymie hulloise de 1875 à nos jours » et « Les femmes dans l'histoire de Hull ». Ce dernier texte, malheureusement non encore publié, présente les Hulloises d'une façon très originale : « Les femmes et l'eau », « Les femmes et le bois », « Les femmes et le feu ». Zaida Arnold, l'épouse de E. B. Eddy, celle qui n'hésite pas à utiliser le poivre de Cayenne pour recevoir les huissiers, y trouve une place de choix.

LEBEL, Louis, *Magdal*, Montréal, Éditions Bernard Valiquette, 1940, 234 p.

L'une des belles surprises de ma quête de Hull. Ce petit livre, qui raconte l'histoire de la chimie allumettière, offre, à certains égards, des pages littéraires savoureuses. L'auteur a du style. Il aime écrire. J'ai cité dans mon livre des passages sur la nécrose. Louis LeBel n'excelle pas seulement à faire des comptes rendus documentaires, il livre aussi des passages littéraires délicieux comme celui de la page quatre-vingt-un par exemple :

> *Elle me recevait, dès mon réveil, avec un sourire qui me mettait tout de suite en humeur de faire comme elle. Quand j'évoque, après tant d'années, ses caresses, au cours de la minutieuse toilette qu'elle me faisait subir, il me semble qu'elle apportait aux mille détails de cette opération la même religieuse attention que l'on met à cueillir une rose exquise et parfumée. Elle me poudrait, ondulait mes cheveux, et, quand, enfin, rien ne restait plus à reprendre à mes falbalas, elle me donnait encore un baiser, en aspirant lentement l'odeur de tout mon petit être. Puis, mon père me recevait avec des poses qu'il s'évertuait à rendre plus comiques pour me faire rire. Et je riais, sans aucun mélange de mélancolie.*

OUIMET, Raymond, *Une ville en flammes*, Hull, Vents d'Ouest, 1997, 334 p.

J'ai dit plus haut le respect que je porte à Raymond. En tant qu'historien, il m'a été d'un secours admirable. Son livre sur les feux de Hull m'a fait découvrir un auteur enflammé par son sujet. Lisez cette œuvre ; vous appellerez les pompiers pour qu'ils viennent à votre secours. Raymond a un talent de conteur. Avec lui, nous sommes sur les lieux. Le drame nous entoure. Il y a un incendie : nous pouvons brûler nous aussi. Il y a une explosion, nous courons nous mettre à l'abri. *Je t'aime, Abigail !* lui rend hommage comme historien. Ses textes m'ont été de première utilité. C'est avec passion que j'ai mis ses mots d'historien dans la bouche des élèves de François Desjardins. Raymond Ouimet est aussi l'auteur de nombreux textes auxquels je me suis référé, entre autres son « Louis Étienne Reboul » paru dans la chronique « Mémoire vive » du journal *LeDroit* et surtout « Dernière exécution publique », article paru lui aussi dans *LeDroit* et que mon personnage maniwakien, Bruno Langevin, porte sur lui, tant ce texte l'a remué.

PICARD Gilles et Julie LEGAULT, *Au cœur des Collines*, Hull, Association touristique de l'Outaouais, 1998, 44 p.

Cette publication bilingue m'a réjoui. Ses rédacteurs ont su piquer ma curiosité. Voici un bon guide touristique. Je n'ai pas hésité une seconde. Je tenais un itinéraire idéal. Il me restait à appliquer la recette du philosophe Michel Serres.

Partir. Sortir. Se laisser un jour séduire. Devenir plusieurs, braver l'extérieur, bifurquer ailleurs.

Les collines de la Gatineau m'ont permis en quelque sorte de trouver ma fleur blanche.

ROBIDOUX, Léon-A., *Les cageux*, Montréal, Les Éditions de l'Aurore, 1974, 96 p.

Excellent livre documentaire sur les cages et les cageux. J'y ai trouvé matière pour expliquer la différence entre un crible et un drame. Ce livre m'a accompagné sur les bord de la Grande Rivière et m'a révélé l'essentiel de ce que je devais communiquer sur l'industrie du bois au XIXe siècle dans l'Outaouais. Combiné au texte « Projet de brochure touristique sur la chute des Chaudières de Hull » de Denise Latrémouille et de Luc Bouvier, il s'est révélé un outil de premier ordre.

SERRES, Michel, *Le Tiers-Instruit*, Paris, Éditions François Bourin, 1991, 249 p.

Michel Serres est un philosophe que j'aime beaucoup. Il est l'un de ceux qui ont parlé de pédagogie d'une façon stimulante. Dans *Je t'aime, Abigail !*, je cite son *Tiers-Instruit*. « Rien ne donne plus le sens que de changer de sens », écrit-il. D'une certaine manière, mon héros Vincent Rossignol vit cette philosophie. Et François Desjardins répond merveilleusement, je crois, à cette autre pensée : « Les instituteurs se doutent-ils qu'ils n'ont enseigné, dans un sens plein, que ceux qu'ils ont contrariés, mieux, complétés, ceux qu'ils ont fait traverser ? ». Mon professeur d'histoire est un personnage qui sait séduire, c'est-à-dire, qu'il sait, pour reprendre une expression de Michel Serres, « conduire ailleurs».

> *Partir. Sortir. Se laisser un jour séduire. Devenir plusieurs, braver l'extérieur, bifurquer ailleurs. Voici les trois premières étrangetés, les trois variétés d'altérité, les trois premières façon de s'exposer. Car il n'y a pas d'apprentissage sans exposition, souvent dangereuse, à l'autre.*

En d'autres mots, faire d'un droitier un gaucher et d'un gaucher, un droitier. *Je t'aime, Abigail !* est en quelque sorte aussi un clin d'œil fait à ce philosophe, membre de l'Académie française, avec lequel j'ai eu l'honneur de partager les minutes du film *Les traces du rêve* de Jean-Daniel Lafond. J'ai appris avec Michel Serres que « tout apprentissage exige ce voyage avec l'autre et vers l'altérité. Pendant ce passage, bien des choses changent. » Mon professeur François Desjardins trouve là un modèle.

POUR EN SAVOIR PLUS

ABÉLARD, Pierre, *Abélard et Héloise : correspondance*, texte traduit et présenté par Paul Zumthor, Paris, Union générale d'éditions, 1983, 209 p.

ALIE, Jean, *Hull, hier*, Ottawa, Commission de la capitale nationale, 1978, 30 p.
[Merci à Isabelle Ménard du Service des arts et de la culture de la ville de Hull qui m'a offert un exemplaire de ce livre.]

ANDREW, Carolyne, « La politique régionale », dans *Histoire de l'Outaouais*, Québec, Institut québécois de recherche sur la culture, 1994, p. 735-759.

ASSINIWI, Bernard, *Ikwé, la femme algonquienne*, Hull, Vents d'Ouest, 1998, 99 p.

BLANCHETTE, Roger, « Le développement de l'Outaouais vs la conjoncture nationale et internationale : un rappel historique », dans *Asticou, revue d'histoire de l'Outaouais*, vol. XXI, n° 41, décembre 1989, p. 19-23.

BOURGOIN, Louis-Marie, « Le presbytère Notre-Dame de Grâce de Hull, monument historique », dans *Asticou, revue d'histoire de l'Outaouais*, n° 28, juillet 1983, p. 3-6.

BOUTET, Edgar, « Les journaux de Hull : des origines à 1955 », dans *Asticou*, n°s 10-11, mars 1973, p. 45-70.

BRAULT, Lucien, *Hull 1800-1950*, Ottawa, Les Éditions de l'Université d'Ottawa, 1950, 267 p.

BRAULT, Lucien, *Ottawa et Hull, aperçu d'histoire*, Ottawa, Commission de la capitale nationale, 1962, 24 p.

CELLARD, André et Gérald PELLETIER, « La rivière des Outaouais : 1650-1791 », dans *Histoire de l'Outaouais*, Québec, Institut québécois de recherche sur la culture, 1994, p. 85-103.

CELLARD, André, « La grande rivière des Algonquins : 1600-1650 », dans *Histoire de l'Outaouais*, Québec, Institut québécois de recherche sur la culture, 1994, p. 67-84.

CHAREST, Marie-Renée, *L'aventure en cascade* [fresque historique dans le cadre des festivités du 250e anniversaire de Saint-Hyacinthe], scénario de Marie-Renée Charest et Richard Blackburn, Upton, Théâtre de la Dame de Cœur, 1998, 63 f.

CHEVRIER, H.-Paul, *Le langage du cinéma narratif*, Laval, Les 400 coups, 1995, 172 p.

COLLECTIF, *Le village d'Argentine*, Hull, L'Association du patrimoine du Ruisseau, 1992, 51 p.

DUNN, Guillaume, *Les forts de l'Outaouais*, Montréal, Les Éditions du jour, 1975, 172 p.

FLETCHER, Katharine, *Promenades historiques dans le parc de la Gatineau*, Ottawa, Chesly House Publications, 1998, 148 p. [Merci à la direction de la Maison du tourisme qui m'a offert ce livre.]

FORTIER, Normand, « L'économie rurale », dans *Histoire de l'Outaouais*, Québec, Institut québécois de recherche sur la culture, 1994, p. 311-348.

GAFFIELD, Chad, « L'âge d'or de l'exploitation forestière », dans *Histoire de l'Outaouais*, Québec, Institut québécois de recherche sur la culture, 1994, p. 157-206.

GAFFIELD, Chad, « Société, culture et développement institutionnel : 1826-1886 », dans *Histoire de l'Outaouais*, Québec, Institut québécois de recherche sur la culture, 1994, p. 207-249.

GAFFIELD, Chad, « La terre, la famille et les origines de la colonisation : 1791-1826 », dans *Histoire de l'Outaouais*, Québec, Institut québécois de recherche sur la culture, 1994, p. 121-156.

GIANNETTI, Loreta, « St. James de Hull », texte tiré du livret publié en 1948, 4 f.

GOSSELIN, Pierre, (dir.), *Histoire religieuse*, dans *Outaouais*, n° 3, Hull, la Société d'histoire de l'Outaouais, 1994, 98 p.

JOLICŒUR, Joseph, *Histoire anecdotique de Hull*, Hull, Société historique de l'Ouest du Québec, 1977-1979, 2 t.

KURELEK, William, *Les bûcherons*, Montréal, Livres Toundra, 1983, 48 p.

LACELLE, Élisabeth J. et Pierre SAVARD, (dir.), *Saint-Jean-Baptiste d'Ottawa*, Ottawa, Marie Tappin, 1997, 326 p.

LAFLEUR, Gaston, *Val Tétreau (1806-1990)*, Hull, Eurospectra, 1996, 600 p.

LAPOINTE, Pierre Louis, « La presse québécoise d'expression française à l'heure de la Confédération », dans *Asticou*, nos 10-11, mars 1973, p. 4-44.

LATRÉMOUILLE, Denise et Luc BOUVIER, Projet de brochure touristique sur la chute des Chaudières de Hull, Hull, Ville de Hull, 1988 [1995], 14 f.

LATRÉMOUILLE, Denise, « L'évolution de l'odonymie hulloise de 1875 à nos jours », dans *Asticou, revue d'histoire de l'Outaouais*, n° 45, juin 1994, p. 3-11.

LATRÉMOUILLE, Denise, « Les femmes dans l'histoire de Hull », exposé présenté au Conseil municipal et à la Corporation du bicentenaire de Hull, janvier 1999, 6 f.

LATRÉMOUILLE, Denise, « Qui était Asa Meech ? » dans *Asticou, revue d'histoire de l'Outaouais*, vol. XXI, n° 41, décembre 1989, p. 24-25.

LATRÉMOUILLE, Denise, « Témoignage de Madame Victoire Lachaîne-Lafleur, sage-femme », dans *Asticou, revue d'histoire de l'Outaouais*, vol. XXI, n° 41, décembre 1989, p. 12-18.

LESSARD, Georges, « Guillaume Dunn, "Chantre de la Grande Rivière" », dans *Asticou, revue d'histoire de l'Outaouais*, n° 45, juin 1994, p. 12.

MOREAU, Jean-Paul, « Chronologie de l'histoire d'Aylmer-Lucerne-Deschênes », dans *Asticou*, n° 15, avril 1976, p. 29-32.

OSTIGUY, Jean-René, *Jean Dallaire et la tradition québécoise*, Hull, Ville de Hull, 59 p.

OUELLET, Fernand et Benoît THÉRIAULT, « Philemon Wright », dans *Dictionnaire biographique du Canada*, Vol. VII, Québec, Les Presses de l'Université Laval, 1988, p. 1004-1007.

OUIMET, Raymond, « Double meurtre à Montebello, dernière exécution publique », dans *LeDroit*, le lundi 31 août 1998, p. 13.

OUIMET, Raymond, « La mort au temps passé : mourir un peu, beaucoup », dans *LeDroit*, le lundi 2 novembre 1998, p. 27.

OUIMET, Raymond, « Louis Étienne Reboul, missionnaire français en Outaouais », dans *LeDroit*, le lundi 25 janvier 1999, p. 25.

OUIMET, Raymond, « Louis Étienne Reboul, le père de la ville de Hull », dans *LeDroit*, le lundi 1 février 1999, p. 25.

OUIMET, Raymond, *Histoires de cœur insolites*, Hull, Vents d'Ouest, 1994, 177 p.

PELLETIER, Gérald, « Les premiers habitants de l'Outaouais : 6 000 ans d'histoire », dans *Histoire de l'Outaouais*, Québec, Institut québécois de recherche sur la culture, 1994, p. 41 à 65.

POIRIER, Roger, *Qui a volé la rue Principale ?*, Montréal, Éditions Départ, 1986, 332 p.

ROBERT, Guy, *Dallaire ou l'œil panique*, Montréal, Éditions France-Amérique, 1980, 264 p.

ROSS, Adéodat, « Historique des armoiries de la ville de Hull », Hull, Service des communications, 1987, 3 f.

ROSSIGNOL, Léo, *Histoire documentaire de Hull 1792-1900*, [thèse de doctorat], Ottawa, Université d'Ottawa, 1941, 329 p.

ROUSSEAU, Jacques, « L'avenir des Amérindiens de la toundra et de la taïga québécoises, dans *Les Cahiers des Dix*, vol. 33, 1968, p. 55-77.

SOUCY, Jean-Marc, « Le milieu physique », dans *Histoire de l'Outaouais*, Québec, Institut québécois de recherche sur la culture, 1994, p. 21-40.

SULTE, Benjamin, *Jos. Montferrand*, Montréal, Les Éditions de Montréal, 1975 [1899], 126 p.

VADEBONCŒUR, Pierre, *La ligne du risque*, Montréal, HMH, 1977, 286 p.

VINCENT-DOMEY, Odette, « L'industrie et le monde du travail », dans *Histoire de l'Outaouais*, Québec, Institut québécois de recherche sur la culture, 1994, p. 265-309.

VINCENT-DOMEY, Odette, *Filles et familles en milieu ouvrier : Hull, Québec, à la fin du XIXe siècle*, Collection RCHTQ, *Études et documents*, n° 4, Montréal, Regroupement des chercheurs-chercheures en histoire des travailleurs et travailleuses du Québec, 1991, 198 p.

Il existe plusieurs documents vidéographiques que le lecteur aura plaisir à visionner à la bibliothèque de Hull. Entre autres, certaines séries portant sur l'histoire de la ville : *Il était une fois...*

Hull (1991), de Martin Perreault, *La petite histoire de Hull* (1997), de Jeanne Choquette, et *Attendez que je vous raconte* (1999), de Roger Lord. Je signale en terminant deux documentaires intéressants : *À bout de soufre* (1982), du réalisateur Roger Gauthier sur un scénario de Bernard Assiniwi, et *Dallaire, étranger chez lui* (1993), de Conrad Beaulieu.

Table des illustrations

Table des matières

Je t'aime, Abigail !

est le premier titre de la collection « Outaouais »
et le quartorzième publié par Écrits des Hautes-Terres.

Direction littéraire
Pierre Bernier

Direction artistique
Vincent Théberge

Composition et mise en pages
Impressart

Image de marque
Jean-Luc Denat

Achevé d'imprimer en septembre 1999
sur les presses de l'**Imprimerie Gauvin limitée**
pour la maison d'édition Écrits des Hautes-Terres

Dans cette publication qui marque le bicentenaire de la Ville de Hull
qui aura lieu en l'an 2000, nous sommes heureux de souligner que
l'Imprimerie Gauvin est la plus vieille imprimerie commerciale de
cette ville. La direction de cette entreprise familiale fondée en 1892
est actuellement entre les mains des Gauvin de la quatrième et de la
cinquième génération, Robert et André, respectivement.

Nos félicitations.

ISBN : 2-922404-12-9

Imprimé à Hull (Québec) Canada